CHRIS
CARTER

ROZMÓWCA

Z języka angielskiego przełożył
Mikołaj Kluza

WYDAWNICTWO
SONIA DRAGA

Tytuł oryginalu:
THE CALLER

Projekt graficzny okładki: Szara Sowa/ Marcin Słociński

Redakcja: Małgorzata Najder
Korekta: Joanna Rodkiewicz, Maria Zając, Hanna Antos

ISBN: 978-83-8110-290-2

WYDAWNICTWO SONIA DRAGA Sp. z o.o.
ul. Fitelberga 1, 40-588 Katowice
tel. 32 782 64 77, fax 32 253 77 28
e-mail: info@soniadraga.pl
www.soniadraga.pl
www.facebook.com/wydawnictwoSoniaDraga

Skład i łamanie: Wydawnictwo Sonia Draga

Katowice 2018. (D318)

Jeden

Tanya Kaitlin zakręciła wodę, wyszła spod prysznica i powoli się wytarła, zanim włożyła swój ulubiony czarno-biały szlafrok. Następnie sięgnęła po ręcznik od kompletu wiszący na małym haczyku koło drzwi łazienki, po czym owinęła go niczym turban wokół włosów w kolorze piasku. Choć kąpała się w letniej wodzie, to i tak wytworzyło się dość pary, aby wielkie lustro wiszące na ścianie tuż nad czarnym granitowym blatem umywalki całkowicie zaparowało. Tanya podeszła do niego i wytarła ręką okrągły fragment. Pochyliła się do przodu i dokładnie przyjrzała swojemu odbiciu. Dostrzeżenie go zajęło jej zaledwie kilka sekund.

– Jasna cholera – powiedziała, przekręcając głowę, żeby lepiej zobaczyć swój prawy profil, a następnie palcami wskazującymi naciągnęła fragment skóry obok podbródka. – Nie ma, kurwa, takiej opcji, Panie Pryszczu. Widzę cię.

Poczuła nagłą chęć, żeby go wycisnąć. Zamiast tego otworzyła szufladę pod umywalką i zaczęła metodycznie przetrząsać jej zawartość, jakby brała udział w misji wojskowej. Było w niej pełno buteleczek, tubek i fiolek zawierających olejki, kremy, balsamy i wszelkie inne „cudowne" preparaty na cerę reklamowane ostatnio w każdym z licznych czasopism o modzie, które kupowała z niemal religijnym fanatyzmem.

– Nie, tylko nie ty... tylko nie ty... – wymamrotała, przesuwając przedmioty w szufladzie. – Gdzie to jest, do cholery? Mam to, wiem, że to mam. – Jej ruchy zrobiły się nieco bardziej nerwowe. – No, znalazłam cię. – Odetchnęła z wyraźną ulgą.

Głęboko z wnętrza szuflady wyciągnęła niewielką białą tubkę z kulką na końcu. Jeszcze nigdy nie używała tego konkretnego produktu, ale kilka dni wcześniej czytała artykuł, według którego miał to być jeden z pięciu najskuteczniejszych obecnie dostępnych na rynku cudownych środków przeciwtrądzikowych. Nie żeby Tanya borykała się z tym problemem. Prawdę mówiąc, skórę miała wyjątkowo zdrową jak na dwudziestotrzylatkę, jednak bez wątpienia dziewczyna była zawsze na wszystko przygotowana. Ilość kosmetyków, które kupiła „na wszelki wypadek" w ciągu ostatnich dwóch lat, wprost oszałamiała.

Tanya zdjęła nakrętkę, spojrzała na swoje odbicie w lustrze i delikatnie przejechała małą kulką po niewielkim wyprysku, który groził pęknięciem.

– Proszę bardzo, Panie Pryszczu, zostałeś załatwiony – oznajmiła triumfalnie. – A teraz wypieprzaj z mojej twarzy. I lepiej, żebyś to zrobił przed weekendem.

Dziewczyna właśnie miała zacząć rytuał nawilżania ciała i twarzy, kiedy usłyszała jakiś dźwięk dochodzący z sypialni. A przynajmniej tak jej się zdawało. Otworzyła więc drzwi łazienki i poprawiła turban z ręcznika, aby odkryć prawe ucho. Następnie wystawiła głowę na zewnątrz i przez chwilę nasłuchiwała. Dziwna melodyjka, którą usłyszała, oznaczała, że jedno z trójki jej najlepszych przyjaciół chce nawiązać wideorozmowę.

– Idę... idę... – powiedziała, wychodząc z łazienki.

Znalazła swojego smartfona wibrującego na stoliku przy łóżku. Poruszał się nierówno z jednej strony na drugą, zupełnie jakby tańczył do odtwarzanej melodyjki. Wzięła go do ręki i sprawdziła wyświetlacz – wideopołączenie od jej najlepszej przyjaciółki Karen Ward. Zegarek pokazywał 22.39.

Tanya zaakceptowała połączenie, trzymając telefon przed twarzą. Często w ten sposób rozmawiały.

– Cześć, kochana – rzuciła na przywitanie, usiadłszy na krawędzi łóżka. – Właśnie musiałam zająć się pryszczem na brodzie, uwierzysz?

Zmarszczyła brwi, kiedy obraz pojawił się na wyświetlaczu. Zamiast oglądać całą twarz koleżanki, tak jak zawsze do tej pory, widziała jedynie zbliżenie jej głęboko osadzonych niebieskich oczu. Były pełne łez.

– Karen, wszystko w porządku?

Dziewczyna nie odpowiedziała.

– Kochanie, co się dzieje? – Tym razem głos Tanyi przepełniała troska.

W końcu obraz zaczął się bardzo powoli oddalać, a im więcej było widać w telefonie, tym strach coraz bardziej ściskał gardło dziewczyny. Jasne włosy Karen wyglądały na mokre od potu. Przykleiły się do jej czoła i policzków jak wilgotny papier. Rzęsiste łzy spowodowały, że makijaż jej się rozmazał i spłynął po twarzy, tworząc szalony wzór z ciemnych linii.

Tanya przysunęła telefon bliżej oczu.

– Karen, co tam się, kurwa, dzieje? Nic ci się nie stało?

Ponownie nie doczekała się odpowiedzi. Kiedy jednak obraz jeszcze bardziej się oddalił, w końcu zrozumiała dlaczego. Gruby skórzany knebel obwiązywał wargi kobiety tak ciasno, że zniekształcał jej twarz i wrzynał się głęboko w kąciki ust. Krew zaczęła już jej spływać po brodzie.

– Co, do cholery? – wyszeptała drżącym głosem. – To jakiś pieprzony żart?

– Obawiam się, że twoja przyjaciółka nie może teraz rozmawiać.

Głos, który dobiegł z małego głośnika telefonu, został w jakiś sposób cyfrowo zmieniony. Był obniżony o kilka tonów, przez co brzmiał przerażająco głucho. Zbyt głucho, żeby mógł wyjść z ludzkich ust. Dodano również efekt opóźnienia dźwięku, przez co wypowiedź ciągnęła się nierównomiernie. W rezultacie głos ten pasował jak ulał do postaci demona z hollywoodzkich produkcji. Dziewczyna nie wiedziała, czy rozmówca jest kobietą, czy mężczyzną.

– Co...? – Zmarszczyła brwi. Nie widziała na ekranie nikogo poza zakneblowaną przyjaciółką. – Kim jesteś?

– Nie ma znaczenia, kim jestem – odparł monotonny, demoniczny głos. – Ważne jest, żebyś uważnie słuchała i żebyś się nie rozłączyła. Nie widzisz mnie, ale ja ciebie tak. Jeśli się rozłączysz, to konsekwencje będą poważne... dla Karen... i dla ciebie.

Tanya potrząsnęła głową, zupełnie jakby chciała się wybudzić z koszmaru.

– Co?

Zdziwienie przeszło w osłupienie.

Obraz ponownie nieco się oddalił i dziewczyna mogła zobaczyć, że jej przyjaciółka została przywiązana grubą liną do krzesła. Zmrużyła oczy na widok tego, co zobaczyła. Rozpoznała mebel i duży plakat widoczny za związaną koleżanką. Karen znajdowała się we własnym salonie.

Tanya znieruchomiała, rozważając przez chwilę sytuację, po czym przechyliła głowę na bok, patrząc sceptycznie w ekran. *To musi być żart*, pomyślała. Wtedy do niej dotarło.

– Pete, jesteś tam? To ty mówisz tym pieprzonym, diabelskim głosem? – zapytała spokojniejszym tonem. – Robicie mnie w wała? – Zdjęła ręcznik z głowy, pozwalając mokrym włosom spaść na ramiona.

Brak odpowiedzi.

– Ha, ha, ha. Dobra, Pete, Karen, skończcie już. To wcale nie jest śmieszne, wiecie? W zasadzie to trochę powalone. Prawie się zsikałam.

Dalej żadnej odpowiedzi.

– Przestańcie już albo się rozłączę.

– Nie robiłbym tego na twoim miejscu – odpowiedział w końcu diabelski głos tym samym monotonnym rytmem. – Nie wiem, kim jest Pete, ale może powinienem się dowiedzieć. Może się okazać, że wpiszę go na swoją listę.

Na ekranie w dalszym ciągu nie było widać nikogo poza Karen. Kimkolwiek była osoba z demonicznym głosem, ona lub on zajmowała się zapewne filmowaniem. Telefon prawdopodobnie został ustawiony na jakimś statywie, ponieważ obraz był zbyt nieruchomy jak na nagranie z ręki.

To jakieś szaleństwo, pomyślała, wpatrując się w oczy swojej przyjaciółki.

Karen wciągnęła głęboko powietrze, musiało ją to sporo kosztować, ponieważ cała jej głowa zatrzęsła się z wysiłku. Kolejne łzy pojawiły się w jej oczach, po czym rozlały po policzkach, tworząc więcej ciemnych smug.

Tanya znała ją wystarczająco dobrze, by wiedzieć, że te łzy są prawdziwe. Cokolwiek tam się działo, miała pewność, że to nie jest żaden żart.

– Miło by było jeszcze pogadać, ale czas ma tutaj kluczowe znaczenie. Przynajmniej dla twojej koleżanki. Pozwól zatem, że opowiem ci, co się będzie dalej działo.

Dziewczyna zupełnie zesztywniała.

– Zrobiłem zakład.

Nie była pewna, czy dobrze usłyszała.

– Co? Zakład?

– Zgadza się – potwierdził demon. – Założyłem się z Karen. Jeśli przegram, uwolnię ją i żadna z was już nigdy mnie nie spotka. Obiecuję.

Nastąpiła długa, znacząca pauza.

– Ale jeśli wygram... – Rozmówca pozwolił, żeby te słowa zawisły złowróżbnie w powietrzu.

Tanya pokręciła głową.

– Ja... Ja nie rozumiem.

– To bardzo prosta gra. Nazywam ją, o dziwo, dwa pytania.

– Co?

– Musisz jedynie poprawnie odpowiedzieć na dwa moje pytania – wyjaśnił nieludzki głos. – Będę je zadawać pojedynczo. Możesz podać tyle odpowiedzi, ile chcesz, ale żebyśmy mogli przejść do następnego pytania, a w przypadku drugiego – do końca gry, musisz dać właściwą. Jeśli będziesz się zastanawiać dłużej niż pięć sekund, potraktuję to jako błędną odpowiedź. Żeby twoja koleżanka Karen odzyskała wolność, musisz odpowiedzieć poprawnie na dwa pytania. Wiem, wiem. To nie brzmi wcale jak ekscytująca gra, prawda? Ale... chyba będziemy musieli się o tym przekonać.

– Pytania? Jakie pytania?

– Och, nie bój się. Są z tobą ściśle powiązane. Zobaczysz.

Tanya musiała głęboko wciągnąć powietrze, zanim zdołała ponownie się odezwać.

– A co się stanie, jeśli podam błędną odpowiedź?

Na te słowa Karen pokręciła głową. Jej oczy rozszerzyły się pod wpływem przerażenia.

– To bardzo dobre pytanie – odparł nieludzki głos. – Widzę, że jesteś sprytną kobietą. To dobry znak.

Na chwilę zapadła cisza, zupełnie jakby połączenie zostało zerwane. Wywołały ją zmiana tonu głosu i opóźnianie dźwięku, stosowane przez rozmówcę.

– Powiedzmy, że dla dobra Karen lepiej, żebyś się nie pomyliła.

Tanya zaczęła ciężko oddychać. Nie miała ochoty grać w tę grę. I wcale nie musiała. Wystarczyło się tylko rozłączyć.

– Jeśli się rozłączysz, Karen zginie, a ja przyjdę po ciebie – oznajmił głos, zupełnie jakby rozmówca potrafił czytać w jej myślach. – Jeśli znikniesz z ekranu i nie będzie cię widać w kamerze, Karen zginie, a ja przyjdę po ciebie. Jeśli zadzwonisz na policję, Karen zginie, a ja przyjdę po ciebie. Pozwól jednak, że zapewnię cię o bezcelowości takiego działania. Policjanci potrzebują dziesięciu minut, żeby tutaj dotrzeć. Mnie wystarczy jedna, żeby wyrwać twojej przyjaciółce serce z piersi i zostawić je dla nich na stole. Krew w jej żyłach nadal będzie ciepła, kiedy gliniarze tu dotrą.

Te słowa wywołały u obu kobiet falę strachu. Karen zaczęła krzyczeć przez skórzany knebel i miotać się histerycznie, próbując uwolnić się z więzów, jednak bezskutecznie.

– Kim jesteś? – spytała Tanya łamiącym się głosem. – Dlaczego jej to robisz?

– Lepiej zajmij się pilniejszym problemem. Pomyśl o Karen.

W tym momencie na wyświetlaczu telefonu pojawił się jakiś ruch. Ktoś ubrany na czarno stanął bezpośrednio za krzesłem, do którego przywiązana była kobieta, jednak nie widać było nic poza torsem tej postaci.

– Jezu, co to jest za chory żart! – wykrzyknęła dziewczyna do telefonu, walcząc z napływającymi łzami.

– Nie, Tanya. To nie jest żart – odpowiedział demon. – To wszystko dzieje się naprawdę. Zaczynamy?

– Nie, zaczekaj... – błagała, jej serce zaczęło bić dwukrotnie szybciej niż kilka minut wcześniej.

Jednak człowiek o demonicznym głosie już nie słuchał.

– Pytanie numer jeden: ilu przyjaciół masz na Facebooku?

– Co? – Twarz Tanyi przybrała wyraz najczystszego zdziwienia.

– Ilu przyjaciół masz na Facebooku? – powtórzył głos, tym razem odrobinę wolniej.

Dobra, to musi być żart, pomyślała. *Co to za głupie pytanie? Czy to całe gówno dzieje się na poważnie?*

– Pięć sekund.

Zaskoczona dziewczyna spojrzała w twarz Karen. Zobaczyła w niej jedynie strach.

Złowieszczy głos rozpoczął odliczanie.

– Cztery... trzy... dwa...

Tanya nie musiała się nad tym zastanawiać. Sprawdziła swój profil tuż przed wejściem pod prysznic.

– Tysiąc stu trzydziestu trzech.

Cisza.

Powietrze w sypialni zdawało się gęstnieć niczym dym.

W końcu postać stojąca za krzesłem zaczęła klaskać.

– To w stu procentach poprawna odpowiedź. Masz dobrą pamięć. Twoja przyjaciółka jest już o krok bliżej wolności. Musisz teraz odpowiedzieć poprawnie jeszcze tylko na jedno pytanie i wszystko się skończy.

Kolejna zamierzona długa przerwa.

Tanya nie zdawała sobie nawet sprawy, że wstrzymywała oddech.

– Ponieważ to twoja najlepsza przyjaciółka, więc drugie pytanie powinno być dla ciebie jak bułka z masłem.

Dziewczyna czekała.

– Jaki jest numer komórki Karen?

– Numer komórki? – Brwi dziewczyny uniosły się ze zdziwieniem.

Tym razem demon nie powtórzył pytania, tylko od razu rozpoczął odliczanie.

– Cztery... trzy... dwa...

– Ale... ja nie znam go na pamięć.

– Dwa...

Tanya poczuła w gardle dławiącą kulę.

– Jeden...

– To głupie – odparła dziewczyna z nerwowym chichotem. – Daj mi sekundę, to ci go sprawdzę.

– Dałem ci pięć, a one już minęły. Nie odpowiedziałaś.

Tym razem w głosie demona pojawił się nowy ton. Ton, którego Tanya nie potrafiła nazwać, ale który napełnił jej serce przerażeniem.

– Chciałaś wiedzieć, co się stanie, kiedy źle odpowiesz... więc patrz.

Dwa

Detektyw Robert Hunter z wydziału zabójstw policji Los Angeles od razu zauważył rudowłosą kobietę, gdy tylko wszedł do całodobowej czytelni na pierwszym piętrze historycznego Powell Library Building, który stanowił część kampusu UCLA w Westwood. Była częściowo ukryta za stertą książek w skórzanych oprawach, na biurku przed nią stał kubek kawy. Siedziała sama, zajęta pisaniem na laptopie. Gdy przechodził koło niej, idąc w stronę drugiego końca czytelni, kobieta odwzajemniła jego spojrzenie. Niczego nie wyrażało. Żadnej ciekawości, żadnego zaproszenia, flirtu. Zwykłe, nic nieznaczące spojrzenie. Sekundę później jej wzrok powrócił do ekranu komputera.

Już trzeci raz detektyw widział ją w bibliotece, zawsze za stertą książek, zawsze z kubkiem kawy, zawsze samą.

Hunter kochał czytać, a co za tym idzie, kochał również całodobową czytelnię, zwłaszcza bardzo wcześnie rano, po bezsennych nocach.

W USA co piąta osoba cierpi na chroniczną bezsenność, zazwyczaj będącą skutkiem stresującej pracy i rodzinno-finansowych problemów. W przypadku Roberta dolegliwości pojawiły się o wiele wcześniej, zanim musiał zmagać się z presją stresującej pracy.

Wszystko zaczęło się tuż po tym, jak jego matka przegrała walkę z rakiem. Miał wtedy siedem lat. Przesiadywał sam w pokoju i tęsknił za nią. Zbyt smutny, żeby zasnąć, zbyt przestraszony, żeby zamknąć oczy, zbyt dumny, żeby płakać. Koszmary, które go nawiedzały, były zbyt straszne dla takiego małego chłopca, zatem jego mózg wypracował mechanizm obronny – robił wszystko, żeby tylko Robert nie zasnął. Sen stał się w równej mierze luksusem, co torturą. Żeby zająć czymś myśli w trakcie długich bezsennych godzin, chłopak zaczął zawzięcie czytać, pochłaniać książki, jakby dodawały mu siły. Stały się jego sanktuarium. Fortecą. Azylem, w którym upiorne koszmary nie mogły go dosięgnąć.

Wraz z upływem lat bezsenność i nocne koszmary w znacznej mierze ustąpiły, ale na kilka tygodni przed otrzymaniem doktoratu z kryminalnej analizy behawioralnej i biopsychologii na Uniwersytecie Stanforda świat Huntera ponownie legł w gruzach. Jego ojciec, który nigdy nie ożenił się ponownie, pracował wówczas jako strażnik w jednym z oddziałów Bank of America w centrum Los Angeles. Został postrzelony w trakcie napadu, który przybrał bardzo zły obrót. Robert spędził przy nim dwanaście tygodni, kiedy ten leżał w śpiączce w szpitalu. Czytał mu książki, opowiadał żarty, godzinami trzymał go za rękę, jednak ponownie okazało się, że miłość i nadzieja nie wystarczą. Po śmierci ojca bezsenność i koszmary powróciły żądne zemsty i nigdy go już nie opuściły. W trakcie dobrej nocy mógł liczyć na trzy, a może nawet cztery godziny snu. Ta noc nie była jedną z nich.

Hunter dotarł do ostatniego stolika na końcu sali i spojrzał na zegarek – minęła 00.48. Jak zwykle, pomimo późnej pory, było tu dość tłoczno, głównie dzięki stałemu napływowi studentów, który trwał przez całą noc.

Usiadł przodem do sali i otworzył przyniesioną książkę. Czytał jakieś piętnaście minut, aż w końcu uznał, że jemu również przydałby się kubek kawy. Najbliższy automat znajdował się tuż przy wyjściu, koło wind. Kiedy przemierzał czytelnię, ponownie wymienił spojrzenia z rudowłosą kobietą. Co prawda jej wzrok powędrował z powrotem do ekranu laptopa, jednak nie stało się to wystarczająco szybko. Znowu mu się przyglądała i chociaż została przyłapana, język jej ciała nie wyrażał żadnego zażenowania. Wręcz przeciwnie, z jej ruchów emanowała pewność siebie.

Nowiutki automat oferował piętnaście różnych rodzajów kawy, z czego dziewięć smakowych. Najbardziej ekstrawagancka – z bitą śmietaną, polewą karmelową i posypką czekoladową – była podawana w kubku o pojemności prawie sześciuset mililitrów. Kosztowała dziewięć dolarów i dziewięćdziesiąt pięć centów.

Detektyw zachichotał pod nosem. Zarówno studenckie ceny, jak i miary poszły mocno w górę od jego szkolnych lat.

– Odpuściłabym to sobie na twoim miejscu, chyba że lubisz mdląco-słodką kawę.

Rada pochodząca od osoby stojącej kawałek za nim całkowicie go zaskoczyła. Odwrócił się i stanął twarzą w twarz z rudowłosą. Jej uroda była zarazem oczywista i intrygująca. Jasnorude włosy sięgające ramion układały się w naturalne fale, grzywka zawijała się nieco w prawo ponad czołem, tworząc uroczy lok w stylu pin-up. Nosiła okulary w staromodnych oprawkach „kocie oczy", które idealnie pasowały do twarzy w kształcie serca i delikatnie podkreślały jej zielone tęczówki. Tuż pod dolną wargą miała kolczyk typu labret z drobnym, czarnym kamiennym ćwiekiem. W przegrodzie nosowej również widniał kolczyk – delikatne srebrne kółeczko. Miała na sobie czarno-czerwoną sukienkę w stylu rockabilly z lat pięćdziesiątych, odsłaniającą całe ręce, które od ramion aż po nadgarstki pokrywały kolorowe tatuaże. Buty Mary Jane pasowały kolorem do sukienki.

– Chodziło mi o pozycję, na którą patrzyłeś. – Wyczuła jego zmieszanie, więc wyjaśniła, kierując jednocześnie kubek w stronę automatu. – Karmelowe frappuccino deluxe? Jest przesadnie słodkie, więc nie polecam, chyba że lubisz takie rzeczy.

Hunter nie zdawał sobie sprawy, że tak przyciągał uwagę, wybierając kawę.

– Powiedziałbym, że nie tylko ze słodyczą tutaj przesadzili – odparł, zerkając przez ramię. – Dziesięć dolców za kawę?

Jej usta rozciągnęły się w pełnym zrozumienia uśmiechu, który był jednocześnie uroczy i nieśmiały.

– Widziałam cię już tutaj – powiedziała, odchodząc od tematu słodkich i drogich kaw. – Studiujesz na UCLA?

Robert przyjrzał się stojącej przed nim kobiecie. Trudno było określić jej wiek. Emanowała dumą i autorytetem niczym gubernator stanu, ale jej delikatne rysy pasowały do studentki jednego z ostatnich roczników. Głos kobiety również trudno było zaklasyfikować. Brzmiały w nim jednocześnie dziewczęce tony, jak i pewność siebie, którą mogła zbić z tropu każdego podrywacza.

– Nie – odparł Hunter, szczerze rozbawiony tym pytaniem. Wiedział, że w ogóle już nie wygląda jak uczeń. – Studenckie dni mam dawno za sobą. Po prostu... – omiótł wzrokiem salę – lubię przychodzić tutaj w nocy. Podoba mi się spokój tego miejsca.

Ta odpowiedź wywołała kolejny uśmiech na ustach kobiety.

– Chyba wiem, co masz na myśli. – Odwróciła się i podążyła wzrokiem za spojrzeniem Roberta: przez drzwi, po drewnianej podłodze i ciemnych mahoniowych stołach wielkiej czytelni, aż do gotyckich okien. – Lubię też zapach tego miejsca.

Detektyw zmarszczył brwi.

Przechyliła lekko głowę, gdy zaczęła wyjaśniać.

– Zawsze uważałam, że gdyby wiedza miała zapach, to byłby on właśnie taki, nie sądzisz? Połączenie papieru, zarówno starego, jak i nowego, skóry, mahoniu... – Zrobiła krótką pauzę i wzruszyła ramionami. – Drogiej kawy i zastałego potu studentów.

Tym razem Robert się uśmiechnął. Podobało mu się jej poczucie humoru.

– Jestem Tracy – oznajmiła, wyciągając dłoń. – Tracy Adams.

– Robert Hunter. Miło mi cię poznać.

Miała delikatne dłonie, ale uścisk silny i pewny.

– Proszę, pani przodem – powiedział, odsuwając się i wskazując najpierw na jej pusty kubek, a potem na automat.

– O nie, byłeś pierwszy. Poza tym nie śpieszy mi się.

– W porządku, naprawdę. Jeszcze się nie zdecydowałem – skłamał. Zawsze pił tylko czarną, bez cukru.

– W takim razie dziękuję. – Podeszła do automatu i postawiła kubek w odpowiednim miejscu. Wrzuciła kilka monet i wcisnęła guzik: czarna kawa. Bez cukru.

– Więc jak ci idzie na zajęciach? – spytał.

– Oh, nie, ja też nie jestem studentką – odparła, zabierając kubek, i odwróciła się do niego.

– Wiem. Uczysz tutaj, prawda?

Tracy przyjrzała mu się ciekawie, próbując wyczytać coś z jego twarzy, ale jej się nie udało. To zaintrygowało ją jeszcze bardziej.

– Zgadza się, jestem wykładowcą. Skąd wiesz?

Hunter spróbował zbyć ją wzruszeniem ramion.

– Po prostu zgadłem. Nie kupiła tego.

– Nie wierzę.

Szybko wróciła myślą do oprawionych w skórę woluminów leżących na jej stole. Tytuł żadnego z nich nie zdradzał jej zawodu, a nawet gdyby, to jej rozmówca musiałby mieć nadludzki wzrok, żeby je odczytać z miejsca, w którym siedział, lub kiedy przechodził po sali.

– Powiedziałeś to zbyt pewnie jak na zgadywanie. Musiałeś to już wiedzieć wcześniej. Skąd? – Teraz jej spojrzenie stało się sceptyczne.

– Zwykła obserwacja – odparł. Jednak zanim zdążył rozwinąć swoją myśl, poczuł wibracje telefonu w kieszeni. Wyjął go i spojrzał na wyświetlacz.

– Przepraszam na chwilę – powiedział, po czym podniósł komórkę do ucha. – Detektyw Hunter, wydział zabójstw.

Tracy uniosła brwi. Tego się nie spodziewała. Kilka sekund później dostrzegła całkowitą zmianę na twarzy Roberta.

– OK – rzucił detektyw do telefonu i sprawdził zegarek. Była 1.14. – Już jadę. – Rozłączył się i spojrzał na Tracy. – Miło było cię poznać. Smacznej kawy.

Kobieta się zawahała.

– Nie wziąłeś książki – krzyknęła za nim, ale Hunter był już w połowie schodów.

Trzy

Sekcja Specjalna ds. Zabójstw stanowiła elitarną część wydziału zabójstw policji Los Angeles. Została powołana, aby zajmować się wyłącznie sprawami seryjnych morderców, zabójstw o wysokim priorytecie oraz śledztwami wymagającymi znacznych nakładów pracy i wiedzy eksperckiej. Z uwagi na wykształcenie Huntera z zakresu kryminalnej psychologii behawioralnej oraz fakt, iż Los Angeles zdawało się przyciągać szczególny rodzaj socjopatów, detektyw został umieszczony w jeszcze bardziej wyspecjalizowanej jednostce. Wszystkie morderstwa, gdzie sprawca wykazał wyjątkową brutalność lub sadyzm, były oznaczane jako SO – Szczególnie Okrutne. Robert Hunter i jego partner Carlos Garcia tworzyli wspólnie jednostkę SO wydziału zabójstw.

Wskazówki, które otrzymał detektyw, zaprowadziły go na Long Beach, a dokładniej do trzypiętrowego budynku obłożonego terakotą, wciśniętego pomiędzy aptekę a dom na rogu. Nawet pomimo wczesnej pory oraz wybrania możliwie najszybszej trasy, pokonanie ponad pięćdziesięciu kilometrów oddzielających kampus UCLA od nabrzeża zabrało mu prawie godzinę.

Zobaczył skupisko czarno-białych wozów policyjnych, jak tylko wyjechał z Redondo Avenue i skręcił w lewo w East Broadway. Część tej ulicy została już wygrodzona przez policję Long Beach. Honda civic w kolorze błękitny metalik, należąca do Garcii, stała zaparkowana obok białej furgonetki techników kryminalistycznych.

Hunter musiał zwolnić do niemalże żółwiego tempa, gdy zbliżał się do wydzielonego obszaru. W mieście, które praktycznie w ogóle nie śpi, nie dziwił tłumek gapiów, którzy już się zebrali przy taśmie policyjnej. Większość miała ręce uniesione nad głowy, nagrywając wszystko telefonami i tabletami, zupełnie jak na koncercie. Każdy liczył na chociaż mignięcie czegoś ciekawego. Im brutalniejszego, tym lepiej.

Kiedy wreszcie przedarł się przez zbiorowisko, pokazał odznakę dwóm funkcjonariuszom stojącym koło czarno-żółtej taśmy policyjnej, a następnie zaparkował obok wozu swojego partnera. Gdy wysiadł z poobijanego buicka lesabre, rozprostował się na całą wysokość swoich stu osiemdziesięciu centymetrów i wystawił na zimny poranny wiatr. Gęste złowróżbne chmury spowiły niebo, zasłaniając gwiazdy i pogłębiając jeszcze ciemność nocy. Robert przypiął odznakę do paska i rozejrzał się powoli. Część ulicy odcięta przez policję miała długość około stu metrów. Ciągnęła się od skrzyżowania z Newport Avenue aż do Loma Avenue.

Pierwszą myślą detektywa było to, że okolica zapewniała dużą liczbę tras ucieczki, łącznie z autostradą oddaloną o blisko dwa i pół kilometra. Nie miało jednak znaczenia, czy sprawca poruszał się samochodem, czy nie. Każdy mógł bez problemów rozpłynąć się anonimowo na dowolnej z tych dróg.

Garcia, który stał obok radiowozu i rozmawiał z policjantem z Long Beach, zauważył partnera, kiedy ten tylko przedostał się przez kordon.

– Robert – krzyknął, przechodząc przez ulicę.

Hunter odwrócił się w jego stronę.

Carlos miał brązowe, dość długie włosy, zaczesane do tyłu w koński ogon. Ubrany był w ciemne spodnie i jasnoniebieską koszulę, widoczną pod czarną marynarką. Wydawał się całkowicie rozbudzony, a ubranie wyglądało jak świeżo odebrane z pralni, ale w jego przekrwionych oczach widoczne było zmęczenie. W przeciwieństwie do swojego partnera Garcia zwykle spał bardzo dobrze. Tej nocy telefon z pracy wyciągnął go z łóżka po zaledwie dwóch godzinach snu.

– Cześć – odpowiedział Hunter i kiwnął przyjacielowi. – Wybacz taki wczesny telefon, chłopie. Co tutaj mamy?

– Nie jestem pewny – odparł drugi detektyw, kręcąc głową. – Przyjechałem tylko kilka minut przed tobą. Próbowałem złapać tego, kto tutaj dowodzi, kiedy zobaczyłem, jak przechodził za taśmę policyjną.

Robert przesunął wzrok nad ramieniem partnera i spojrzał na zbliżającą się do nich postać. Wyszła właśnie z budynku.

– Chyba nas znalazł – oznajmił.

Carlos obrócił się na pięcie.

– Wy jesteście z SO? – zapytał mężczyzna głosem ochrypłym od całych lat palenia papierosów. Naszyte szewrony na ramionach powiedziały detektywom, że mają do czynienia ze starszym sierżantem. Wyglądał na czterdzieści kilka, pięćdziesiąt lat. Gęste, przyprószone siwizną włosy miał zaczesane do tyłu, przez co widoczna była niewielka poszarpana blizna nad lewym łukiem brwiowym. Mówił z lekkim meksykańskim akcentem.

– Zgadza się – odrzekł Hunter, po czym obaj detektywi podeszli bliżej.

Wszyscy się po kolei przedstawili i wymienili uściski dłoni. Sierżant nazywał się Manuel Velasquez.

– Więc co tutaj mamy? – spytał Garcia.

Velasquez zareagował parsknięciem, w jego nerwowym chichocie pobrzmiewało jednak wahanie.

– Nie jestem pewny, czy dałbym radę ująć to w słowa – odparł, spoglądając na budynek za swoimi plecami. – Nie jestem pewny, czy ktokolwiek by potrafił. Będziecie musieli tam pójść i sami to zobaczyć.

Cztery

Gęste chmury gnane podmuchami jesiennego wiatru, który w ostatnich minutach wyraźnie przybrał na sile, zbiły się w jeszcze gęstszą masę. Po chwili pierwsze krople deszczu zaczęły uderzać o suchy asfalt oraz głowy dwóch detektywów i sierżanta, zmierzających w kierunku obłożonego terakotą budynku.

– Ofiara nazywała się Karen Ward – oznajmił Velasquez, nadający tempo ich ucieczce przed deszczem. Następnie powiódł ich poprzez kilka betonowych stopni prowadzących do drzwi wejściowych. Zamiast polegać na własnej pamięci, wyciągnął notatnik i przewrócił kilka kartek. – Miała dwadzieścia cztery lata, była singielką i pracowała jako kosmetolog w salonie piękności na East Second Street. – Instynktownie wskazał ręką kierunek. – W zasadzie niedaleko stąd. Mieszkała w tym budynku od zaledwie czterech miesięcy.

– Wynajmowała? – spytał Garcia, kiedy weszli do środka.

– Zgadza się. Właścicielką i wynajmującą jest... – Przerzucił kolejną kartkę w notesie. – Nancy Rogers, zamieszkała w Torrance w South Bay.

– Rabunek? – tym razem Hunter.

Velasquez pokręcił niespokojnie głową.

– Nie. Sprawca nawet nie próbował go upozorować. Żadnych śladów włamania ani walki. Torebka ofiary leżała na kanapie w salonie, a w środku portmonetka, dwie karty kredytowe i osiemdziesiąt siedem dolarów w gotówce. Kluczyki do samochodu również były w środku. Laptop znaleźliśmy w sypialni, gdzie leżało też trochę biżuterii na kredensie. Szafy, szuflady, szafeczki... wszystko wygląda na nietknięte.

Jedynym zabezpieczeniem drzwi wejściowych, jakie budynek zdawał się zapewniać, był stary domofon. Nie widzieli żadnych kamer.

– Mieszkała sama?

– Zgadza się – przytaknął sierżant.

Budynku nie wyposażono w windę, zatem cała trójka wspięła się po długim ciągu schodów, a następnie kolejnym, żeby dostać się na najwyższą kondygnację.

– Na każde piętro wysłałem swoich ludzi, chodzili od drzwi do drzwi. Nic. – Mina sierżanta nie wyrażała zbyt wielkiego zdziwienia. – Nikt nic nie widział, nikt nic nie słyszał.

– Nawet sąsiedzi obok? – spytał Hunter.

Velasquez pokręcił głową.

– Sąsiedzi obok to para w średnim wieku. Pan i pani Santiago. Oboje mają problemy ze słuchem. Sam z nimi rozmawiałem. Musieliśmy walić do drzwi prawie godzinę, zanim pan Santiago otworzył, a i to tylko dlatego, że wstał w środku nocy, żeby się odlać, i wtedy nas usłyszał.

Schody doprowadziły ich do długiego wąskiego korytarza, oświetlonego obecnie dokładnie przez potężne reflektory techników. Mieszkanie Karen Ward miało numer 305, znajdowało się na końcu po prawej stronie. Nicholas Holden, jeden z ekspertów od odcisków palców w CSI, klęczał przy drzwiach, zajęty poszukiwaniem śladów.

– Wspominałeś o tym, że była singielką – powiedział Garcia, kiedy szli przez korytarz.

– Owszem.

– Wiesz może, czy spotykała się z kimś? Miała chłopaka?

Sierżant doskonale rozumiał, dlaczego padło takie pytanie. Młoda kobieta zostaje brutalnie zamordowana we własnym mieszkaniu, bez śladów włamania ani bez wyraźnego motywu – początkowa lista podejrzanych będzie się składała głównie z osób, z którymi ofiara mogła być w jakichś związkach w ciągu ostatnich kilku lat. W USA tak zwane zbrodnie z namiętności stanowiły ponad połowę brutalnych morderstw dokonanych na kobietach.

– Przykro mi, ale nie mieliśmy czasu, żeby zebrać takie informacje – odparł Velasquez, spoglądając na zegarek. – Tak naprawdę to udało nam się ustalić bardzo niewiele na temat ofiary i tego, co wydarzyło się w jej mieszkaniu, zanim potwierdzono, że dochodzenie należy przekazać wam – zamilkł i popatrzył na obu mężczyzn. – Szczerze, to takie decyzje zazwyczaj mnie wkurzają. To jest nasza jurysdykcja, więc to powinno być nasze śledztwo, *comprendes*? Nie jesteśmy zastępem zuchów. Jednak ta sprawa od samego początku wyglądała na temat dla SO, więc się tego spodziewaliśmy. – Podniósł dłonie w geście kapitulacji. – Tym razem nie będę się jednak skarżył, ani żaden z moich ludzi. Jeśli chcecie dostać to całe gówno... nie musicie prosić dwa razy. Jest wasze.

Obaj detektywi zmarszczyli brwi.

– Chwileczkę – zaczął Garcia. – O co chodzi z tym, że „ta sprawa od początku wyglądała na temat dla SO"?

Sierżant zaczął wodzić wzrokiem od jednego mężczyzny do drugiego.

– Nikt wam nie powiedział o telefonie?

Odpowiedzią na to pytanie było pełne ciekawości milczenie.

– O kurde! – Velasquez pokręcił głową, patrząc pod nogi. – Dobra. Około dwudziestej trzeciej dwadzieścia pod numer alarmowy zadzwoniła rozhisteryzowana kobieta. Trudno ją było zrozumieć, ale wykrzyczała słowo „morderstwo". Jak wszyscy wiemy, to czerwony alarm. Rozmowa została przekierowana do naszego wydziału, a potem bezpośrednio do mnie.

– Rozmawiałeś z nią osobiście?

Policjant przytaknął.

– Rzeczywiście, wpadła w histerię, twierdziła, że ktoś zamordował jej najlepszą przyjaciółkę na jej oczach. – Zrobił pauzę i uniósł palec wskazujący, wyjaśniając. – No cóż, może nie dokładnie na jej oczach, ale mogła oglądać... a w zasadzie była zmuszona do oglądania tego poprzez wideopołączenie.

– Słucham? – Spojrzenie Carlosa nie wyrażało już niepewności, tylko niedowierzanie.

– Dobrze słyszałeś. Kobieta krzyczała w słuchawkę, że jakiś psychol zadzwonił do niej z komórki pani Ward i zmusił ją do wzięcia udziału w jakiejś grze, w której stawką było życie jej przyjaciółki.

– Grze? – dociekał Hunter.

– Tak powiedziała. Nie znam szczegółów, ponieważ kobieta

histeryzowała. Pierwszą rzeczą, jaką musiałem zrobić, żeby przestrzegać protokołu, to posłać tutaj radiowóz i sprawdzić rzekomą ofiarę morderstwa, panią Karen Ward. Kilku mundurowych przyjechało tutaj chwilę po północy i wiecie co? Drzwi były otwarte. Weszli do środka, żeby sprawdzić... no i w efekcie ściągnięto tutaj was.

– Ta histeryczka twierdziła, że była przyjaciółką ofiary? – spytał Garcia.

Policjant przytaknął.

– Nazywa się Tanya Kaitlin. Mam jej dane osobowe w samochodzie. Przekażę je, zanim stąd pojedziecie.

Kiedy cała trójka dotarła w końcu do mieszkania 305, Hunter przywitał technika z CSI.

– Cześć, Nick.

– Cześć, chłopaki – odpowiedział automatycznie agent.

Po podpisaniu protokołu obaj detektywi dostali po białym kombinezonie Tyvek wraz z kompletem lateksowych rękawiczek. Kiedy się ubierali, Robert spostrzegł drzwi ewakuacyjne na końcu korytarza, za mieszkaniem Karen.

– Wiadomo, dokąd one prowadzą?

– Do metalowych schodów, którymi można zejść na tyły budynku – wyjaśnił sierżant. – Idąc w lewo, można dotrzeć do Newport Avenue, w prawo do Loma Avenue.

Hunter, który nie zdążył jeszcze zapiąć kombinezonu, zbliżył się do wyjścia ewakuacyjnego i dokładnie mu się przyjrzał. Dźwignia na ognioodpornych drzwiach sugerowała, że da się je otworzyć wyłącznie od wewnątrz. Nie można się było nimi dostać do środka budynku, ale od strony mieszkania 305 zapewniały znacznie szybszą drogę na zewnątrz niż pokonywanie całej długości korytarza aż do schodów na końcu.

Detektyw nacisnął dźwignię i otworzył drzwi. Nie wydały żadnego dźwięku. Nie były podłączone do alarmu. Kiedy odwrócił się ponownie w stronę mieszkania ofiary, zauważył, że technik wpatruje się w drzwi, przechylając głowę to w jedną, to w drugą stronę.

– Znalazłeś coś, Nick?

– Sprawdzam po prostu pod światło – odpowiedział Holden,

odrywając się od pracy. Maska na jego ustach unosiła się w górę i w dół, kiedy mówił. – Na razie mamy tutaj trzy różne zestawy odcisków, a dopiero zacząłem.

Hunter pokiwał głową ze zrozumieniem.

– Mógłbyś jeszcze sprawdzić to wyjście ewakuacyjne, jak już skończysz? Chciałbym zrobić porównanie odcisków z obu powierzchni.

Technik zerknął na drugie drzwi.

– Jasne, nie ma problemu.

Detektywi skończyli się ubierać i włożyli kaptury kombinezonów na głowy. Po chwili weszli do mieszkania 305.

Pięć

Za drzwiami wejściowymi do mieszkania Karen Ward znajdował się niewielki przedpokój. Na jego białych ścianach wisiało kilka dużych plakatów z kwiatami. Czerwona mata antypoślizgowa na podłodze witała wchodzących. Przedpokój od reszty mieszkania oddzielała kurtyna z koralików i dzwoneczków zwieszająca się od sufitu w nierównych sznurach. Hunter nie widział czegoś takiego od czasów dzieciństwa. Jego babcia miała podobną zasłonę w kuchni. Dzwoneczki rozdzwoniły się głośno, kiedy obaj detektywi przedostawali się do salonu. Zanim sierżant do nich dołączył, przeżegnał się i wymamrotał kilka słów po hiszpańsku.

Pomieszczenie było dość przestronne, ładnie zaaranżowane przy użyciu zaledwie kilku dobrze dopasowanych, nowoczesnych mebli. Zdecydowanie najciekawszy akcent stanowiły duże, szklane, rozsuwane drzwi na końcu pokoju, za kolejną zasłoną z koralików. Prowadziły do narożnego balkonu. Przy północnej ścianie znajdowała się niewielka otwarta kuchnia. Od salonu oddzielał ją czteroosobowy stół z drewna sosnowego. Po jego drugiej stronie, obok kredensu o podobnym kolorze co stół, stało duże lustro. Obaj detektywi zatrzymali się po wejściu do pomieszczenia. Ich uwagę od razu przyciągnęło krzesło stojące u szczytu stołu, na którym spoczywało straszliwie okaleczone ciało.

Oczy Roberta zwęziły się, kiedy jego umysł próbował zrozumieć barbarzyństwo, które miał przed sobą.

Ofiara została rozebrana do naga. Ręce miała przyciśnięte do boków przy użyciu cienkiej nylonowej linki, kilkukrotnie oplecionej wokół jej torsu tuż poniżej piersi i wokół oparcia krzesła. Dwoma kolejnymi kawałkami liny unieruchomiono jej nogi w kostkach, przywiązując je do krzesła. Siedziała wyprostowana, głowa opadła jej do przodu, zupełnie jakby tylko spała. Broda zatrzymała się zaledwie parę centymetrów od piersi. Detektyw wpatrywał się z niedowierzaniem w liczne kawałki grubego szkła wbite brutalnie w twarz kobiety, zmieniające ją w bezkształtną masę skóry, szkła i mięsa. Krew spłynęła kaskadami z ran na twarzy, zalewając jej tors i uda szkarłatną czerwienią, po czym skapywała na drewnianą podłogę, zbierając się pod krzesłem. Część blatu, gdzie siedziała ofiara, również została spryskana czerwoną cieczą.

Z daleka twarz kobiety przypominała groteskową ludzką poduszkę na igły, z której pod przeróżnymi kątami wystawały szklane szpikulce.

– Zakładam, że jesteście z jednostki SO?

Słowa te wypowiedziała technik kryminalistyczna zbierająca włosy i włókna z dużego dywanu w salonie, leżącego tuż za stołem.

Minęło kilka wypełnionych ciszą sekund, zanim obaj mężczyźni zdołali oderwać wzrok od ciała.

– Nazywam się doktor Susan Slater – powiedziała kobieta, wstawszy z kucek. – Jestem głównym technikiem przydzielonym do zbadania miejsca zbrodni.

Żaden z detektywów nie pracował wcześniej z panią Slater. Trochę ponad sto siedemdziesiąt centymetrów wzrostu, około trzydziestu lat, szczupła, z wydatnymi kośćmi policzkowymi i delikatnym nosem. Głowę zakrywał jej kaptur kombinezonu Tyvek, ale kosmyk blond włosów był widoczny na czole. Miała delikatny makijaż, typowo służbowy, ale i tak podkreślał jej atrakcyjność i kobiecość, nawet pomimo zniechęcającego ubrania roboczego. Jej głos miał nietypowe brzmienie – był łagodny i jowialny, a jednocześnie sugerował doświadczenie i wiedzę.

– Detektyw Robert Hunter z wydziału zabójstw policji Los Angeles, a to jest detektyw Carlos Garcia. – Obaj przywitali się prostym skinięciem głową, zanim skierowali swoją uwagę ponownie na ofiarę.

– Miesza w głowie, prawda? – skomentowała Susan. – Jak ktoś mógł zrobić coś takiego innej osobie?

– Morderca dźgał ją w twarz kawałkami szkła? – zapytał Carlos. Jego mina zdradzała wyraźnie, że sam nie wierzy w swoją teorię.

– To możliwe. Bez wyników sekcji nie sposób tego stwierdzić, jednak w tym przypadku to tylko część historii.

– Jaka zatem jest reszta?

Kobieta podeszła kilka kroków w kierunku ciała.

– Proszę zobaczyć.

Detektywi podążyli za nią. Velasquez został przy zasłonie z koralików.

Slater przykucnęła koło krzesła, uważając przy okazji, żeby nie wdepnąć w kałużę krwi, a następnie zachęciła obu mężczyzn do pójścia w jej ślady. Obrażenia Karen Ward oglądane z bliska były jeszcze bardziej niepokojące.

Kilka odłamków szkła o różnych rozmiarach rozcięło jej skórę i mięśnie, praktycznie oddzielając twarz od czaszki. Fragmenty ciała zwisały luźno z policzków, czoła i brody, gdzie widać było również kości.

– Jeśli spojrzymy tylko na duże odłamki... – Wskazała na kawałki szkła wystające z obu policzków, lewego oczodołu, a także jeden, który przekłuł miękką tkankę podbródka i przytwierdził język do podniebienia. – Możemy odnieść wrażenie, że sprawca brutalnie dźgał nimi ofiarę i zostawił je wbite w ciało. Niektóre uderzyły tak mocno, że albo spowodowały pęknięcia kości, albo wniknęły w nią i się zespoliły. – W tym momencie wskazała dwa inne fragmenty. Jeden wystający z dolnej szczęki, a drugi z czoła. – Ale to nie wszystko. Jest jeszcze mnóstwo mniejszych kawałków szkła powbijanych w jej ciało. – Pokazała palcem kilka z nich, niektóre były wielkości ziarenka grochu. – Są na tyle małe, że nie ma takiej fizycznej możliwości, aby ktoś ich użył do dźgnięcia ofiary. To są pozostałości po uderzeniu. Odpryski od większych kawałków.

Hunter przechylił głowę w lewo, a potem w prawo, przyglądając się twarzy ofiary. Pomimo całego swojego doświadczenia wciąż nie potrafił powstrzymać się od wzdrygnięć, kiedy patrzył na brutalność obrażeń. Każde z nich musiało przynieść ze sobą zupełnie nowy wymiar bólu. Cierpienie, które ta młoda kobieta przeżyła, było niemal niewyobrażalne.

Zaschnięta krew pokrywała większość ciała, zatem detektyw nie mógł być pewny, ale podejrzewał, że nigdzie indziej nie było żadnych obrażeń ani siniaków. Morderca skierował swą wściekłość wyłącznie na twarz ofiary.

Po kilku sekundach Robert wstał i ustawił się za krzesłem, żeby przyjrzeć się tyłowi głowy Karen.

– Więc co pani sugeruje? – spytał Garcia. – Sprawca przywiązał ją do krzesła, a potem przywalił jej w twarz taflą szkła?

– Nie – odpowiedział jego partner, a następnie spojrzał na podłogę za krzesłem. Nie było tam żadnych odłamków. – Odwrotny ruch. Uderzył jej twarzą w szkło.

Sześć

Kilka godzin wcześniej.

– To głupie – stwierdziła Tanya Kaitlin z nerwowym chichotem. – Daj mi sekundę, a ci go sprawdzę.

– Dałem ci pięć, a one już minęły. Nie odpowiedziałaś.

Tym razem w głosie demona pojawił się nowy ton. Ton, którego Tanya nie potrafiła nazwać, ale który napełnił jej serce przerażeniem.

– Chciałaś wiedzieć, co się stanie, kiedy źle odpowiesz... to patrz.

Nagle postać stojąca za krzesłem chwyciła skórzany knebel i jednym gwałtownym szarpnięciem ściągnęła go w dół z ust Karen, tak mocno, że rozcięła jednocześnie jej dolną wargę. Kropelki krwi wystrzeliły w powietrze.

W oczach Tanyi pojawiło się zdumienie, kiedy próbowała zrozumieć, co się właściwie dzieje.

Zanim Karen zdołała uwolnić krzyk, dławiony Bóg jeden wie jak długo, napastnik położył jej dłoń w rękawiczce na potylicy. Ułamek sekundy później Kaitlin usłyszała głośny chrzęst, kiedy głowa i twarz jej koleżanki z wielką siłą uderzyły w coś, co wcześniej zostało przed nią postawione.

Dziewczyna nie widziała, co to dokładnie było.

– O mój Boże! – krzyknęła, odsuwając się z przerażeniem. Pomimo że strasznie się bała, nie wypuściła telefonu z ręki. – Co ty robisz? Co ty, do cholery, robisz? – Strach sprawił, że jej głos stał się bardziej piskliwy.

Ta sama dłoń w rękawiczce złapała Karen za włosy i z powrotem podciągnęła jej głowę. Kiedy twarz przyjaciółki pojawiła się w wyświetlaczu telefonu, Tanya poczuła, jak treść żołądka podchodzi jej do samego gardła.

Trzy duże kawałki szkła wbiły się w twarz młodej kobiety. Pierwszy, mający jakieś siedem i pół centymetra, przeszedł na wylot przez lewy policzek. Jego czubek, znajdujący się wewnątrz ust, odciął mały kawałek języka. Drugi odłamek, znacznie mniejszy od poprzedniego, uwiązł w prawej dziurce od nosa i wybił otwór u jego nasady. Trzeci kawałek, około czterech centymetrów długości, utkwił w jej zakrwawionym czole.

Tanya nie znała się na tym za dobrze, ale była pewna, że szkło dotarło aż do kości.

– O Boże, nie... co ty, do cholery, robisz? – Jej głos łamał się przez łzy. – Karen... nie...

– Patrz... – powiedział z groźbą demoniczny głos, przesuwając twarz swojej ofiary w lewo i prawo, żeby lepiej ukazać rozmiar obrażeń. – Patrz...

Dziewczyna spoglądała prosto w kamerę swojego telefonu.

– Patrz... – powtórzył głos.

– Przecież patrzę – zapiszczała przepełniona cierpieniem, zupełnie jakby mogła fizycznie odczuwać ból udręczonej kobiety. – O Boże, Karen... – Lewą ręką zaczęła desperacko wycierać łzy z oczu i policzków.

– To twoja najlepsza przyjaciółka. Jest nią od wielu lat. Powinnaś znać jej numer telefonu na pamięć, czyż nie?

– Wiem... wiem... Przepraszam. – Tanya mogła jedynie łkać.

– Nie musisz przepraszać. Musisz jedynie odpowiedzieć na pytanie. Masz pięć sekund.

– Nie... pro... proszę, nie rób tego.

– Pięć... cztery... trzy...

Tanya szlochała, kiedy jej palce zaczęły zaciekle uderzać o wyświetlacz telefonu.

– Podam go. Chwileczkę. Podam go. – Łzy rozmazywały obraz. Strach sprawił, że ręce jej się trzęsły.

– Dwa...

– Proszę, nie...

– Jeden...

Dziewczyna w panice upuściła telefon. Spadł na łóżko, ekranem do dołu.

– O nie, nie, nie.

– Koniec czasu.

ŁUP.

Kiedy sięgnęła po komórkę, usłyszała ten sam dźwięk co wcześniej, tylko głośniejszy. Obróciła aparat akurat na czas, żeby zobaczyć, jak dłoń w rękawiczce podnosi głowę Karen.

Tanya zamarła.

Oblicze jej przyjaciółki zmieniło się nie do poznania. Drugie uderzenie spowodowało, że kolejne kawałki szkła, zarówno duże, jak i małe, wbiły się w ciało i rozcięły twarz na wzór maski z horroru. Jednak tym, co o mało nie pozbawiło dziewczyny przytomności, był widok odłamka, który przebił oko Karen, patrosząc jej gałkę oczną. Kleista substancja zaczęła powoli z niej wypływać, ale szkło nie weszło dość głęboko, żeby sięgnąć mózgu. Dziewczyna widziała, że jej koleżanka jest nadal przytomna.

– Jej numer – zażądał ponownie głos.

Jednak nerwy Tanyi były już całkowicie zszargane. Palce drżały jej niekontrolowanie. Płynące nieustannie łzy zamgliły wzrok. Jej oddech stał się nierówny i ciężki. Próbowała coś powiedzieć, ale głos uwiązł jej w gardle i nie przedostał się przez wargi.

Ponownie rozpoczęło się wsteczne odliczanie. Dziewczyna nawet się nie zorientowała, kiedy się zakończyło. Usłyszała tylko „koniec czasu", a potem...

ŁUP.

ŁUP.

ŁUP.

Trzy szybkie uderzenia, każde silniejsze od poprzedniego. Po ostatnim słychać było ciche tchnienie Karen.

Dłoń w rękawiczce uniosła głowę ofiary i na chwilę zaległa całkowita cisza. Jej usta zostały tak mocno pocięte, że zwisały dziwnie na jeden bok. Nos był rozcięty od dołu do góry, większość chrząstki uległa rozerwaniu. Jego czubek utrzymywał się wyłącznie na cienkim pasku skóry. Prawe oko również zostało przebite. Krew wypływała z niego szerokimi strugami. Trzy uderzenia wbiły odłamek z lewego oka głębiej w oczodół.

Tanya czuła, że może zemdleć, ale nie była w stanie oderwać

wzroku, wpatrywała się jak sparaliżowana tym groteskowym widokiem.

Karen dwukrotnie konwulsyjnie zadrżała. Po drugim razie jej szyja całkowicie zwiotczała. Dłoń w rękawiczce trzymała ją jeszcze za włosy przez jakieś dwadzieścia sekund, aż w końcu wypuściła. Pozbawione życia ciało kobiety ostatni raz przechyliło się naprzód.

– Okazało się, że gra jednak była ciekawa – powiedział demon. – I spójrz, co udało ci się zrobić. Zabiłaś swoją przyjaciółkę. Gratuluję.

– Nieeeeeeeeeeee! – wrzasnęła dziko Tanya.

– Możesz wracać teraz do swojego żałosnego życia.

Demon wyszedł zza krzesła i sięgnął po telefon Karen, żeby zakończyć połączenie, a wtedy obraz przesunął się do góry.

Dziewczyna zesztywniała.

Przez chwilę widziała twarz oprawcy. To, co zobaczyła, wyrwało jej z ust strumień wymiocin.

Siedem

Garcia spojrzał najpierw na kałużę krwi pod krzesłem, a następnie na plamki na blacie. Był tak zaabsorbowany okrucieństwem obrażeń ofiary, że do tej pory nie zauważył, iż jedyne widoczne w pokoju odłamki szkła to te wbite w twarz kobiety.

– Doszłam do takich samych wniosków – potwierdziła Slater, gdy dołączyła do stojącego za krzesłem Huntera. – Została przywiązana na wysokości środkowej części brzucha, dzięki temu morderca mógł z łatwością złapać ją za głowę i szarpnąć do przodu i w dół. – Udała, że chwyta ofiarę za włosy z tyłu głowy, i zasymulowała opisany wcześniej ruch. – Uderzenie w dół byłoby szybkie i silne.

Carlos okrążył stół, jednocześnie przeszukując podłogę.

– Czyli na razie podejrzewamy, że morderca postawił przed nią na blacie albo na jej kolanach jakiś pojemnik z kawałkami szkła, złapał ją za włosy, a potem uderzył jej twarzą o to?

Velasquez, tkwiący cały czas przy zasłonie z koralików, zacisnął zęby i przestąpił z nogi na nogę.

– Jakkolwiek absurdalnie i sadystycznie to brzmi, detektywie, ta teoria jest w tej chwili najbardziej prawdopodobna – zgodziła się Susan.

– Czy udało się już znaleźć ten... pojemnik?

– Jeszcze nie. Ale mogę panu powiedzieć z całą pewnością, skąd wziął szkło.

Osiem

Obaj detektywi i sierżant Velasquez podążyli za doktor Slater wzdłuż krótkiego korytarza, który prowadził w głąb mieszkania 305. W przedpokoju znajdowało się jeszcze troje drzwi – jedne po lewej, drugie po prawej i ostatnie na samym końcu. Susan skierowała się do tych po lewej stronie.

Jedyna łazienka w mieszkaniu miała komfortowy rozmiar i była urządzona na biało. Beżowa ceramiczna wanna znajdowała się na południowej ścianie, słuchawka prysznica tuż nad nią, po prawej stronie. Przezroczysta zasłona, zwisająca z metalowej rurki, została odsunięta na bok. Gdy mężczyźni weszli do pomieszczenia, od razu zrozumieli, co Slater miała na myśli, mówiąc, że wie, skąd morderca wziął potłuczone szkło. Całą południową ścianę od sufitu aż do brzegu wanny zajmowało ogromne lustro. Zostało całkowicie rozbite. Większej jego części brakowało. Zachowały się wyłącznie strzaskane fragmenty trzymające się jeszcze w rogach.

– Materiału miał pod dostatkiem. Nie musiał długo szukać.

Detektywi przystanęli przy drzwiach i obejrzeli dokładnie resztki lustra. Dopiero potem weszli do środka, żeby zajrzeć do wanny. Nic. Całkowicie czysta. Nie leżał w niej nawet najmniejszy odłamek lustra. Morderca musiał być albo bardzo skrupulatny przy czyszczeniu wanny z potłuczonego szkła, które do niej powpadało, albo dokładnie wyłożył ją w środku jakimś materiałem zabezpieczającym.

Garcia cofnął się krok i rozejrzał po pozostałej części pomieszczenia. Umywalka znajdowała się na prawo, muszla klozetowa na lewo. Szafka z sześcioma półkami, na których stały rozmaite przybory toaletowe i buteleczki perfum, mieściła się pomiędzy wanną a toaletą. Waga z cyfrowym wyświetlaczem stała przed szafką. Różowy szlafrok wisiał na pojedynczym haczyku koło drzwi.

– Czy są już jakieś przypuszczenia odnośnie do czasu zgonu? – spytał Hunter.

– Pierwsze symptomy stężenia pośmiertnego dopiero zaczynają się pojawiać, zatem prawdopodobnie więcej niż dwie i pół godziny temu, ale mniej niż cztery.

Detektyw spojrzał na swój zegarek – 2.42.

– Znaleźliście jej komórkę?

– Tak. W kuchence mikrofalowej, eksplodowała.

– A komputer albo laptop?

– Laptop leżał na kanapie w salonie. Oddamy go informatykom, jak tutaj skończymy.

Robert przyjął to do wiadomości, ale podejrzewał, że informatycy nic nie znajdą. Dlaczego morderca miałby zniszczyć telefon ofiary, a komputer zostawić nietknięty? Zbliżył się do umywalki i otworzył wiszącą nad nią szafeczkę z lustrem. W środku zobaczył typowe wyposażenie – szczoteczkę i pastę do zębów, płyn do płukania ust, plastry, krople do oczu i kilka opakowań silnych tabletek od bólu głowy. Znajdowała się tam również pełna buteleczka środków nasennych. Kosz na śmieci stojący po lewej stronie muszli klozetowej był pusty. Z wyjątkiem rozbitego lustra ściennego wszystko wyglądało na nietknięte.

Detektyw wyszedł na korytarz i sprawdził drzwi po prawej. Jedynie niewielki schowek, w którym ofiara trzymała rozmaite rzeczy razem ze środkami czystości. Zamknął drzwi i ruszył do ostatniego pomieszczenia na końcu korytarza – sypialni Karen Ward.

Pokój był dość duży, stały w nim królewskie łoże, czarny, obity materiałem fotel, kredens z czterema szufladami i stojak na buty z ośmioma drewnianymi półeczkami. Zamiast szafy Karen używała bardzo długiego chromowanego wieszaka, na którym wisiały ubrania. Pomimo że jedno z dwóch wychodzących na zachód okien częściowo zasłaniały wiszące ubrania, w pokoju zapewne było wystarczająco słonecznie w ciągu dnia.

Kiedy Hunter powoli oglądał całe pomieszczenie, coś go tknęło. Podszedł do łóżka, które stało pod wschodnią ścianą, zatrzymał się i spojrzał na wieszak na ubrania po drugiej stronie pokoju.

Coś jest nie w porządku, pomyślał.

Po jednej stronie wieszaka ujrzał kredens, a po drugiej fotel. Stojak na buty mieścił się na prawo od drzwi, na północnej ścianie, i był całkowicie wypełniony. W pomieszczeniu znajdował się tylko jeden stolik, przy łóżku. Stały na nim lampka nocna, budzik i sfatygowana książka. Robert otworzył jedyną szufladę w stoliczku i zamarł.

– Carlos, chodź coś zobaczyć.

Drugi detektyw podszedł do swojego partnera.

Hunter wyciągnął z szuflady pistolet bojowy colt 1911, kaliber 38 milimetrów.

– Wow – skomentował Garcia, podnosząc dłonie w wyrazie zaskoczenia. – To ci dopiero giwera do trzymania koło łóżka.

– Miała na nią pozwolenie – oznajmił Robert, wskazując na oficjalny dokument znajdujący się w szufladzie. Nacisnął przycisk i zwolnił magazynek. Jeśli broń ich zaskoczyła, to amunicja jeszcze podwoiła to odczucie. Magazynek był pełny nabojów 38 milimetrów ze spłaszczonym czubkiem.

Detektywi wymienili zatroskane spojrzenia.

Naboje z płaskim czubkiem były opatentowanym dziełem Hornady Ammunition i stanowiły część ich asortymentu „Krytycznej Obrony". Obaj policjanci znali je doskonale. Stanowiły niezwykle destrukcyjną broń: przy wchodzeniu w miękką tkankę płaski czubek pocisku wywierał równy nacisk na całą powierzchnię ciała, przez co rana miała znacznie większą średnicę i powodowała poważniejsze obrażenia. Taka amunicja nie służyła do treningu.

Hunter wsunął magazynek z powrotem i odłożył pistolet do szuflady. Poza pozwoleniem na broń nie znajdowało się w niej nic więcej.

– Mówiłeś, że torebkę ofiary znaleziono na kanapie w salonie? – zapytał sierżanta Velasqueza.

– Tak, zgadza się.

– Było tam coś ciekawego?

– Nie.

Detektyw podrapał się w podbródek i powoli rozejrzał po pokoju. Zaglądał w każdy zakamarek. Zatrzymał się, kiedy dotarł do przestrzeni pomiędzy wieszakiem a kredensem, następnie spojrzał ponownie na łóżko. Jego uwagę znów przykuł nocny stolik.

– Coś mi tu nie pasuje.

– Co? Masz na myśli pistolet? – spytał Garcia.

– To też. Ale chodzi mi o ten pokój.

Carlos rozejrzał się niepewnie dookoła.

Hunter zobaczył, że Velasquez i doktor Slater zrobili to samo.

– Co masz na myśli? – dociekał partner.

– Gdyby to był twój pokój i twoje rzeczy, ustawiłbyś wszystko tak samo?

Garcia poświęcił chwilę, żeby przyjrzeć się każdemu z mebli.

– No cóż... prawdopodobnie nie potrzebowałbym stojaka na buty ani komody z tymi wszystkimi sprzętami do makijażu.

– Nie o to mi chodzi. Mówię o ustawieniu łóżka, wieszaka... wszystkiego, co tutaj widzisz. Gdyby to był twój pokój i twoje meble, *ustawiłbyś* je tak?

Detektyw ponownie przyglądał się przez pewien czas otoczeniu, tym razem zwracając większą uwagę na ustawienie każdego przedmiotu.

– No, całość sprawia wrażenie upchniętej.

– Właśnie.

– Nie wynika to jednak z braku przestrzeni – wtrąciła Susan. Przesuwała wzrokiem od podłogi do sufitu, a następnie od ściany do ściany. – Pokój jest wystarczająco duży, problem sprawia ustawienie mebli. Gdyby je trochę poprzesuwać, to pomieszczenie od razu wydawałoby się większe.

– OK – zgodził się Hunter. – Co byście zatem zmienili, co przestawili?

Każde z nich wyglądało, jakby już trochę nad tym myślało.

– Na początek zamieniłbym miejscami łóżko z wieszakiem – oznajmił Garcia jako pierwszy.

Doktor Slater pokiwała głową.

– Z pewnością. Tylko spójrzcie. Koniec łóżka jest raptem kawałek od drzwi, praktycznie blokuje wejście. Nie będziesz wystarczająco uważać, to co chwilę w nie przykopiesz. Nie ma też powodu, żeby zastawiać połowę tamtego okna – dodała, wskazując kierunek ręką. – Wystarczy ta jedna zmiana, a pokój nie dość, że zrobi się przestronniejszy, to jeszcze znacznie bardziej słoneczny w ciągu dnia.

– A może tu chodzi o energię – zaproponował sierżant, stając w drzwiach. – No wiecie, jak w tym feng coś tam.

– Feng shui – sprostował Carlos.

– No właśnie. Może coś takiego robiła.

Robert pokręcił głową.

– Nie. Podstawową zasadą feng shui jest to, żeby energia mogła krążyć swobodnie, bez zakłóceń. W tym wypadku energia przechodząca przez drzwi zostałaby zablokowana łóżkiem, a ta wpływająca oknem zatrzymałaby się na wieszaku. To pomieszczenie nie ma nic z feng shui.

Velasquez i Slater spojrzeli na detektywa z zaciekawieniem.

– Dużo czytam – odparł, wzruszając ramionami. – Zrobisz coś dla mnie? – spytał sierżanta, po czym przysunął się do łóżka. – Możesz wyjść na chwilę i zamknąć za sobą drzwi? Chciałbym na coś zerknąć.

Policjant zmarszczył brwi, ale spełnił prośbę.

Hunter zmierzył wzrokiem odległość od drzwi do łóżka, a następnie do okien.

– W porządku – krzyknął po chwili. – Możesz już otworzyć.

– Wybacz ciekawość – zaczął Velasquez, kiedy wszedł ponownie do pokoju. – Co ma wspólnego to, jak ofiara umeblowała swoją sypialnię, z tym, że została zamordowana?

– Być może nic – przyznał detektyw. Następnie ukląkł i spojrzał pod łóżko. Niczego nie znalazł. – Jednak w tym mieszkaniu jest zbyt wiele niepasujących rzeczy, jak choćby cały ten pokój, żeby to był przypadek. Musi być jakiś powód.

– OK, a jaki to może być powód?

Robert wstał z klęczek.

– Myślę, że się bała.

Sierżant wahał się przez moment.

– Bała? Czego?

– Nie czego, tylko kogo. Ustawiając łóżko w ten sposób, mogła spać skierowana w stronę drzwi. Dlatego spała po jego lewej stronie, a na to wskazuje położenie stolika nocnego. Gdyby zostawiła włączone światła w przedpokoju, a jestem pewny, że tak robiła co noc, mogła zobaczyć cienie pod drzwiami – ślady nóg należące do kogoś, kto zbliżałby się do jej drzwi. Tak jak ja widziałem twoje, kiedy przed chwilą wyszedłeś na zewnątrz.

Velasquez instynktownie spojrzał na swoje stopy.

– Jest również całkiem nowa zasuwka zamontowana w drzwiach sypialni – ciągnął detektyw. – Założę się, że nie było jej tutaj cztery miesiące temu, kiedy dziewczyna się wprowadziła. Sama ją przykręciła, a zadrapania zarówno na zamku, jak i ryglu sugerują, że była regularnie używana.

Sierżant przyjrzał się zamkowi. Musiał przyznać, że wyglądał na nowy.

– W mieszkaniu są jeszcze inne oznaki tego, że na pewno się kogoś bała.

– Jakie na przykład?

– Cóż, w szafce nocnej trzymała pistolet bojowy kaliber trzydzieści osiem, załadowany nabojami *extreme prejudice*. Miała również niskie łóżko, blisko podłogi, zatem nikt nie mógł się pod nim schować. Wybrała wieszak zamiast szafy na ubrania, żeby nikt nie mógł się w niej zaczaić. – Hunter podszedł do drzwi. – Zasłona kąpielowa w łazience jest przezroczysta, więc tam też nikt nie mógłby się ukryć. Miała problemy ze snem, ale nie chciała brać leków. W szafce nad umywalką jest pełne opakowanie tabletek na receptę wydane dziewięć miesięcy temu. W przedpokoju, w schowku, leży złożona ciemnoczerwona zasłona, która zapewne wisiała wcześniej w salonie przed drzwiami balkonowymi. Zdjęła ją i zastąpiła niezbyt atrakcyjną, wykonaną z koralików i dzwoneczków. Podobną do tej przy drzwiach wejściowych. Nie wydaje mi się, żeby je wybrała ze względu na wygląd.

– Chodziło jej o dźwięk – wtrącił Velasquez, podłapując tok rozumowania Roberta.

Detektyw przytaknął.

– Gdyby jakikolwiek nieproszony gość dostał się do mieszkania przez drzwi albo przez balkon, zostałaby ostrzeżona.

– Balkon? To trzecie piętro – powątpiewał sierżant.

– A mimo to z jakiegoś powodu nie czuła się bezpiecznie. Nawet we własnym mieszkaniu.

Dziewięć

Garcia nie miał do roboty nic więcej poza czekaniem, aż ekipa techników doktor Slater skończy swoją robotę, o 3.20 rano opuścił więc miejsce zbrodni. Chciał spróbować pospać jeszcze chociaż parę godzin przed świtem.

Hunter wiedział, że sen tej nocy nie nadejdzie, toteż został i czekał, aż ciało Karen Ward zostanie uwolnione z więzów i przetransportowane do biura koronera. Potrzebowali oficjalnych wyników sekcji zwłok, żeby uzyskać pewność, co mogło potrwać dzień lub dwa, ale ponieważ na ciele nie widać było żadnych innych obrażeń ani siniaków, to detektyw zakładał, że doktor Slater miała rację – śmierć nastąpiła na skutek poważnych obrażeń mózgu, powstałych przez przebicie płata skroniowego przez oczodół. Innymi słowy Karen Ward zginęła po tym, jak została brutalnie dźgnięta w lewe oko kawałkiem lustra na tyle długim, że sięgnął mózgu, ale nie przed tym, jak jej twarz została bestialsko rozszarpana na strzępy za pomocą potłuczonego szkła.

Zanim Robert opuścił mieszkanie 305 na Long Beach, pierwsze promienie słońca zaczęły już przeganiać noc. Wyglądało na to, że deszcz, który ciągle przychodził i odchodził we wczesnych godzinach tego czwartkowego poranka, zmęczył się już tą zabawą i ustąpił całkowicie wraz z pojawieniem się słońca.

Hunter otworzył drzwi swojego mieszkania w Huntington Park, południowo-wschodniej części Los Angeles, i wszedł do środka. Lokum było małe, ale czyste i komfortowe, chociaż potencjalny gość mógłby odnieść wrażenie, że większość mebli została przekazana przez Armię Zbawienia. I nie byłby wcale bardzo daleki od prawdy. Czarna kanapa ze sztucznej skóry, niepasujące do siebie fotele, regał na książki, który wyglądał, jakby miał się zawalić pod ciężarem przepełnionych półek, oraz porysowany drewniany stół, służący również za biurko – wszystkie te rzeczy pochodziły z różnych wyprzedaży garażowych urządzanych w całej okolicy.

Detektyw zamknął za sobą drzwi, ale nadal stał tuż za nimi, pozwalając się otoczyć ciszy i ciemnościom. Przesuwał wzrokiem po salonie, przypatrując się cieniom, a jednocześnie próbował sobie wyobrazić, jak to jest być żyjącą samotnie kobietą, która czuje niepewność i strach za każdym razem, kiedy wchodzi do własnego domu. Jak to jest być przestraszonym zawsze, kiedy kładziesz się do łóżka albo idziesz do kuchni. Próbował sobie wyobrazić, jak szybko lęk i paranoja zawładnęłyby jego życiem.

Nie trzeba by wiele czasu, zawyrokował.

W łazience wszedł pod prysznic i pozwolił, żeby silny strumień gorącej wody masował jego zesztywniałe mięśnie karku i ramion. Zamknął oczy i przez całe dziesięć sekund się relaksował, zanim obrazy widziane na miejscu zbrodni wróciły niczym horror. Nie napisał jeszcze nawet wstępnego raportu, a już mnóstwo myśli kłębiło mu się w głowie.

Czy Karen Ward była przez kogoś prześladowana?

Wiele rzeczy, które zobaczył w jej mieszkaniu, na to właśnie wskazywało. Prowadził już wystarczająco dużo dochodzeń, gdzie sprawcą okazywał się stalker, żeby móc rozpoznać schemat zachowań osoby żyjącej w ciągłym strachu przed kimś. Wiedział również, że statystyki są przerażające.

Każdego roku ofiarami stalkingu padało w USA ponad sześć milionów ludzi. W samym Los Angeles oznaczało to co szóstą kobietę i co czternastego mężczyznę. Co jedenasta kobieta padła ofiarą takiego przestępstwa więcej niż raz, przy czym nie wzięto pod uwagę prześladowania za pomocą internetu i mediów społecznościowych, co całkowicie wymknęło się spod kontroli. Sytuacja w Mieście Aniołów stała się na tyle poważna, że została powołana specjalna jednostka policji wyłącznie do walki z nękaniem i stalkingiem. Na przestrzeni lat było głośno o kilku przypadkach dotyczących nękania celebrytów, ale to niemal niezauważalny odsetek. Tak naprawdę większość z nas nie wie, że jest obserwowana. Nie podejrzewamy, że możemy zostać obiektem czyjejś obsesji, przez co jesteśmy mniej ostrożni, nie przywiązujemy takiej wagi do prywatności – nie dostrzegamy tego problemu. Kolejnym zaskoczeniem może również być to, że stalkerami zostaje dużo więcej kobiet, niż mogłoby się wydawać, oraz że bywają równie brutalne i niebezpieczne jak mężczyźni – w przypadku obsesji nie ma podziału na płeć, kolor skóry, klasę społeczną, wyznanie czy cokolwiek innego.

Jeśli jednak Hunter miał rację co do zachowania Karen Ward, wówczas *modus operandi* mordercy był bardzo nieszablonowy.

Brutalność, jaką cechuje wielokrotne uderzanie czyjąś twarzą o potłuczone szkło, znacznie wykracza poza to, z czym spotkał się lub o czym choćby usłyszał do tej pory w sprawach dotyczących stalkingu. Jednak nietypowa, przesadna eskalacja przemocy to nie wszystko. Wygląda na to, że w ramach jakiejś chorej gry morderca użył telefonu ofiary, żeby połączyć się z jej najlepszą przyjaciółką i zmusić ją do oglądania zbrodni za pośrednictwem wideopołączenia.

Po co? Gdzie w tym wszystkim logika?

W zasadzie stalking jest niechcianym lub obsesyjnym zainteresowaniem, jakim jedna osoba darzy drugą, przeważnie mającym swoje źródło w odtrąceniu, zazdrości, zemście, podziwie, niepewności lub po prostu manii kompulsywnej. To jest relacja pomiędzy dwiema osobami, nigdy grupowa. Robert wiedział o tym lepiej niż większość ludzi. Skąd zatem ten sadyzm związany z połączeniem wideo? Po co wprowadzać kogoś w jedną z najbardziej osobistych form natręctw? Po co upubliczniać gniew i bestialstwo? Nie było w tym żadnego sensu. I właśnie to przerażało Huntera najbardziej.

Dziesięć

Po szybkim śniadaniu Hunter spotkał się z Garcią na South Vermont Avenue w West Carson, jednej z trzynastu dzielnic składających się na Harbor Region we wschodniej części Los Angeles. Skierował ich tam sierżant Velasquez, ponieważ mieszkała tu osoba, z którą najbardziej chcieli porozmawiać: Tanya Kaitlin, najlepsza przyjaciółka Karen Ward.

Vermont Avenue jest jedną z najdłuższych ulic w Los Angeles, ciągnącą się z północy na południe. Jej całkowita długość przekracza trzydzieści siedem kilometrów, z czego trzydzieści pięć biegnie w niemal prostej linii. Adres, który dostali, znajdował się w dolnej części South Vermont Avenue tuż za West Torrance Boulevard. Budynek – podniszczona, niebiesko-biała prostokątna bryła domagająca się wyraźnie bieżących napraw – stał po przeciwnej stronie szeregu sklepów.

– Długo czekasz? – zapytał Hunter po wyjściu z samochodu.

Garcia, który opierał się o drzwi od strony kierowcy swojej hondy civic, spojrzał na zegarek – była 8.16.

– Nawet nie kilka minut – odpowiedział. Chwilę później częściowo stłumił ziewnięcie.

– Udało ci się trochę przespać?

– Ledwo co. Stwierdziłem, że położę się w salonie, żeby nie budzić Anny drugi raz tej samej nocy. To był błąd. Moja kanapa nie jest stworzona do spania. Przynajmniej nie dla kogoś, kto ma prawie sto dziewięćdziesiąt centymetrów wzrostu.

Robert mógł się z tym całkowicie zgodzić.

– O szóstej miałem już dosyć przewracania się z boku na bok, więc stwierdziłem, że równie dobrze mogę trochę popracować. – Spojrzał na niebieską teczkę, którą trzymał w prawej ręce. – A ty? O której stamtąd poszedłeś?

– Jakąś godzinę po tobie, jak ciało zostało zabrane do koronera. Tuż przed świtem.

– Więc pytanie cię, czy trochę pospałeś, byłoby głupotą?

Robert spojrzał na partnera.

– Ta, bezsensowne pytanie. – Carlos przyznał sobie samemu rację.

– Co masz w tej teczce?

– Profil ofiary. No, przynajmniej jego część. Dział operacyjny dalej nad tym pracuje. Tutaj mam wszystko, co udało im się w tak krótkim czasie zdobyć.

– W porządku, to co już wiemy? – zapytał Hunter, kiedy skierowali się w stronę niebiesko-białego budynku.

Drugi detektyw otworzył teczkę.

– Karen Ward, dwadzieścia cztery lata, urodzona siedemnastego marca w Campbell, hrabstwie Santa Clara, gdzie dalej mieszkają jej rodzice. Żadnych znaczących długów, czysta kartoteka. Do Los Angeles przyjechała cztery lata temu, żeby uczyć się estetyki i wizażu w Academy of Beauty LA.

Zatrzymali się pod budynkiem.

– A gdzie to jest?

– W Culver City.

Hunter skinął głową, drugi mężczyzna mówił więc dalej.

– Była pilną uczennicą, ukończyła kurs rok później jako jedna z najlepszych w grupie. Uczelnia prowadzi program, który pomaga absolwentom znaleźć pracę. Załatwili jej staż w spa, które się nazywa... – Carlos zerknął na kolejną stronę. – Trilogy Day Spa w Manhattan Beach.

– Gdzie wtedy mieszkała?

– Hmm... – Detektyw szybko przekartkował dokumenty. – Mieszkała w South Bay razem z... – Jego brwi się uniosły. – Nikim innym, jak z osobą, którą chcemy odwiedzić: Tanyą Kaitlin.

– OK.

– Karen pracowała w Trilogy Day Spa przez rok, potem przeniosła się do innego salonu – Glique, który znajduje się w Monterey Park.

Robert wyglądał na zaskoczonego.

– Monterey Park? To niezły kawał drogi od South Bay.

– Bez wątpienia. Ale nie dojeżdżała stamtąd. Przeprowadziła się do Alhambry.

– Znowu z kimś wynajmowała?

Detektyw ponownie szybko przejrzał papiery.

– Nie mam takich informacji, ale podejrzewam, że Tanya nam coś na ten temat powie.

– To prawda.

– W tym salonie spędziła kolejny rok, zanim znów zmieniła pracę. – Carlos spojrzał partnerowi w oczy. – Zgadza się. Nowa praca. Nowa część miasta. Nowy adres.

– Gdzie tym razem?

– Wróciła na Westside. Santa Monica. Zatrudniła się w wysokiej klasy salonie... Burke Williams na Third Street Promenade.

– A jej nowy adres?

– Appleton Way w Mar Vista.

Garcia czytał przez chwilę w milczeniu, po czym zmarszczył brwi.

– Co? – spytał drugi detektyw.

– Bardzo szybka zmiana. W Burke Williams była zaledwie cztery miesiące, zanim przeniosła się do kolejnego spa, True Beauty w Long Beach, na East Second Street.

– To była jej ostatnia praca, zanim została zamordowana – skwitował Hunter. Pamiętał, że sierżant Velasquez wspominał ten adres.

– Zgadza się.

– Jest tam coś o jej związkach? O kimkolwiek, z kim się spotykała?

Carlos przekartkował dokumenty.

– Nic.

– A może coś o powodach, dla których zmieniała pracę? Któryś z salonów się zamknął? Została zwolniona?

Detektyw ponownie przejrzał papiery.

– Nie. Nic tutaj nie ma na ten temat, ale sam chętnie bym się dowiedział. Mieszkała w Los Angeles przez cztery lata. Pierwszy rok się uczyła, w ciągu kolejnych zmieniała pracę trzykrotnie. OK, nic takiego zaskakującego, ale nie przeskakiwała z jednej kiepskiej pracy do drugiej. Próbowała rozwinąć karierę, a zakładam, że jako kosmetolożka bardzo się starała zdobyć stałe grono klientek. A coś takiego trudno zrobić, jak często się zmienia zakłady, tym bardziej w wielkim mieście.

Hunter przytaknął.

– Ten sam zawód, różni pracodawcy, więc pewnie nie była zwalniana. W przeciwnym razie miałaby problem ze znalezieniem nowego zatrudnienia w tak krótkim czasie, bo nie dostałaby referencji.

– Zatem to jej decyzje, a nie pracodawców. – Zacisnął wargi w zamyśleniu. – Patrząc na jej historię pracy, powiedziałbym, że pierwsze dwie zmiany były dość normalne. Pierwsza robota w Trilogy Day Spa to staż, świeżo po szkole. Staż się skończył, więc chciała znaleźć coś lepszego, rozwinąć się, zarabiać więcej, mieć większe możliwości i tak dalej... Zatem poszła do Glique. Lokalizacja niezbyt ciekawa, ale jak chcesz rozpocząć karierę, to trzeba zdecydować się na poświęcenia. Spędziła tam rok, żeby zdobyć doświadczenie niezbędne do podjęcia pracy w wysokiej klasy spa w Santa Monica. Prawdopodobnie tego właśnie pragnęła, od kiedy tylko dostała dyplom kosmetolożki.

– A mimo to, raptem cztery i pół miesiąca później, przeniosła się gdzie indziej – wtrącił Robert.

– To ledwie okres próbny. Jednak w tym wypadku to nie wydawał się krok naprzód w jej karierze. Dlaczego to zrobiła?

Zapytany zrobił minę oznaczającą „a któż to wie?".

– Uciekała przed czymś albo przed kimś?

– Możliwe.

Hunter zwrócił się w stronę budynku.

– Może Tanya będzie w stanie rzucić nieco światła także na inne kwestie, poza tą szaloną wideorozmową.

Jedenaście

Podobnie jak w przypadku budynku, w którym mieszkała Karen Ward, tutaj również jedynym zabezpieczeniem, na jakie natknęli się detektywi, był stary domofon. Hunter wcisnął guzik z numerem 202 i odpowiedziała mu cisza. Żadnego kliknięcia. Żadnego szumu. Żadnego piszczenia. Nic.

– Czy to coś działa? – spytał Garcia.

– Nie jestem pewny, ale nie zdziwiłbym się, gdyby nie działało.

Detektyw przysunął ucho na odległość kilku centymetrów od głośnika domofonu i ponownie nacisnął guzik. Tym razem również nie usłyszał nic, co wskazywałoby na to, że system funkcjonuje poprawnie. Odsunął się o krok i zaczął przyglądać zamkowi w drzwiach. Po chwili obaj detektywi usłyszeli kliknięcie dochodzące z malutkiego głośniczka, a po nim ledwie słyszalny kobiecy głos.

– Halo?

– Pani Kaitlin? Tanya Kaitlin?

– Tak.

– Nazywam się Robert Hunter, jestem detektywem policji Los Angeles. Rozmawialiśmy wcześniej przez telefon.

Minęło kilka pełnych namysłu sekund.

– Tak, tak, oczywiście. – W jej głosie słychać było zmęczenie i rezygnację. – Proszę wejść.

Ostre brzęczenie zatrzęsło drzwiami, po czym zamek puścił z jeszcze głośniejszym kliknięciem. Popchnięte drzwi zaskrzypiały na zawiasach.

– Kurde. To brzmi, jakby ktoś torturował te wrota. Przydałoby się je nasmarować – skomentował Garcia.

Na każde z trzech pięter można było dostać się wyłącznie betonowymi schodami, które wychodziły na długie, wąskie i kiepsko oświetlone korytarze.

– Wiemy coś o niej? – spytał Hunter, kiwnięciem głowy wskazując kolejne piętro, na które się wspinali.

– Bardzo mało – odpowiedział drugi detektyw, po czym otworzył plik dokumentów na ostatniej stronie. – Tanya Kaitlin, dwadzieścia trzy lata, urodzona i wychowana w Los Angeles w Lakewood. Młodsza z dwójki dzieci, ojciec zmarł, matka cierpi na alzheimera i mieszka z synem w San Diego. Tak jak ofiara, ma czystą kartotekę policyjną. Pracuje jako kosmetolożka w DuBunne Spa Club w Torrance. Chodziła do Academy of Beauty w tym samym czasie co Karen. Ukończyły naukę równocześnie i, jak już wiesz, mieszkały razem w South Bay podczas stażu.

– Odbywały go w tym samym miejscu?

– Nie, Karen dostała się do Trilogy Day Spa, a Tanyę skierowano do Six Degrees, również na Manhattan Beach. Oba staże trwały dwanaście miesięcy, ale historia zatrudnienia Tanyi jest znacznie krótsza. – Garcia podniósł palec wskazujący. – Tylko jeden pracodawca, którym dalej jest DuBunne Spa Club.

– Od jak dawna tutaj mieszka?

– Niewiele ponad trzy lata. Tutaj się przeprowadziła z lokum, które wynajmowała razem z naszą ofiarą.

Na każdym piętrze znajdowało się dziesięć mieszkań. Do tego, które zajmowała Kaitlin, prowadziły pierwsze drzwi po prawej, zaraz za zużytymi schodami. Brązowa wycieraczka leżąca przed lokalem 202 witała gości napisem: SĄSIEDZI MAJĄ LEPSZE RZECZY.

Detektywi stanęli po obu stronach drzwi. To jeden z nawyków nabytych dzięki służbie w policji, który wykonywali bezwiednie. Nie było dzwonka, więc Garcia kilkakrotnie głośno zapukał. Minęło dziesięć sekund, zanim usłyszeli zbliżające się powolne i ciężkie kroki. Osoba po drugiej stronie stanęła blisko drzwi i się zatrzymała, po czym ponownie zapadła całkowita cisza.

Mężczyźni wymienili zaintrygowane spojrzenia.

Carlos wzruszył ramionami i chciał znów zapukać, kiedy zamek został otwarty dwoma głośnymi obrotami klucza. Następnie drzwi uchyliły się powoli na tyle, na ile pozwalał zabezpieczający łańcuch.

Obaj policjanci musieli się przesunąć, żeby móc chociaż częściowo zobaczyć kobietę, widoczną w szparze w wejściu. Większość świateł w mieszkaniu była zgaszona, toteż jej sylwetka niknęła w cieniu. Dało się jedynie stwierdzić, że stojąca postać ma około sto siedemdziesiąt centymetrów wzrostu.

– Pani Kaitlin? – spytał Hunter, przechylając głowę na bok w poszukiwaniu lepszego kąta widzenia. Jego wysiłki spełzły na niczym.

Zamiast odpowiedzieć, kobieta z trudem wciągnęła powietrze przez zatkany nos i skinęła głową.

– Jestem detektyw Hunter z wydziału zabójstw policji Los Angeles. – Pokazał jej odznakę. – A to mój partner, detektyw Garcia.

Jej zmęczone spojrzenie prześliznęło się od ich twarzy do identyfikatorów i z powrotem. Ponownie skinęła głową i zdjęła blokujący łańcuch.

– Proszę wejść – powiedziała, otworzywszy drzwi na oścież, a następnie przesunęła się w prawo. Światło z dalszej części korytarza w końcu nieco rozświetliło jej sylwetkę.

Hunter patrzył na nią jedynie przez kilka sekund. Wyglądała jak uosobienie niepokoju. Ciemne okręgi otaczały parę napuchniętych oczu, które normalnie byłyby jasnoniebieskie, ale z powodu braku snu i niezliczonych godzin płaczu przybrały blady odcień wiśniowej czerwieni. Blond włosy ściągnęła w potargany kucyk, z którego powypadały kosmyki, zwisające teraz po bokach twarzy. Obtarty nos naśladował czerwień oczu, a skóra na czole i policzkach wydawała się równie spierzchnięta jak jej usta. Włożyła czarno-biały szlafrok, ale miała gołe stopy. Unosiła się wokół niej ciężka woń papierosów.

– Proszę wejść – powtórzyła, po czym zaprowadziła ich do salonu, urządzonego skromnie, chociaż gustownie.

Zasłony w kwiaty wiszące w drzwiach balkonowych były niemal całkowicie zaciągnięte, przepuszczały jedynie wąską strużkę światła, która nie pozwalała pomieszczeniu pogrążyć się w głębokich ciemnościach. Tanya wskazała gościom miejsce do siedzenia – pod wschodnią ścianą stały niebieska kanapa i para pasujących do niej foteli. Niemal pusta paczka papierosów leżała na szklanym stoliku, wyznaczającym centralny punkt strefy wypoczynkowej. Obok stała zaimprowizowana popielniczka, zrobiona ze słoika po ogórkach. Pływające w środku pety były wypalone do samego filtra. Kilka dużych świeczek zapachowych paliło się po drugiej stronie pokoju, jednak delikatny aromat wanilii i jagód został całkowicie przytłoczony przez dym tytoniowy.

Detektywi weszli do pokoju za kobietą, ale poczekali, aż ona usiądzie pierwsza. Wybrała jeden z foteli, ten bliżej balkonu. Oni zdecydowali się na kanapę, dzięki czemu znaleźli się dokładnie naprzeciwko niej.

Tanya ciasno owinęła się szlafrokiem, zupełnie jakby nagle poczuła zimny powiew wiatru. Po chwili zrobiło jej się niewygodnie w początkowej pozycji, na skraju siedzenia. Wierciła się na wszystkie strony, potem wsunęła nieco głębiej, cały czas trzymając głowę spuszczoną, ze wzrokiem wbitym w kolana. W końcu usadowiła się w połowie siedzenia, z plecami wyprostowanymi, oddalonymi od oparcia, ramionami pochylonymi do przodu, złączonymi palcami i dłońmi ściśniętymi między kolanami.

– Pani Kaitlin – zaczął Hunter. – Wiemy, jak trudne to musi być dla pani, dlatego bardzo dziękujemy za to, że się pani z nami zobaczyła i że poświęca nam swój czas. Zajmiemy go tak mało, jak to tylko możliwe.

Kobieta nic nie odpowiedziała, nie podniosła też wzroku.

– Rozumiemy, że pani i pani Karen były najlepszymi przyjaciółkami.

Delikatne kiwnięcie głową.

Kolejny głęboki oddech.

A potem Tanya wybuchnęła płaczem.

Obaj detektywi znajdowali się już w takiej sytuacji więcej razy, niż potrafili zliczyć. Nie czuli się jednak wcale lepiej z tego powodu. Najlepsze, co mogli teraz zrobić, to dać jej trochę czasu.

Robert wstał i udał się do kuchni. Chwilę później powrócił ze szklanką słodzonej wody.

– Proszę – powiedział, podchodząc do kobiety. – Niech się pani napije, poczuje się pani trochę lepiej.

Przyłożyła dłonie do twarzy – po kilku sekundach płacz przerodził się w szloch.

Mężczyźni bez słowa czekali.

– Nie rozumiem... Po prostu nie... – wydukała pomiędzy paroksyzmami płaczu.

– Proszę, pani Kaitlin – spróbował ponownie detektyw. – Tylko kilka łyków. To naprawdę pomoże.

Po serii głębokich oddechów Tanya odjęła w końcu dłonie od zapłakanych oczu. Spojrzała na detektywa i sięgnęła po szklankę.

– Dziękuję.

Hunter uśmiechnął się do niej współczująco.

Kobieta ledwie umoczyła usta, po czym poruszyła się, żeby odstawić wodę na stół. Garcia pochylił się w jej kierunku i powiedział:

– Proszę wypić jeszcze troszeczkę. Poczuje się pani lepiej, obiecuję.

Wahała się długą chwilę, w końcu skapitulowała i się napiła. Tym razem wzięła trzy normalne łyki.

– Mówcie mi Tanya – odparła, odstawiając naczynie. – I tak, Karen była moją najlepszą przyjaciółką.

Przed powrotem na swoje miejsce Robert wręczył jej chusteczkę.

Ponownie podziękowała i przycisnęła jeden z jej rogów do kącika oka. Następnie jej wzrok przyciągnęła paczka papierosów. Być może z żalu poczuła potrzebę wytłumaczenia się.

– Minęły ponad dwa lata, odkąd zapaliłam ostatniego – zachichotała nerwowo. – To była moja paczka awaryjna. – Kąciki jej ust uniosły się nieco, ale niewystarczająco, żeby stworzyć uśmiech. – Palicie?

– Nie – odpowiedzieli jednocześnie.

– A w przeszłości?

Carlos pokręcił głową.

– Bardzo dawno temu – przyznał drugi detektyw.

– Wielu byłych palaczy, których znam, trzyma takie paczki awaryjne, poukrywane gdzieś na wypadek, gdyby nerwy ich poniosły z takiego czy innego powodu. Przez ostatnie dwa lata kilka razy byłam bliska otwarcia tej paczki, ale dawałam radę się powstrzymać...

aż do wczoraj. – Patrzyła przez chwilę w dal. – Tak naprawdę to nie wolno mi tutaj palić. Gdybym mogła wytrzymać jasność na dworze, to wyszłabym na balkon, ale... – urwała w połowie i pozwoliła słowom zawisnąć w powietrzu. – Zabawne, że wszystko, co dobrze smakuje albo sprawia ci przyjemność, okazuje się szkodliwe, prawda?

Detektyw ponownie się do niej uśmiechnął. Słodzona woda zaczynała działać. Kobieta przesunęła językiem po spierzchniętych wargach i spojrzała na obu policjantów z miną mówiącą: Jestem gotowa.

– Tanya – zaczął Hunter spokojnym i miarowym głosem, spoglądając jej prosto w oczy. – Wiem, że to będzie bardzo trudne, więc nie musisz się spieszyć. Czy opowiesz nam o wczorajszej wideorozmowie, ze wszystkimi szczegółami, które pamiętasz?

Dziewczyna spojrzała na stolik i ponownie sięgnęła po szklankę. Po dwóch dużych łykach nastąpiła przerwa, potem jej wzrok stał się nieobecny.

– OK – odparła w końcu.

Detektywi przygotowali notatniki.

Tanya rozpoczęła swoją opowieść od momentu, gdy wyszła spod prysznica.

Dwanaście

Hunter i Garcia słuchali historii opowiadanej przez Tanyę Kaitlin w niemal całkowitej ciszy. Przerwali jej tylko kilka razy, żeby coś uściślić albo ją uspokoić, gdy wspomnienia w jej głowie stawały się tak rzeczywiste, że dziewczyna była bliska wpadnięcia w histerię.

Gdy zrelacjonowała im, jak zakończyła się ta wideorozmowa, ponownie musiała się zmierzyć z mdłościami. Sięgnęła po paczkę papierosów leżącą na stoliku i przysunęła ostatniego do ust. Niestety nawet pomimo połączenia uspokajających właściwości słodzonej wody i nikotyny, emocje wzięły górę i dziewczyna ponownie zalała się łzami.

Robert podał jej kolejną chusteczkę.

W ciągu blisko dwudziestu minut, których Tanya potrzebowała do przekazania wszystkich szczegółów połączenia z poprzedniego dnia, Hunter zwracał szczególną uwagę nie tylko na słowa, ale również na język jej ciała, mimikę i ruchy oczu. Nieświadomie bardzo dużo wyrażała: nerwowe dotykanie twarzy dłonią, zakładanie niesfornego kosmyka za ucho; niespokojne potrząsanie głową za każdym razem, gdy opowiadała o czymś, w co trudno uwierzyć – a było tego sporo – i skubanie paznokci. Jednak to nie były oznaki kłamstwa, tylko strachu. To, co przeżyła, autentycznie ją paraliżowało.

Carlos przyniósł drugą szklankę wody, ale tym razem kobieta nie potrzebowała zachęty, wypiła wszystko w trzech haustach.

Gdy wyglądało na to, że już wystarczająco się uspokoiła, detektyw zadał pierwsze pytanie.

– Powiedziałaś, że kiedy mężczyzna sięgnął po telefon Karen, aby się rozłączyć, uniósł aparat, żebyś mogła zobaczyć jego twarz, zgadza się?

Tanya wciągnęła głęboko powietrze.

– Tak, ale to nie była jego twarz.

Garcia zmarszczył brwi.

– Słucham?

– To była maska. Jakaś przerażająca maska z horroru.

Detektyw rzucił okiem na partnera, po czym przesunął się na samą krawędź fotela.

– Wiem, że to będzie bardzo trudne, i przepraszam, że zmuszam cię do przeżywania tych wspomnień, ale czy pamiętasz może jakieś szczegóły? Mogłabyś opisać nam tę maskę?

Dziewczyna spojrzała mu prosto w oczy.

– Czy pamiętam? Do końca życia nie uda mi się jej zapomnieć. – Przystawiła palec wskazujący do prawego kącika ust. – Wielka otwarta rana biegła odtąd dotąd. – Przesunęła palcem od ust, przez policzek, aż do ucha. – Jak koślawy uśmiech klauna z koszmaru. Widać było zęby, ale to nie były ludzkie zęby. Były ogromne, ostre i szpiczaste, umazane krwią. Całe usta i brodę miał również we krwi. – Zrobiła przerwę i ciężko odetchnęła, wyraźnie zmagała się z obrazami, które podsuwała jej pamięć. – Druga strona twarzy nie miała rozcięcia, za to była obwisła, zdeformowana i bezkształtna.

Hunter zauważył, że dłonie kobiety ponownie zaczęły drżeć.

– Nie miał nosa, a jedynie kikut, zupełnie jakby został odgryziony, oderwany albo coś. I te oczy, wyglądały jak u diabła.

– Jak u diabła? W jakim sensie? – dopytywał Garcia.

– Ich kolor.

– Co było nie tak z tym kolorem?

– Były czerwone. I nie chodzi tylko o tęczówki. – Wskazała palcem na własne oczy. – Mam na myśli wszystko. Żadnego białka. Wyglądały jak dwie wypełnione krwią dziury. – Oddech dziewczyny znowu stał się ciężki. Potrzebowała chwili, żeby go opanować. – Reszta skóry na twarzy, włączając w to głowę... – zaczęła gestykulować – była guzowata i chropowata, zupełnie jakby cała twarz została poparzona. – Kolejny raz pokręciła nerwowo głową. – Ja wiem, że to tylko maska, ale w życiu nie widziałam niczego bardziej przerażającego. Jeszcze nigdy tak się nie bałam.

Robert nie był zaskoczony. Wysłuchawszy tej opowieści, miał pewność, że kobieta czuła się dokładnie tak, jak chciał tego morderca – bezbronna i słaba.

– Czyli miał na sobie gumową maskę na całą głowę? – spytał drugi detektyw. – Nie taką na gumce albo sznurku, który wiąże się z tyłu głowy?

– O nie, to na pewno była pełna maska.

– Czy możemy poprosić jednego z naszych rysowników, żeby się z tobą skontaktował? – zapytał Hunter, przyciągając uwagę dziewczyny. – Szkic tej podobizny mógłby się nam przydać.

Tanya odetchnęła, okrywając się szczelniej szlafrokiem. To wyraźny znak, że czuła się bezbronna.

– Tak, oczywiście.

Robert podziękował z uśmiechem.

– O mordercy mówisz „on", ale dźwięk został elektronicznie zmieniony, żeby przypominał głos demona rodem z horroru, tak?

Kobieta przytaknęła.

– Czy było cokolwiek, co jednoznacznie wskazywało, że rozmówca jest mężczyzną?

Zastanawiała się chwilę.

– Po pierwsze maska. Jakkolwiek przerażająca, jednak przedstawiała męskie oblicze, a nie kobiece. Ponadto barki i budowa ciała. Za szerokie. Za mocne jak na kobietę. Kimkolwiek jest ten szaleniec, ubrał się na czarno, w bardzo dopasowane ciuchy. Nie widziałam go całego, ale te fragmenty, które dojrzałam, zdecydowanie były zbyt muskularne, żebym uznała, że to kobieta. – Przez chwilę Tanya wyglądała na trochę zmieszaną. – Czy kobiety w ogóle są zdolne do czegoś takiego? Do takiej przemocy?

– Niektóre tak – odparł Robert.

Zmieszanie przerodziło się w szok.

– Jak długo przyjaźniłaś się z Karen? – dopytywał Garcia.

– Hmmm... jakieś trzy i pół roku. Poznałyśmy się na Academy of Beauty i od razu zostałyśmy najlepszymi przyjaciółkami.

– Czy Pete był jej chłopakiem?

Lewa brew kobiety uniosła się, kiedy spojrzała na detektywa.

– Powiedziałaś, że przez chwilę podczas rozmowy myślałaś,

że Karen i ktoś o imieniu Pete robią sobie z ciebie żarty. Kim jest Pete? Chłopakiem Karen?

– Nie, nie. – Uśmiechnęła się, kręcąc głową. – Myślałam, że to Pete Harris. On nie interesuje się kobietami. Jest wizażystą i naszym przyjacielem. Pracuje na planach filmowych i bardzo dużo podróżuje. Ostatnio był w Europie na planie filmu z Tomem Cruisem czy jakimś innym znanym aktorem. Pomyślałam, że może właśnie wrócił i razem zaplanowali jakiś głupi dowcip. On ma bardzo dziwne poczucie humoru, jeśli rozumiecie, co mam na myśli.

Carlos zapisał coś sobie w notesie.

– OK... Czy Karen umawiała się z kimś?

– Pfff, wręcz przeciwnie – odpowiedziała tonem sugerującym absurdalność pytania. – Nie z tym całym...

Nagle zamilkła, wstrzymując oddech.

– O mój Boże. – Wytrzeszczyła oczy, ale wydawało się, że wpatrzone są w pustkę. – Nie pomyślałam o tym. Zupełnie o tym zapomniałam.

Detektywi spojrzeli po sobie.

– O czym dokładnie?

Wzrok Tanyi powoli prześliznął się z powrotem na siedzących przed nią mężczyzn.

– O jej stalkerze.

Trzynaście

Pomimo że Pan J (tak mężczyzna lubił być nazywany) miał od półtora roku ustawioną jako budzik tę samą wnerwiającą melodyjkę, tego poranka potrzebował dłuższej chwili, żeby otrząsnąć się z otaczającej mgły snu oraz żeby jego uszy i umysł rozpoznały i rozszyfrowały słyszane dźwięki. Mgła w końcu ustąpiła, a Pan J zaczął działać: sięgnął po telefon na stoliku przy łóżku i wyłączył budzik. Ostrożnie przekręcił się na drugi bok i spojrzał na leżącą tyłem do niego kobietę. Wyglądało na to, że Cassandra, jego żona od dwudziestu jeden lat, dalej śpi.

Mężczyzna odetchnął z ulgą, zadowolony, że udało mu się wyłączyć alarm, zanim obudził żonę. Leżał tak przez kilka chwil i patrzył, jak pofalowane włosy otulają jej nagie ramiona. Pomyślał o tym, żeby się do niej przysunąć i delikatnie pocałować ją w kark – raz, dwa... tysiąc razy – ale wiedział, że jeśli teraz ją obudzi w taki sposób, to oboje spóźnią się do pracy... a to wydarzyło się w tym tygodniu już dwukrotnie.

Kiedy Pan J poznał ją przed laty, to właśnie temperament i impulsywność stanowiły jedne z cech, które go tak w niej pociągały. To najbardziej wyrozumiała i wspierająca kobieta, jaką kiedykolwiek spotkał. Jej opinie na dowolny temat, jaki omawiali, zawsze były przemyślane i inteligentne. Stymulowała go. Inspirowała. Była zabawna i żadna chwila, jaką razem spędzili, nie mogła zostać uznana za nudną. Pobrali się po zaledwie trzech miesiącach randkowania, a ich wzajemna żądza zdawała się nie mieć końca. Większość wspólnego czasu spędzali w łóżku, nikogo też nie zdziwiło, że tak szybko po ślubie oznajmili, iż spodziewają się potomstwa. Gdyby to zależało tylko od niego, to mieliby więcej dzieci, a przynajmniej drugie, ale Cassandra powiedziała, że na razie jedno wystarczy.

– Być może za jakiś czas, skarbie – mówiła, jednak „jakiś czas" nigdy nie nadszedł. Zamiast tego ich związek zaczął się sypać.

Każda para, nieważne, jak bardzo jest zakochana albo kiedyś była, musi wkroczyć w swoim związku na wyboistą ścieżkę. Zwłaszcza jeśli chodzi o seks. W przypadku Pana J i Cassandry ten moment nastąpił zaraz po narodzinach ich syna, Patricka. Na początku, mimo że nadal robili to dość regularnie, zaczęli się kochać mniej żarliwie, dużo mniej spontanicznie i bardziej ostrożnie. Niemal całkowite wycofanie nastąpiło lata później, kiedy Patrick stał się nastolatkiem. Dla Pana J to były najgorsze lata małżeństwa.

Praktycznie za każdym razem gdy próbował zbliżyć się do żony, ona uprzejmie, ale nieodwołalnie odtrącała jego zaloty. Jedynie czasami pozwalała mu się ze sobą kochać, ale wówczas stosunek zawsze był krótki i mechaniczny. Bardzo rzadko zdarzały się noce, kiedy to *ona* chciała uprawiać seks, wówczas wszystko odbywało się jak za starych czasów, a nawet lepiej.

Cassandra czekała wówczas, aż Pan J zgasi światło i przyjdzie do łóżka. Przyciągała go do siebie i zaczynała całować całe jego ciało, aż dostawał gęsiej skórki. Wtedy zaczynała prowokować go jeszcze bardziej, podgryzała go namiętnie w szyję i barki, następnie brała jego członka do ust i doprowadzała na skraj ekstazy, ale nigdy do samego końca. Dawała mu wówczas chwilę, żeby ochłonął, popychała go na plecy i siadała na nim okrakiem. Wbijała paznokcie w jego pierś bardzo mocno, przeważnie do krwi, ale on się tym w ogóle nie przejmował. W zasadzie wszystko to uwielbiał. Uwielbiał, jak jego żona drżała, gdy była na górze. Uwielbiał słyszeć jej jęki rozkoszy, a najbardziej uwielbiał patrzeć, jak zamykała oczy i wzdychała w tak odurzający sposób, że niemalże przenosiło go to w inny wymiar.

Tak, bez wątpienia znacznie się wyciszyła po urodzeniu syna, szczególnie gdy ten został nastolatkiem, jednak teraz, gdy poszedł na studia, Cassandra zaczęła zachowywać się coraz częściej tak jak kiedyś. Impulsywność wróciła. Nieprzewidywalność wróciła, namiętność i żądza w stosunku do męża również wróciły. Co prawda z mniejszą intensywnością niż na samym początku, ale to zrozumiałe. Szczerze mówiąc, uważał to za swego rodzaju błogosławieństwo. Dwudziestkę miał już bardzo dawno za sobą i tak naprawdę nie był pewny, czy mógłby sprostać wymaganiom żony, gdyby nagle zaczęła znów odczuwać tak samo silne pożądanie jak kiedyś.

Jedno wiedział na pewno: pomimo wszystkich trudności, przez które ich małżeństwo przeszło, a także pomimo wszystkich problemów, które dalej mieli, nigdy nie przestał kochać żony. Jeśli rzeczywiście istniało coś takiego jak bratnia dusza, to on z całą pewnością ją znalazł.

Czternaście

Chociaż obaj detektywi mieli podejrzenia na podstawie różnych rzeczy, które widzieli w mieszkaniu Karen Ward, to i tak słowo „stalker" wypowiedziane na głos dźwięczało im dalej w uszach, zupełnie jak wybuch bomby w komorze pogłosowej.

– Czy ktoś prześladował Karen? – spytał Garcia, posyłając partnerowi sceptyczne spojrzenie.

– O mój Boże – wyszeptała Tanya, przyłożywszy dłoń do twarzy. Wydawało się, że nie usłyszała zadanego pytania. – Nie wierzę. Nie wierzę, że mogłam o tym nie pomyśleć.

– Tanya? – rzucił Carlos. Przechylił głowę nieco w lewo, próbując nawiązać z kobietą kontakt wzrokowy. Nie podziałało.

Wbiła spojrzenie w losowy wzór na dywanie.

– Tanya?

Nic.

– Pani Kaitlin? – tym razem bardziej stanowczo.

W końcu wyrwała się z minitransu i spojrzała na detektywa.

– Przepraszam. Jakie było pytanie?

– Czy Karen mówiła o tym, że ktoś ją prześladuje?

– Hmmm... jasne. – Nadal wyglądała na nieco oszołomioną. – To znaczy tak, oczywiście, że mi mówiła, byłyśmy najlepszymi przyjaciółkami. Po prostu nie wierzę, że nawet...

– Możesz nam o tym opowiedzieć? – przerwał jej Garcia.

Dziewczyna ciężko odetchnęła.

– Mogę opowiedzieć tyle, ile sama wiem.

Poprawiła się w fotelu, tym razem usiadła głębiej i oparła się na zagłówku.

– To chyba zaczęło się niecały rok temu, kiedy Karen dostała pracę w Burke Williams, bardzo prestiżowym spa w Santa Monica.

Ona była świetną kosmetolożką. Miała wielką wiedzę. Była bardzo dokładna. Bardzo dobra w tym, co robiła, no i bardzo, bardzo miła. Wszystkie klientki ją uwielbiały, nic więc dziwnego, że tak szybko udało jej się dostać wymarzoną pracę.

– Wtedy przeniosła się z Alhambry do Mar Vista – wtrącił Hunter, który zapamiętał te informacje zasłyszane od partnera.

– Tak, to prawda. Bardzo ładne, niewielkie mieszkanie.

– Wynajmowała je z kimś?

– Nie, mieszkała tam sama.

– W porządku – zaczął Carlos. – Co zatem się wydarzyło, kiedy zaczęła pracę w Burke Williams?

Tanya skrzyżowała nogi i podrapała się w lewe kolano.

– Wydaje mi się, że minęły dwa miesiące, zanim zaczęła dostawać te straszne wiadomości.

– Wiadomości?

– Tak. Papierowe – nie SMS-y, e-maile ani wiadomości głosowe. Po prostu napisane na zwykłej kartce, bez nazwiska, podpisu, adresu czy czegokolwiek.

– Rozpoznała może charakter pisma? – indagował Garcia.

– Nie, zapomniałam powiedzieć, że one nie były ręcznie pisane. – Kobieta spojrzała na pustą paczkę po papierosach leżącą na stoliku, po czym westchnęła z rozczarowania. – Były poskładane z liter i słów powycinanych z gazet i czasopism. Zupełnie jak żądania okupu ze starych filmów.

Hunter uznał to za dziwne i dość niepokojące.

– Powiedziałaś „wiadomości", czyli było ich więcej niż jedna? – zapytał.

– Tak, dostała chyba dwie albo trzy w trakcie tych kilku miesięcy pracy tam, ale to wystarczyło, żeby ją nastraszyć.

– Czy to powód, dla którego tak szybko stamtąd odeszła?

Tanya przytaknęła ze zrozumieniem.

– To naprawdę nią wstrząsnęło. Nie wiedziała, co innego może zrobić.

– Zabrała je na policję? – włączył się Carlos. – Złożyła skargę? Doniesienie, żeby rozpoczęło się śledztwo?

– Tak jej poradziłam. Proponowałam, że pójdę razem z nią.

– Zrobiła to? Poszłyście razem na policję?

– Nie, nie chciała.

Zaskoczenie detektywa zdawało się niemal namacalne.

– Dlaczego?

Dziewczyna wzruszyła ramionami.

– Uważała, że policja niewiele zrobi, ponieważ listy były całkowicie anonimowe. Obawiała się, że tylko zadadzą jej kilka pytań, a potem odłożą sprawę na bok. Nie wierzyła, że dzięki temu przestanie się bać albo że powstrzyma to kogoś od wysyłania kolejnych wiadomości. One ją naprawdę przeraziły. Nie mogła spać. Uważała, że jeśli po prostu zmieni pracę i się przeprowadzi, to wszystko będzie znowu w porządku. Że nikt nie będzie jej dalej nękać.

– Sądziła, że któraś z jej klientek w Burke Williams może je wysyłać? – zapytał Hunter, notując coś.

– Pytałam ją o to. Ale tak naprawdę to nie wiedziała, co o tym myśleć. W ogóle nie rozumiała, dlaczego je dostaje. Dopiero rozpoczęła tam pracę, nie miała zbyt wielu regularnych klientów. Powiedziała również, że w tamtym czasie przychodziły do niej tylko kobiety. Ponadto, jak już mówiłam, Karen była najmilszą osobą na świecie. Wszyscy ją kochali, dlaczego jakiś klient miałby zrobić coś takiego komuś takiemu jak ona?

– Mówiłaś, że z nikim się wtedy nie umawiała? – zapytał tym razem Garcia.

– Tak, to prawda.

– A kiedy po raz ostatni była w jakimś związku? – dociekał detektyw.

Tanya odwróciła na chwilę wzrok, zastanawiając się.

– Sporo ponad rok temu. Kończyła wtedy staż w Trilogy, ale to nic poważnego.

– W jakim sensie?

Dziewczyna wzruszyła ramionami.

– Poszła wtedy na kilka randek z jakimś facetem, którego poznała. On nie był Amerykaninem. Pochodził z Europy – ze Szwecji, Szwajcarii czy skądś tam. Żadne z nich nie szukało stałego związku. Dla niej liczyło się zdobycie możliwie jak największego doświadczenia w Trilogy, żeby potem dostać dobrą pracę. A ten koleś, na imię miał chyba... Liam czy jakoś tak, studiował gdzieś muzykę. Tak czy inaczej, skończył studia i wrócił do Europy, zanim staż Karen dobiegł końca.

Detektyw pokiwał głową.

– A w ostatnich miesiącach z nikim się nie umawiała? Była bardzo ładną młodą kobietą, na pewno często ją ktoś podrywał.

– O nikim więcej nie wiem – odparła. – Ale to prawda, jak wychodziłyśmy razem do barów, klubów czy gdzieś indziej, przeważnie ktoś próbował szczęścia, jednak ona nigdy nie była zainteresowana. Nie widziałam, żeby brała od jakiegoś faceta numer telefonu albo dawała swój.

– Czy Karen pokazała ci kiedyś któryś z tych listów?

Hunter zauważył, że dziewczyna zacisnęła szczęki.

– Tak... Raz mi jeden pokazała.

– Pamiętasz jego treść?

Tanya ponownie spojrzała na pustą paczkę po papierosach. Znowu zaczęła się denerwować. Położyła łokcie na poręczach fotela, zastanawiając się. Wspomnienia przyniosły ze sobą nieprzyjemny dreszcz.

– Było tam coś o dotykaniu jej, sprawianiu, żeby krzyczała, i kosztowaniu jej strachu. Ja... nie pamiętam dokładnych słów, ale wiem, że się wtedy porządnie przeraziłam, zwłaszcza przez te powycinane litery i w ogóle. Dlatego powiedziałam jej, żeby poszła na policję.

Robert cały czas uważnie przyglądał się rozmówczyni. Widział, że znowu jest roztrzęsiona.

– Karen uważała, że jak zmieni pracę i się przeprowadzi, to wszystko będzie dobrze. Przestanie już dostawać takie wiadomości.

– Zgadza się.

– Tak się stało?

Dziewczyna pokręciła głową, łzy napłynęły jej do oczu.

– Nie. Na początku tak jej się wydawało. Mieszkała w nowym miejscu na Long Beach już ponad miesiąc i wszystko było super. Nowa praca w True Beauty również dobrze jej szła. Zaczęła dochodzić do siebie, ale pewnego wieczoru zadzwoniła do mnie spanikowana i powiedziała, że dostała kolejny list.

– Czy pokazała ci ten nowy list? Ten, który dostała w Long Beach? – spytał Garcia.

– Nie, opowiedziała mi tylko o nim przez telefon.

– Przeczytała jego treść? Pamiętasz ją może?

– Nie, nie powiedziała mi nigdy. Pytałam ją, ale nic nie zdradziła. Tylko tyle, że był podobny do poprzednich.

– Mówiła, w jaki sposób je dostawała? – naciskał Hunter. – Były wrzucane do skrzynki... a może wsuwane pod drzwiami?

Tanya skinęła głową, ale tym razem był to nerwowy, niemal pełen strachu ruch.

– Pierwsze znajdowała pod drzwiami. Ale nie ten, który dostała w Long Beach. – Zrobiła przerwę, zupełnie jakby potrzebowała czasu, żeby przetrawić to, co miała dalej do powiedzenia. – Tamtą wiadomość w nowym mieszkaniu... znalazła w swoim łóżku. Pod poduszką.

Piętnaście

— Musimy zadzwonić do operacyjnego — powiedział Hunter, jak tylko wyszli od Tanyi Kaitlin.

— Nie ma sprawy — odparł Garcia. — Czego potrzebujesz?

— Trzeba ich poprosić, żeby sprawdzili wszystkie wezwania pod dziewięć-jeden-jeden z okolicy mieszkania Karen Ward z ostatnich... powiedzmy trzech miesięcy.

— Dziewięć-jeden-jeden? A po co?

— Ponieważ nasz morderca jest bardzo ostrożny. Lubi mieć wszystko zaplanowane.

Drugi detektyw uniósł dłonie, posyłając partnerowi dociekliwe spojrzenie.

— Co masz na myśli?

— Pamiętasz, co Tanya nam opowiedziała o tym telefonie?

Dotarli do schodów, a kiedy spojrzeli w stronę niższego piętra, ujrzeli wysokiego i dobrze zbudowanego mężczyznę. Miał na sobie czarne dżinsy, czerwoną bluzę z kapturem, a na niej ciemną kurtkę bejsbolową. Nosił wyblakłą parę butów All Stars. Dłonie trzymał w kieszeniach, a głowę nisko opuszczoną — dodatkowo zakrywał ją kaptur, detektywi nie byli więc w stanie dostrzec jego twarzy. Gdy się mijali, Robert musiał przesunąć się na bok, żeby zrobić mu miejsce.

— Którą część masz na myśli?

— Tę, w której morderca zabronił jej dzwonić na policję — doprecyzował detektyw. — Powiedział, że to bezcelowe, ponieważ patrol dotrze na miejsce w jakieś dziesięć minut, a on potrzebował zaledwie jednej, żeby wyrwać dziewczynie serce z piersi.

— Tak, pamiętam ten fragment.

Dotarli do pierwszego piętra.

– W tej chwili jestem w stanie się założyć, że policja po zgłoszeniu pod dziewięć-jeden-jeden dojeżdża z Long Beach do domu Karen średnio w osiem do dziesięciu minut.

Carlos zatrzymał się i spojrzał na partnera.

– Coś mi też mówi, że on tego po prostu nie zgadywał.

– Mierzył czas.

– Ja bym tak właśnie zrobił – przyznał Hunter. – A żeby mieć pewność, zadzwoniłbym przynajmniej trzy razy, a może i więcej.

Drugi detektyw pozwolił, aby ta myśl krążyła przez kilka chwil w jego głowie.

– To jednak nie dawało mu żadnej gwarancji. Patrole to nie straż pożarna, ich wozy nie stoją spokojnie na parkingu w oczekiwaniu na wezwanie. Krążą po ulicach. Policyjne auto mogło znajdować się tuż za zakrętem, kiedy dyspozytor dałby sygnał przez radio. Ten dziesięciominutowy czas dojazdu mógłby zostać zredukowany do jednej minuty, a nawet mniej.

Robert przytaknął.

– Jestem pewny, że on też o tym wiedział. Jak już mówiłem, ten gość jest bardzo ostrożny, dokładnie wszystko planuje. Ktoś taki chciałby poznać średni czas reakcji na zgłoszenie, żeby móc umieścić go w swoich planach. Nic nie mógł poradzić na ryzyko, że radiowóz znajduje się tuż za rogiem, to zwykły rachunek prawdopodobieństwa. Dlatego poradził sobie z tym od innej strony.

Spojrzenie Garcii ponownie stało się dociekliwe.

– A jakaż to strona?

– Upewnił się, że jego rozmówczyni nawet nie pomyśli o dzwonieniu na policję. Bez wezwania nie miało znaczenia, czy dwadzieścia radiowozów będzie stało pod samym budynkiem. I tak nikt by mu nie przeszkadzał.

– W porządku – zgodził się drugi detektyw. – Ale do tego nie musiał znać średniego czasu, w jakim zjawiłyby się gliny. Mógł sobie po prostu jakiś wymyślić. Czy to nie jest jedno z założeń psychologii? Powiedz coś z wystarczającą pewnością siebie, a większość ludzi ci uwierzy, nawet jeśli to kłamstwo. Mógł jej podać dowolną liczbę, jestem pewien, że by to kupiła.

– Masz rację, ale takie działanie nie pasuje do kogoś, kto jest bardzo metodyczny, kto lubi mieć wszystko zaplanowane z dużym wyprzedzeniem. To cholernie pewne, że morderstwo nie zostało popełnione pod wpływem impulsu. Nie, tacy ludzie mają przeważnie zaburzenia obsesyjno-kompulsywne albo osobowości *borderline*. Dla własnego spokoju ten facet szukałby odpowiedzi.

– Dobra, to czego potrzebujemy?

– Powiedz tym z operacyjnego, że szukamy fałszywych zgłoszeń. Sytuacji, gdzie patrol nic nie znalazł, ale wezwanie miało najwyższy priorytet: ktoś słyszał strzały albo był świadkiem agresji i zagrożenia życia. Coś w tym stylu. Ważne, żeby takie telefony dotyczyły tego bloku, w którym mieszkała Karen, albo któregoś z najbliższej okolicy. Istotne też, żeby godzina pokrywała się z czasem morderstwa, plus minus kilka godzin. Jest szansa, że nie modyfikował swojego głosu, kiedy dzwonił.

– W zależności gdzie wtedy był, czy telefonował z budki telefonicznej, czy nie, jest możliwe, że zarejestrowała go jakaś kamera monitoringu.

Hunter ponownie przytaknął.

– Trzeba też postarać się o nakaz, żeby uzyskać wszystko co się da z tego wideopołączenia od operatora Tanyi albo Karen – zasugerował Garcia. Wiedział, że dziewczyna zrobiła, co tylko mogła, żeby przypomnieć sobie i możliwie jak najdokładniej zrelacjonować im wszystkie szczegóły, ale nawet osoba w idealnej kondycji psychicznej nie da rady zapamiętać każdego słowa i każdego detalu. A co dopiero ktoś tak roztrzęsiony, po przeżyciu straszliwej traumy.

– Nic nam to nie da – odparł drugi detektyw. – Operator nie dysponuje żadnymi danymi.

– Jak to?

– Żadna sieć w USA nie ma prawa przechowywać nagrań z wideopołączeń, tak jak to się dzieje w przypadku zwykłych rozmów. Już w tej chwili zmagają się z tymi wszystkimi nowymi przepisami o ochronie danych osobowych i prywatności. Gdyby trzymali prywatne zdjęcia albo filmy bez zgody właścicieli, to musieliby wkroczyć w zupełnie nowy wymiar wojny. Jednego jestem pewny: oni nie mają ochoty walczyć.

W końcu wyszli z budynku.

– A sam dźwięk albo transkrypcja z tego połączenia?

Robert pokręcił głową.

– Też nie, nie da się rozdzielić dźwięku i obrazu w trakcie rozmowy.

– Zatem jeśli nie mogą przechowywać jednego, to nie mogą również i drugiego.

– Zgadza się.

– Jesteś pewny? Skąd tyle o tym wiesz?

Detektyw wzruszył ramionami.

– Dużo czytam.

Szesnaście

– Więc jak myślisz, ile tym razem cię nie będzie? – zapytała Cassandra, kiedy Pan J zjadł ostatni kawałek tostu.

– Niedługo. Dwa, góra trzy dni.

– Ostatnio też tak mówiłeś. – Wypiła łyk jakiegoś ciemnozielonego napoju, który przed chwilą przyrządziła. – A wróciłeś po prawie tygodniu.

– To prawda, i przepraszam za to. Czasem tak jest, że różne rzeczy się opóźniają, ludzie się spóźniają i interesy trwają dłużej, niż było w założeniach. – Użył materiałowej chusteczki, żeby wytrzeć kąciki ust. – Tym razem nie powinno być żadnych niespodzianek. Zadzwonię do ciebie, jeśli cokolwiek się zmieni. A jak nie, to wrócę najpóźniej w niedzielę. – Spojrzał na żonę i zmarszczył brwi. – Cass, co ty, do cholery, pijesz? Wygląda... odrażająco.

– Uwierz mi, nie chcesz wiedzieć – odparła, po czym dopiła resztę. – Ale smakuje dużo lepiej, niż wygląda.

– Mam nadzieję, bo wygląda, jakby dziecko dostało w tej szklance biegunki.

– Czasem jesteś obrzydliwy, wiesz?

Pan J się zaśmiał.

– Ja? To ty to pijesz. A tak swoją drogą, to pięknie wyglądasz.

Cassandra wyglądała czarująco w ciemnej ołówkowej spódnicy, śliwkowej bluzce i czarnych błyszczących butach. Włosy miała rozpuszczone, opadały za ramiona, ale po bokach, nad uszami zostały spięte parą małych spinek w kształcie motyli. Makijaż nakładała sama, ale sprawiał wrażenie dzieła profesjonalisty.

Pan J sprawdził zegarek – 8.17.

– Dobra, czas już na mnie. – Wstał, dopił kawę jednym haustem, po czym pozbierał sztućce i talerz i zaniósł je do zlewu.

– Zostaw, ja później umyję – powiedziała do niego żona, zanim odkręcił kran.

– Na pewno? Mogę to szybko zrobić, to żaden problem.

– Tak, zajmę się tym później. Ty musisz już jechać. – Podeszła do niego i pocałowała go w usta. – Mówiłeś, że gdzie jedziesz?

– Do Frisco – skłamał.

– A, no tak – również skłamała. Nie pamiętała, czy mówił o tym wcześniej. Odłożyła swoją szklankę do zlewu, do reszty brudnych naczyń. – Jedź ostrożnie i zadzwoń, jak tylko będziesz na miejscu, OK?

– Oczywiście.

Pan J pocałował żonę jeszcze raz, a następnie wziął marynarkę powieszoną na oparciu krzesła. Lipna walizka, którą pakował wczoraj na pokaz przy Cassandrze, czekała na niego przy drzwiach. Wsadził do niej ubrania na zmianę i małą kosmetyczkę. Prawdziwą walizkę z rzeczami, które rzeczywiście będą mu potrzebne, odbierze po drodze do hotelu, z magazynu wynajętego lata temu na inne nazwisko.

Siedemnaście

Był już szczyt porannego ruchu, zatem pokonanie około dwudziestu czterech kilometrów dzielących mieszkania Tanyi Kaitlin w West Carson i Karen Ward w Long Beach zajęło detektywom prawie czterdzieści pięć minut. Zarówno Hunter, jak i Garcia chcieli móc jeszcze raz w spokoju obejrzeć miejsce zbrodni, zanim zajmie się nim CTS Decon Team – zespół odpowiedzialny za czyszczenie i dezynfekcję miejsc zbrodni i wypadków.

Poza brakiem ciała oraz techników kręcących się w białych kombinezonach mieszkanie wyglądało dokładnie tak samo jak wtedy, gdy byli tutaj przed świtem. Kałuża krwi pokrywająca część salonu nadal się tam znajdowała, ale zdążyła już wyschnąć i zakrzepnąć, co zwiększyło jeszcze mocny, metaliczny zapach, który pojawia się, gdy krew wchodzi w kontakt z tlenem. Wszystkie okna pozamykano, żeby powstrzymać napływ owadów, które niewątpliwie przyciągnęłaby nagromadzona posoka. Na dworze temperatura sięgała już ponad dwudziestu jeden stopni Celsjusza, a to spowodowało, że łzawiący, przypominający rdzę zapach, który unosił się w mieszkaniu, przybrał na sile i wcisnął się w każdy możliwy kąt.

Gdy przedostali się przez koralikową zasłonę przy drzwiach wejściowych, Garcia założył na twarz maskę ochronną.

Hunter zrobił to samo.

– Myślę, że będzie łatwiej, jak się podzielimy pracą – zaproponował Carlos, przyciskając dłoń do nosa, pomimo maseczki. – Ty weźmiesz salon i kuchnię, a ja sypialnię, korytarz i łazienkę. Co ty na to? – Nie czekając na odpowiedź, detektyw przemierzył pokój i udał się w stronę korytarza.

Partner nie miał mu tego za złe. Oczywiste było, że odurzający smród był o wiele silniejszy tam, gdzie zginęła ofiara. Pomimo całego swojego doświadczenia żaden z nich nie przyzwyczaił się do zapachu krwi, wszechobecnego na miejscu zbrodni. A jeszcze dokładniej mówiąc, do psychologicznego zapachu – to pojęcie znała większość detektywów z wydziału zabójstw. Oni czuli różnicę pomiędzy zapachem krwi na miejscu zbrodni a zapachem krwi gdziekolwiek indziej – włączając w to kostnice, miejsca wypadków i szpitale. Odnosili wrażenie, że tam, gdzie popełniono morderstwo, zwłaszcza niebywale brutalne, mdłej, słodkiej, przypominającej miedź woni posoki towarzyszyło coś jeszcze. Zapach, którego nikt nie potrafił zidentyfikować ani wyjaśnić, ale który każdy czuł. Każdy miał świadomość, że on tam jest. Każdy wyczuwał, jak wpełza mu po skórze, zupełnie jak żywa istota, w jakiś sposób uwięziona na miejscu zbrodni. Przesycał ściany i powietrze swoją obecnością.

Niektórzy uważali, że to woń pozostawiona przez strach.

Niektórzy uważali, że to woń pozostawiona przez ból.

Niektórzy uważali, że to woń pozostawiona przez przemoc.

Hunter uważał, że to woń pozostawiona przez zło.

Zanim detektyw zdążył choćby skinąć potakująco głową partnerowi, ten zniknął już w łazience na końcu krótkiego korytarza. Kiedy Hunter został w pomieszczeniu sam, zwrócił się w stronę stołu i krzesła, na którym znaleziono zwłoki Karen Ward. Ściągnął z twarzy maskę ochronną, pozwalając jej wisieć luźno na szyi, i stanął nieruchomo, wpatrując się w krzesło. Zignorował wszystkie rozpraszające rzeczy i pozwolił, aby silny, natarczywy zapach krwi, zła i śmierci zadusił jego zmysły. Minutę później opowieść Tanyi Kaitlin ponownie rozbrzmiała w jego uszach. Umysł zaczął odtwarzać odmalowane w niej sceny, zupełnie jakby ktoś wyświetlił film.

Wyobraził sobie furię mordercy, kiedy ten raz za razem uderzał twarzą Karen o rozbite szkło. Ujrzał zdeformowaną i obrzydliwą maskę zakrywającą twarz napastnika, zupełnie tak, jak opisała to Tanya. Uzmysłowił sobie satysfakcję mordercy, gdy dziewczyna nie potrafiła odpowiedzieć na jego pytanie. Poczuł desperację ofiary. Jej strach. Jej bezsilną walkę. Jednak obrazy odgrywane w jego głowie były niekompletne. Zbyt wielu kadrów brakowało. Coś nie grało.

W końcu wyrwał się z transu i podszedł do otwartej kuchni. Była niewielka, ale dobrze wyposażona. Mikrofalówka i nowoczesny piekarnik w jednym urządzeniu, kuchenka indukcyjna, lodówka i zamrażalnik z zewnętrznym dyspenserem wody lub kostek lodu. Detektyw otworzył ją i zajrzał do środka: prawie pusta, z wyjątkiem do połowy pełnego kartonu soku pomarańczowego oraz drugiego z mlekiem. Pudełko lodów o smaku czekoladowego brownie stało samotnie na samym końcu dużego zamrażalnika. Zamknął lodówkę i odwrócił się, aby sprawdzić szafki na przeciwległej ścianie. Znalazł tam kilka konserw, ale żadnych przypraw. Nie potrzebował szkolenia detektywistycznego, żeby wywnioskować, iż Karen prawie wcale albo w ogóle nie gotowała w domu. Podejrzewał, że nie powodował tego brak umiejętności ani chęci – po prostu starała się przebywać w mieszkaniu najmniej, jak tylko mogła.

W salonie Hunter ominął kałużę zaschniętej krwi i podszedł do miejsca, gdzie stała trzyosobowa ciemnobrązowa kanapa. Po jednej jej stronie był pasujący kolorem fotel, po drugiej akrylowy stolik. Tkany brązowo-beżowy dywan wydawał się nowy, tak samo szafka pod telewizor i witryna z ciemnego drewna, ustawione pod jedną ze ścian.

Detektyw podszedł do szafki pod telewizorem i otworzył lewą szufladę. Znalazł w niej przedłużacz, kilka książek w miękkiej oprawie, a także instrukcje do TV, dekodera oraz wszystkich sprzętów kuchennych. Rzucił okiem na wnętrze prawej szuflady: kilka zapasowych żarówek, zestaw śrubokrętów i dwie plastikowe teczki z domowymi rachunkami. W witrynie znajdującej się po prawej stronie stało parę dobrze dobranych i kolorowych dekoracji – miski, garnki, słoiki, drewniane kwiaty, kwadratowe blaszane pudełko i kilka figurek kotów. Sięgnął po pudełko i otworzył je – było puste.

Głośny hałas, który dobiegł z głębi mieszkania, przestraszył go.

– Carlos, wszystko gra? – zawołał, odstawiając przedmiot na miejsce.

– Ta – nadeszła odpowiedź z sypialni. – W porządku. Wpadłem przypadkiem na tę wieżę z butów i połowa zleciała na mnie jak obuwnicza ulewa. Kurde, myślisz, że miała ich wystarczająco dużo?

Hunter się uśmiechnął. Nie był aż tak zadufany w sobie, by uważać, że rozumie sposób, w jaki działa umysł kobiety, ale jedną rzecz wiedział z całkowitą pewnością: jeśli chodzi o buty, dla kobiety nie istnieje coś takiego jak wystarczająco dużo.

Obrócił się na pięcie i obejrzał miejsce zbrodni po raz enty. Wtedy właśnie doznał olśnienia.

Wcześniej tego dnia coś w pokoju Karen nie dawało mu spokoju. Coś poza tym, jak niepotrzebnie zagraciła pomieszczenie, ale aż do teraz nie potrafił stwierdzić co.

Adrenalina strzeliła do jego żył jak pocisk, przez co włoski na rękach i karku stanęły dęba. Postąpił dwa kroki do przodu i zatrzymał się, wpatrzony w coś.

– Sukinsyn!

Osiemnaście

Garcia odemknął szafeczkę z lustrem wiszącą nad umywalką w łazience i przejrzał ponownie jej zawartość. Poczuł się wówczas jak jedna z tych osób, które muszą otworzyć lodówkę za każdym razem, jak tylko wejdą do kuchni.

– Mhm. Tak jak myślałem. Nic w czarodziejski sposób nie pojawiło się tutaj od dzisiejszego poranka.

Zamknął drzwiczki i podszedł do regału znajdującego się na prawo od wanny. Trzy górne półki zawierały absurdalną ilość kremów, balsamów i olejków, wszystko to starannie uszeregowane w tematyczne grupy. Detektyw sięgnął po jeden ze słoiczków z samej góry i po cichu przeczytał informacje na naklejce.

Krem do twarzy z silnym filtrem UV.

Przez chwilę wyglądał na zamyślonego. Miał pewność, że jego żona, Anna, niedawno kupiła dokładnie taki sam produkt. Odstawił kosmetyk na miejsce i sięgnął po następny.

Krem do twarzy ze słabym filtrem UV.

I kolejny.

Krem do twarzy z ekstraktem z ogórka.

Nie przerywał.

Krem do twarzy z ekstraktem z awokado.

Krem do twarzy z oliwą.

Krem do twarzy z olejem migdałowym.

Pokręcił głową, rozbawiony.

– Zupełnie jakbym kupował składniki na sałatkę – mruknął pod nosem. Odstawił słoiczek i zaczął sprawdzać kolejną grupę. Tym razem zmarszczył brwi na widok trzymanego w ręku kosmetyku. – Co? Balsam do ciała o zapachu sernika truskawkowego? Serio?

Jego usta rozciągnęły się w uśmiechu. Mimo że bardzo go to bawiło, poczuł się zaintrygowany i wprost nie potrafił oprzeć się pokusie. Zdjął maskę, odkręcił zakrętkę i przystawił butelkę do nosa. Ku jego zaskoczeniu zapach tak przypominał świeżo upieczony sernik z truskawkami, że aż zaburczało mu w brzuchu. Jednocześnie przyszło mu do głowy pewne pytanie: dlaczego ktoś chciałby pachnieć jak ciasto?

Garcia poprawił maskę ochronną i powrócił do przeglądania specyfików.

Kokos.

Wanilia.

– To chyba musi być sekcja deserów.

Przeszedł do kolejnej półki.

Krem pod oczy.

Krem pod oczy.

Krem pod oczy.

Krem do rąk.

Krem do stóp.

Krem na szyję.

Kolejny raz przystanął.

– Są specjalne kremy wyłącznie do szyi? – rzucił pytanie w pustkę.

Na następnej półce znajdowało się pełno olejków i balsamów nawilżających skórę i włosy. Na jeszcze kolejnej znalazł kilka butelek perfum wyglądających na drogie. Na piątej i szóstej Karen trzymała swoje ręczniki.

Detektyw opuścił łazienkę i udał się do sypialni. Nie włączył światła, zamiast tego podszedł do niezastawionego okna na zachodniej ścianie i rozsunął zasłony, pozwalając promieniom słonecznym dostać się wreszcie do środka. Z tamtego miejsca długo przyglądał się zagraconej przestrzeni. W końcu uznał, że zacznie od łóżka.

Najpierw sprawdził pod poduszkami, kołdrą i prześcieradłem – nic. Podwinął rękawy i uniósł materac, żeby spojrzeć na stelaż – nic. Przemierzył pokój i podszedł do komody. Otworzył pierwszą szufladę, znalazł w niej bieliznę, pończochy i skarpety –

wszystko to równiutko poukładane w oddzielnych rzędach. Kolejna szuflada – T-shirty, bluzy i koszulki na ramiączkach. Znowu starannie poukładane, żeby maksymalnie wykorzystać miejsce. Trzecia szuflada była kopią poprzednich, tylko że zawierała swetry i szorty. W ostatniej zaś znalazł różnorodne dodatki – paski, okulary przeciwsłoneczne, bransoletki, spinki do włosów itd.

Gdy już przejrzał wszystko, opadł na kolana i sprawdził pod szafką. Nic nie zobaczył, z wyjątkiem kurzu.

To głupota, pomyślał. *Gdyby coś tutaj było, to technicy już dawno by to znaleźli.*

Kiedy zaczął się podnosić, uderzył nagle prawym kolanem w stojak na buty obok komody. Deszcz obuwia posypał się na niego z góry.

– O w dupę! – warknął, podnosząc ręce, żeby osłonić głowę. – Niech to szlag.

– Carlos, wszystko gra? – zawołał Hunter z drugiego pokoju.

– Ta – odpowiedział Garcia, podnosząc się w końcu. – W porządku. Wpadłem przypadkiem na tę wieżę z butów i połowa zleciała na mnie jak obuwnicza ulewa. – Przystanął, drapiąc się w czoło. – Kurde, myślisz, że miała ich wystarczająco dużo? – zawołał, oglądając bałagan na podłodze. Buty w rozmaitych kolorach i rodzajach leżały dosłownie wszędzie. – Dlaczego miała tyle butów? – wymruczał. Pomyślał wtedy o swojej żonie i pokiwał głową, po czym odpowiedział na swoje własne pytanie. – Ponieważ była kobietą, właśnie dlatego.

Zaczął je zbierać i odkładać na półki. Wnosząc z tego, jak skrupulatnie poukładane były rzeczy w szufladach i w łazience, zapewne każda para miała swoje wyznaczone miejsce. Prawdopodobnie określone przez kolor albo fason.

Z szacunku próbował je grupować najlepiej, jak potrafił. Nie zaskoczyło go w ogóle, że większość z nich wyglądała, jakby nigdy nikt ich nie nosił.

Przejrzał już blisko połowę sterty, kiedy zobaczył nagle coś, co musiało spaść razem z butami.

Sięgnął po to i zamarł.

– O cholera!

Dziewiętnaście

Jesień w Mieście Aniołów była trudna do zaobserwowania. Nie niosła ze sobą chłodu, ukłuć zimna w nocy ani typowych dreszczy o poranku. Wręcz przeciwnie: jesień potrafiła zaprezentować jedne z najgorętszych dni i nocy, z łatwością dorównujących temperaturom osiąganym w samym środku lata. Ten dzień był właśnie jednym z takich przypadków.

Hunter opuścił wszystkie cztery szyby w swoim samochodzie, kiedy jechał w stronę komendy policji na West First Street w centrum Los Angeles. Niestety z powodu dużego ruchu osiągał prędkość, która ledwie wystarczała, aby wywołać chociaż leciutki wiaterek. Nieświeży zaduch wewnątrz auta w połączeniu z wilgotnością powietrza przekraczającą siedemdziesiąt procent tworzyły efekt porównywalny z sauną parową. Gdy razem z Garcią dotarli do swojego biura na piątym piętrze komendy, Robert od razu włączył klimatyzację na maksymalną moc. Garcia stłumił uśmiech. Widział dokładnie długi cienki ślad potu biegnący przez całą koszulę przyjaciela.

– Do dupy jest mieć samochód bez klimatyzacji w taki upał, nie? – rzucił Carlos, włączając komputer.

Drugi detektyw spojrzał na niego spode łba.

– Nawet nie zaczynaj.

– Niczego nie zaczynam. Ale zdajesz sobie sprawę, że twoje auto nie pasuje do tego stulecia, prawda? Musisz wreszcie oddać je na złomowisko, przyjacielu.

– Dlaczego? To świetna bryka.

– To nie jest bryka, Robert. To zardzewiała dwudziestoletnia wanna na kołach. Wiem, lubisz mówić, że to klasyk, ale...

– Nie – przerwał mu Hunter w pół zdania. – Po prostu mówię,

że to samochód. Jego zadaniem jest dowozić mnie z punktu A do punktu B, i to właśnie robi. W dodatku jest bardzo niezawodny. Czego więcej miałbym chcieć?

– Klimatyzacji. – Garcia dolał oliwy do ognia. – Mógłbyś chcieć klimatyzacji.

Nikt nie zapukał do drzwi ich biura, jednak te otworzyły się nagle i do środka weszła kapitan Barbara Blake.

Pani kapitan dowodziła wydziałem zabójstw od kilku lat, kiedy to zastąpiła odchodzącego na emeryturę Williama Boltera – jednego z najdłużej piastujących to stanowisko oraz najbardziej odznaczonych oficerów policji. Poprzednik osobiście ją wyznaczył jako swoją następczynię, co wkurzyło kandydatów z długiej listy. Denerwowanie ludzi było jednak nieodłączną częścią pracy kapitana, a Barbarze w ogóle to nie przeszkadzało.

Z całą pewnością można ją było nazwać intrygującą: silna i odporna, ale jednocześnie atrakcyjna i elegancka, miała długie czarne włosy i przenikliwe ciemne oczy, które nigdy niczego nie pomijały. Po przyjęciu stanowiska została przywitana wrogością, jednak szybko zyskała wizerunek twardej jak skała i bardzo konkretnej. Nie dawała się łatwo zastraszyć, nie pozwalała sobie wchodzić na głowę nikomu, nawet przełożonym, a także nie obawiała się zaleźć za skórę wpływowym politykom czy rządowym oficjelom, o ile wiązało się to z robieniem czegoś, co uznawała za słuszne. W ciągu kilku miesięcy dowodzenia wydziałem początkowa wrogość zaczęła znikać, zastąpiona zaufaniem i szacunkiem każdego detektywa, który jej podlegał.

– Dobra. O co chodzi z tą sprawą z dzisiejszej nocy? – rzuciła Barbara, jak tylko zamknęła za sobą drzwi. – Czytałam raport gliniarzy z Long Beach, jest luźny jak kieszeń klauna, ale jest tam coś o wideorozmowie mordercy z przyjaciółką ofiary. Co to, do cholery, jest?

– Jakkolwiek niewiarygodnie to brzmi, pani kapitan – zaczął Garcia, wrzucając kostkę brązowego cukru do kubka świeżo nalanej kawy – to tak właśnie się stało. Dopiero co wróciliśmy z rozmowy z Tanyą Kaitlin. To właśnie ta przyjaciółka ofiary, do której sprawca zadzwonił.

Kobieta oparła się o drzwi.

– OK, w takim razie słucham. – Jej dociekliwe spojrzenie omiotło obu detektywów.

Mężczyźni streścili przełożonej wszystko, co wcześniej opowiedziała im Tanya.

– Chwileczkę – przerwała im Barbara, kiedy doszli do wyjaśniania *modus operandi* mordercy. – On zadzwonił do tej dziewczyny, żeby zagrać z nią w grę?

– Zgadza się – potwierdził Hunter. – Dwa pytania, odpowiesz dobrze, ty i przyjaciółka przeżyjecie. Odpowiesz źle i... – Kliknął myszką dwukrotnie ikonę folderu ze zdjęciami, które dostał od techników. – Niech pani sama zobaczy.

Kobieta stanęła za nim, a tymczasem detektyw zaczął otwierać poszczególne zdjęcia.

– Jezu! – krzyknęła, niezdolna ukryć szoku, jednocześnie porażona brutalnością obrazu. Ósme z kolei zdjęcie przedstawiało zbliżenie obrażeń, jakich doznało lewe oko Karen – obrażeń uznanych za przyczynę zgonu. Widać było długi kawałek lustra wystający z oczodołu ofiary. Tym razem kapitan Blake odwróciła się z obrzydzeniem. – W porządku, nie muszę więcej oglądać – oznajmiła, oddalając się od biurka. – Co, do cholery, jest nie tak z tym światem? – Pokręciła głową, próbując usunąć z niej okropne obrazy. – To już nie jest nawet sadysta. Już nawet nie psychopata.

Robert doskonale rozumiał jej frustrację. Wiedział, że wbrew powszechnej opinii zabijanie nie jest takie trudne. Każdy człowiek jest do tego zdolny.

Większość zabójstw w USA jest wynikiem błędów w ocenie. Wystarczył moment niepoczytalności. Sekunda, w czasie której ktoś traci panowanie nad sobą: szybkie naciśnięcie spustu, pchnięcie, bezpośredni cios w potylicę, zamach kijem w głowę, ostry przedmiot wbity w odpowiednią część ciała. Istniały setki różnych sposobów zakończenia czyjegoś życia w ciągu sekundy. Do jednej rzeczy potrzeba było specyficznego rodzaju człowieka – zimnego, wyrachowanego, sadystycznego, wypranego z emocji. Tą rzeczą było torturowanie ofiary przed śmiercią. Niewielu ludzi na świecie jest zdolnych do zadawania drugiej osobie ogromnego fizycznego bólu i odczuwania z tego przyjemności.

– Dalej robi się jeszcze gorzej – ostrzegł detektyw. – Kazał jej na to patrzeć.

– Tak, wiem. Przed chwilą mi opowiadaliście.

– Nie. Nie chodzi o Tanyę. Tylko o ofiarę – dołączył się Garcia.

Kapitan wyglądała na zdezorientowaną.

– Morderca zmuszał Karen Ward do oglądania swojego odbicia po każdym uderzeniu o potłuczone szkło. Widziała, jak zostaje okaleczana.

– Co?

– Podczas naszej pierwszej wizyty na miejscu zbrodni coś mi nie pasowało w salonie, ale nie potrafiłem stwierdzić co – wyjaśniał Hunter. – Powinienem się zorientować, gdy sprawdziliśmy sypialnię, ale wszystko tam było na tyle niezwyczajne, że po prostu to przeoczyłem.

– A co to takiego?

– Lustro.

– Jakie lustro?

Detektyw przysunął się bliżej biurka i kilkakrotnie kliknął myszką, zanim znalazł to, czego potrzebował.

– To są zdjęcia z miejsca zbrodni, widać na nich salon ofiary.

Barbara podeszła do niego.

– Widzi pani? – Wskazał palcem duże lustro, postawione pomiędzy stołem a kanapą. – Co takie lustro robi w salonie?

Kobieta wzruszyła ramionami.

– To wcale nie takie rzadkie. Może brakowało jej miejsca w sypialni. Poza tym wiele kobiet lubi rzucić ostatni raz okiem na swoje odbicie tuż przed wyjściem z domu.

Robert pokiwał głową, przyjmując taką argumentację.

– Problem w tym, że miejsca miała pod dostatkiem. – Kilka kolejnych kliknięć. – To jest fotografia sypialni. Widzi pani tę przestrzeń pomiędzy wieszakiem na ubrania a komodą? Sprawdziłem podłogę. Widziałem cztery małe ślady. Idealnie pasują do nóżek, na których stało lustro. Zostało przeniesione.

– Tanya Kaitlin mówiła również, że morderca ciągle kazał jej patrzeć. Nie rozumiała dlaczego, ponieważ cały czas to robiła, więc mu to powtarzała – wtrącił Garcia.

– On wcale nie mówił do niej. Tylko do Karen.

Kapitan Blake zacisnęła usta. To jeden z sygnałów świadczących o jej zaniepokojeniu.

– Chciał ją torturować w każdy możliwy sposób. Fizycznie i psychicznie – zawyrokował Robert.

Na pewien czas zapadła cisza.

– Co z tą maską, którą miał na sobie? – przerwała milczenie Barbara. – Świadek była w stanie dać jakiś opis?

– Tak. Dzisiaj po południu przyjedzie do niej portrecista. Jeśli morderca sam jej nie wykonał, to będziemy mieli cień szansy na dotarcie do dostawcy.

Przełożona pokiwała głową.

– A jak sprawca dostał się do budynku? Do mieszkania ofiary? Ktoś wie?

– Budynek ma podstawowe, łatwe do złamania zabezpieczenia. Tylko najzwyklejszy domofon, nic więcej – wyjaśnił Carlos. – Wystarczy przyłożyć magnes do słabego zamka i ciach, jesteś w środku.

– A mieszkanie?

Detektyw wziął łyk kawy.

– Nie ma śladów walki... ani śladów włamania, więc podejrzewamy, że ofiara wpuściła go, ponieważ go znała albo podał jej jakąś wiarygodną wymówkę, kiedy zadzwonił. Tak czy inaczej, prawdopodobnie sama otworzyła mu drzwi.

– Istnieje również możliwość, że czekał na nią w mieszkaniu – wtrącił Hunter.

Barbara zmarszczyła brwi.

– A jak by się tam dostał?

– Nie wiemy, ale na pewno zrobił to już w przeszłości.

Zaciekawienie pani kapitan zauważalnie wzrosło.

– Co? Był już wcześniej w jej mieszkaniu? Skąd to wiecie?

Detektyw odchylił się na krześle.

– Kiedy pierwszy raz przyjechaliśmy na miejsce zbrodni, zauważyliśmy kilka sygnałów świadczących o tym, że ofiara żyła w strachu. Nasze podejrzenia zostały potwierdzone dzisiaj rano przez jej przyjaciółkę. – Następnie powtórzył przełożonej wszystko, co Tanya Kaitlin opowiedziała im o wiadomościach od stalkera, które dostawała Karen Ward.

– Według jej relacji jeden z takich listów został podłożony ofierze do łóżka?

– Zgadza się – potwierdził Garcia, włączając się do rozmowy. – Ale to nie koniec. Po rozmowie ze świadkiem pojechaliśmy jeszcze raz obejrzeć miejsce zbrodni.

– I...?

– I podczas przeszukiwania sypialni przypadkiem wpadłem na stojak z butami. Połowa kolekcji spadła na mnie i coś pani powiem – było ich wystarczająco dużo, żeby otworzyć sklep.

– Nigdy nie ma wystarczająco dużo butów – odparowała kobieta. – Ale mów dalej.

– Kiedy deszcz obuwia już się skończył, znalazłem to. Wypadło z jednego z nich.

Detektyw wskazał palcem na przezroczystą torebkę na dowody rzeczowe leżącą na jego biurku. W środku znajdowała się biała kartka rozmiaru A5. Barbara nie zauważyła jej wcześniej. Podeszła bliżej, żeby się lepiej przyjrzeć, i momentalnie otworzyła szeroko oczy. Kartka stanowiła kolaż z liter i wyrazów powycinanych z gazet, żeby utworzyć list.

List od mordercy.

Dwadzieścia

Cassandra opuściła swój stojący w ślepej uliczce dom w Granada Hills, w San Fernando Valley jakąś godzinę później niż Pan J. Był czwartkowy poranek, a w każdy czwartek pracowała jako wolontariuszka w jednym ze sklepów charytatywnych dla WomenHeart – krajowego stowarzyszenia kobiet z chorobami serca. Jej matka, Janette, z którą była bardzo blisko, zmarła osiem lat wcześniej z powodu zakrzepu wywołanego przez skurcz lewej tętnicy wieńcowej. Ojca nie było wtedy w domu, a pracująca w ogródku Janette nie dała rady dotrzeć do telefonu na czas. Zmarła na własnym podwórku, otoczona różami i słonecznikami. Najbardziej szokowało to, że nikt się tego nie spodziewał. Nie zaobserwowano u niej nigdy żadnych objawów związanych z chorobą serca – żadnych bólów w klatce piersiowej, dyskomfortu w górnej części ciała, braku oddechu, zawrotów głowy, mdłości, problemów ze snem. Tak naprawdę miała całkiem niezłą formę jak na sześćdziesięciojednolatkę, ćwiczyła regularnie, miała bardzo dobrze zbilansowaną dietę.

Po śmierci matki zdecydowała, że zacznie poświęcać część swojego czasu na pomaganie osobom z chorobami serca. Na przestrzeni lat działała w kilku różnych organizacjach. WomenHeart była jej ulubioną.

Cassandra spojrzała na zegarek, zamknąwszy drzwi wejściowe swojego domu. Nie musiała się spieszyć, miała jeszcze dużo czasu do otwarcia sklepu o 11.00. Wsiadła do srebrnego cadillaca SRX, zaparkowanego na podjeździe zamiast na ulicy, i włączyła silnik. Wrzuciła wsteczny bieg i zerknęła w lusterko.

– Co? – mruknęła pod nosem. Zmrużyła oczy, patrząc w lusterko wsteczne, a następnie odwróciła się, żeby spojrzeć na tylną szybę. Coś znajdowało się pod wycieraczką. Wyglądało jak biała kartka. *Kolejna beznadziejna ulotka,* pomyślała.

Włączyła wycieraczkę, żeby się jej pozbyć, ale ta zamiast zrzucić kartkę, przeciągnęła ją kilka razy z jednej strony na drugą.

– O, na litość boską!

Odpięła pasy i otworzyła drzwi. Kiedy dotarła do końca samochodu, zauważyła, że to jednak nie zwykła kartka, tylko biała koperta. Wzięła ją do ręki. Nie znalazła ani znaczka, ani adresu nadawcy lub odbiorcy. Zauważyła jedynie napis „Cassandra" ciągnący się po przekątnej. Nie został jednak napisany ręcznie ani wydrukowany. Ktoś powycinał każdą literę z gazety i poprzyklejał je tak, aby utworzyły jej imię.

– Chyba sobie, kurwa, jaja robisz – powiedziała. Z jej głosu momentalnie wyparował spokój, zastąpiony przez gniew. Szybko się odwróciła i rozejrzała po ulicy. Nikogo nie zauważyła, a wszystkie samochody w zasięgu wzroku należały do sąsiadów.

Przyglądała się jeszcze przez chwilę okolicy, po czym ponownie przeniosła wzrok na trzymaną w dłoniach kopertę. Wiedziała, że w środku znajdzie kolejny list.

To był już trzeci. Dwa poprzednie zostawiono na ladzie sklepu, w którym pracowała charytatywnie w ciągu ostatnich siedmiu tygodni. Po prostu zwyczajne białe koperty z powycinanymi z gazet literami tworzącymi jej imię.

– Chyba masz tajemniczego wielbiciela, Cass – powiedziała Debora, starsza wolontariuszka, kiedy wręczała jej pierwszy list prawie dwa miesiące wcześniej.

Jednak wiadomość w środku nie miała okazać jej uwielbienia. Jej zadaniem było przestraszenie jej. Ale wywołała jedynie śmiech.

Zapytała wtedy starszą kobietę, kto ją dostarczył, ale niestety Debora nie miała pojęcia. Koperta leżała przy kasie, a ona zauważyła ją dopiero, jak nabijała produkt.

Drugi list przyszedł miesiąc później, był praktycznie identyczny jak poprzedni i również został położony przy kasie. Tym razem Cassandra już się nie śmiała, zamiast tego poczuła gniew. Uważała, że wiadomości są własnoręcznym dziełem jakiegoś debila, który próbuje być zabawny, a także chce ją nastraszyć, jednak szło mu to beznadziejnie. Tylko kto nim był?

Niestety w sklepie nie zamontowano monitoringu, w przeciwnym wypadku przejrzałaby dokładnie wszystkie nagrania i wypatrzyła winowajcę, a gdyby w końcu pojawił się w sklepie, wówczas porządnie by mu wygarnęła.

Mimo wszystko Cassandra nie przywiązywała do tych listów wagi i tak naprawdę zdążyła już o nich zapomnieć. Nie powiedziała o nich nawet mężowi ani nikomu innemu.

Dobra, to już zaszło za daleko, pomyślała, spoglądając na kopertę.

Kimkolwiek była ta osoba, musiała przyjść pod jej dom, żeby położyć wiadomość za wycieraczką, a tego nie zamierzała puścić płazem.

Rozważała podarcie papieru na strzępy i wyrzucenie do kosza, ale w przypływie gniewu rozerwała kopertę i wyciągnęła ze środka kartkę. Wyglądała zupełnie jak poprzednie – biała kartka A5, do której ktoś poprzyklejał litery i wyrazy powycinane z gazet, żeby utworzyły wiadomość.

Przejrzała tekst i zamarła. Tym razem list jej nie rozbawił. Nawet jej nie rozzłościł. W końcu ją przestraszył.

Dwadzieścia jeden

Wycinanka z liter i wyrazów tworzących list znaleziony przez Garcię w mieszkaniu Karen Ward pochodziła z tytułów artykułów i reklam. Poszczególne fragmenty różniły się od siebie kolorami, rozmiarami i kształtami.

Kapitan Blake stanęła koło detektywa i po cichu dwukrotnie przeczytała tekst.

Przyjaciel powiedział mi kiedyś, że żeby naprawdę kogoś poznać, żeby wiedzieć, jak to jest tym kimś być, trzeba wejść w jego buty. Może trochę w nich pochodzić. Cóż, Karen, ja przed chwilą byłem w twoich.

Spojrzenie Barbary przeskakiwało od Carlosa do Huntera i z powrotem.

– To wypadło z jej butów?

Detektyw pokiwał głową i sięgnął po drugą torebkę na dowody, która leżała na podłodze przy jego biurku.

– Z tych – powiedział, odkładając trzymany przedmiot na biurko, tuż obok listu. Były to lśniące czarno-czerwone buty z ponaddwunastocentymetrowym obcasem. – Właśnie miałem je oddać technikom do zbadania.

Kapitan przechyliła głowę na prawą stronę, przyglądając się parze szpilek.

– Dobra. Co to, do cholery, znaczy? – zapytała, wskazując na przedmioty na biurku. – Morderca przymierzał jej buty?

– W tej chwili nie odrzucamy żadnej możliwości. Poprosimy techników o zbadanie wkładek i wnętrza butów, może znajdą ślady DNA albo cokolwiek innego. To jednak świadczyłoby o tym, że przestępca jest kobietą udającą mężczyznę albo ma bardzo, bardzo maleńkie stopy. Szpilki mają rozmiar trzydzieści pięć.

– To oznacza, pani kapitan – wtrącił Hunter – że uzyskaliśmy potwierdzenie słów Tanyi Kaitlin. Ktokolwiek tworzy te listy, ktokolwiek prześladował Karen Ward, po raz kolejny dostał się do jej mieszkania, bez jej wiedzy.

– Znaleźliście jeszcze jakieś wiadomości?

– Nie, a sprawdzaliśmy wszędzie. W każdym bucie, każdej kieszeni, szufladzie, szafce, pod meblami – cokolwiek pani przyjdzie do głowy, zostało już przeszukane.

– Jej przyjaciółka mówiła, że ofiara dostała więcej niż jeden list, tak?

Obaj detektywi pokiwali głowami.

– Więc gdzie one są?

Garcia wzruszył ramionami.

– Nie wiemy. Możliwe, że je wyrzuciła.

Zapadła chwila wyrażającej zaskoczenie ciszy.

– Dlaczego miałaby to zrobić?

– Ponieważ się ich bała – odpowiedział Robert. – Po co miałaby trzymać w domu coś, co napawa ją strachem? Większość ludzi by się tego pozbyła.

– Przecież one stanowią namacalny dowód, mogłyby zostać wykorzystane w sądzie. Nie zabrała ich na policję? Nie zgłosiła skargi? Nie założyła sprawy?

– Ja bym tak zrobił, ale zdaniem Kaitlin jej przyjaciółka zupełnie inaczej do tego podchodziła – wyjaśnił detektyw. – Uważała, że skoro wiadomości są całkowicie anonimowe, to wymiar sprawiedliwości niewiele pomoże. Obawiała się, że mundurowi zadadzą tylko kilka rutynowych pytań, a potem sprawa trafi na dno szuflady. Bała się. Nie mogła spać i pragnęła jedynie, żeby prześladowca dał jej spokój. Pomyślała, że przeprowadzka rozwiąże problem.

Kapitan przetrawiała przez chwilę to wytłumaczenie.

– OK, to dlaczego w takim razie zostawiła sobie ten konkretny list? – Wskazała kartkę na biurku Carlosa.

– Tu właśnie jest problem. Naszym zdaniem nie zostawiła.

Barbara potrzebowała zaledwie sekundy, żeby zrozumieć, co zasugerował Robert.

– Nigdy go nie znalazła.

– Tak właśnie myślimy – przyznał Garcia. – Szczerze mówiąc, nie byłoby to wcale zaskakujące.

Przełożona posłała mu zaciekawione spojrzenie.

– Mówię poważnie, na tym stojaku znajdowało się ponad sześćdziesiąt par butów. Jeśli chociaż trochę przypominała moją żonę, to nieważne ile miała butów, i tak nosiła trzy, może cztery pary. Te najwygodniejsze. Pozostałe to wynik jakiejś wrodzonej kobiecej obsesji na punkcie obuwia. To nic, że włożą je zaledwie raz, jeśli w ogóle. Po prostu muszą je mieć.

Kapitan Blake nie mogła się z tym nie zgodzić. Sama posiadała oszałamiającą kolekcję butów, jednak nosiła zaledwie kilka ulubionych. Resztę wkładała sporadycznie, raz lub dwa razy w roku, zależnie od okazji. Odeszła o krok od biurka, rozważając kilka spraw.

– Waszym zdaniem to oznacza, że sprawca wcale nie znał ofiary tak dobrze?

– Bo włożył list do szpilki, którą wkładała niezbyt często? To możliwe. – Hunter przytaknął, jednak po chwili przechylił głowę. – Ale wcale nie takie pewne.

– Co masz na myśli, Robercie? Stalker zauważyłby jej buty. Zauważyłby jej kolczyki, torebkę, szminkę... wszystko w niej. Czy stalking to nie jest wynik niechcianej i obsesyjnej uwagi, jaką jedna osoba okazuje drugiej?

Detektyw pokiwał głową.

– Zatem gdyby miał na jej punkcie obsesję, to wiedziałby, które buty nosi częściej, a które rzadziej.

Hunter ponownie przytaknął, po czym zaczął wyjaśniać:

– Problem polega na tym, że ludzie cierpiący na niemożliwe do kontrolowania obsesje często padają ofiarami urojeń, w szczególności dotyczy to prześladowców. Desperacko pragną zostać częścią świata swojej „ofiary". – Przy ostatnim słowie narysował w powietrzu cudzysłowy palcami, ponieważ większość stalkerów nie uważa obiektów swoich fascynacji za ofiary. – Żeby to osiągnąć, często włamują się do domów podczas ich nieobecności. Śpią w ich łóżkach, jedzą ich jedzenie, oglądają u nich telewizję, przymierzają ubrania, buty, cokolwiek, co pozwoli im poczuć przynależność. Jakby coś ich połączyło. Niektórzy, tak jak to wygląda w przypadku stalkera Karen Ward, lubią przekraczać nieco te granice i zostawiać jakieś wskazówki swoim ofiarom, aby te wiedziały, że włamali się do ich domów. Czasem takie wskazówki przybierają formę listów. – Detektyw ponownie wskazał na biurko partnera. – Z tym że może to też być coś bardziej subtelnego, co wywoła u ofiary wątpliwości. Jakiś przedmiot nie na swoim miejscu, otwarte drzwi albo zapalone światło.

Kapitan Blake rozważyła ten scenariusz. Nic nie wystraszyłoby mieszkającej samotnie kobiety bardziej niż świadomość, iż ktoś był w jej domu. Jeśli dostał się tam, kiedy wyszła, to równie dobrze może to powtórzyć, kiedy ona będzie w środku. Albo jeszcze gorzej – on nadal może tam być.

– Czyli zostawianie takich wskazówek ma na celu sianie paniki – po prostu chcą, żeby ofiara się bała.

– Niektórzy tak – potwierdził Robert. – Ale nie wszyscy, tutaj właśnie objawiają się urojenia. To się nazywa erotomania, dość częste zjawisko u stalkerów. Polega na tym, że prześladowca wierzy, że obiekt jego zainteresowań, przeważnie ktoś całkiem obcy albo jakiś celebryta, jest w nim zakochany.

– Cóż, to idealne miasto dla takich ludzi, prawda? – skomentowała Barbara.

– Zatem włamanie do domu ofiary, spanie w jej łóżku, korzystanie z jej szczoteczki do zębów czy robienie czegokolwiek innego, gdy już tam są, wywołuje u nich wiarę, że naprawdę stali się częścią jej świata. Czują przynależność. W ich wyobraźni zostawianie liścików jest niczym innym jak grą, w którą grają dwie zakochane osoby. – Hunter przerwał, żeby przełożona mogła przemyśleć jego słowa.

– Skoro wierzy, że ofiara go kocha, to wierzy również, że granie w jego grę sprawia jej tyle samo radości co jemu – doszła do wniosku pani kapitan.

– Otóż to.

– Czyli twoim zdaniem mógł celowo umieścić wiadomość w bucie, który rzadko nosiła, żeby szukanie stało się ciekawsze?

– To możliwe.

Kapitan Blake postąpiła kilka kroków. Po drodze zauważyła minę Roberta. Zatroskany wyraz twarzy, który widziała już wielokrotnie.

– Dobra, Hunter, o co chodzi?

Mężczyzna spojrzał na nią i uniósł wysoko brwi.

– Nie patrz tak na mnie, jakbyś nie wiedział, o co pytam. Przecież widzę wyraźnie, że coś cię dręczy. Co to jest?

– Cała ta sprawa mnie dręczy, pani kapitan.

– Mnie również, ale znam cię na tyle dobrze, żeby wiedzieć, kiedy coś naprawdę nie daje ci spokoju. Więc co to jest?

Detektyw podszedł do ekspresu i nalał sobie duży kubek.

– Kawy? – zaproponował.

Szefowa odmówiła machnięciem ręki.

– Ta cała sprawa ze stalkingiem – powiedział w końcu. – Z tego, co widzę, to raz wszystko się układa, a raz zupełnie nic.

– Jak to?

Robert wrócił do swojego biurka, ale nie usiadł na krześle, tylko oparł się o blat.

– Działanie mordercy. Bardzo mało wiemy, ale niektóre jego czyny pasują dokładnie do typowego stalkera, a inne są zupełnie sprzeczne.

– Mógłbyś to wyjaśnić? – poprosiła Barbara.

Zanim odpowiedział, upił łyk gorącego napoju.

– Tak jak przed chwilą rozmawialiśmy: włamanie do domu ofiary w czasie jej nieobecności, zostawianie listów czy wskazówek, a nawet w ostateczności morderstwo można z łatwością powiązać ze stalkingiem. Fakt, że cały swój gniew skierował wyłącznie na twarz Karen – obrażenia, brutalne okaleczenia – wskazuje na fiksację na punkcie jej wyglądu. To ponownie łączy się z zachowaniem osoby, która ma obsesję na punkcie jej urody. Osoby, która z łatwością może cierpieć na urojenia. Jednak telefon do Tanyi Kaitlin, gra, w której kazał jej uczestniczyć, sposób, w jaki zmusił ją do oglądania, jak jej przyjaciółka jest mordowana, a także brutalność i zuchwałość całego czynu – wszystko to wykracza daleko poza schemat.

Oczy kapitan Blake zwęziły się, kiedy zaczęła się nad czymś zastanawiać.

– Pozwólcie, że o coś spytam. – Jej spojrzenie powoli przesuwało się od Huntera do Garcii. – Myślicie, że on blefował? Czy gdyby Tanya odpowiedziała poprawnie na oba pytania, morderca pozwoliłby jej przyjaciółce żyć?

W pokoju zapadła cisza. Kiedy Robert rozważał pytanie przełożonej, coś nowego wpadło mu do głowy i zamarł. Spojrzał pod nogi, próbując zebrać myśli.

– Sprytny sukinsyn – wyszeptał do siebie, jednak nie dość cicho, żeby to uszło uwagi pozostałych osób w pokoju. – Był pewien, że ona nie będzie wiedzieć.

– Był pewien, że ona nie będzie wiedzieć czego? – spytała Barbara.

– Był pewien, że ona nie będzie wiedzieć, jaka jest odpowiedź na jego pytanie. Tylko dlatego zmusił dziewczynę do wzięcia udziału w grze.

Zarówno przełożona, jak i partner posłali mu pełne ciekawości spojrzenia.

– Niech się pani nad tym zastanowi. Kto zadałby sobie tyle trudu, wszystko dokładnie przygotował i podjął tak duże ryzyko, żeby zagrać w prostą grę, w której mógł łatwo przegrać?

Nie padła żadna odpowiedź, ale zaciekawienie w ich oczach przerodziło się w zamyślenie.

– Co by zrobił, gdyby Tanya podała drugą poprawną odpowiedź? – kontynuował detektyw. – Powiedziałby: „OK, wygrałaś. Dobrze ci poszło. Daj mi minutkę, to rozwiążę twoją koleżankę i już mnie tu nie ma. A tak w ogóle, to przepraszam za lustro w łazience, wyślę później czek"?

Dał słuchaczom chwilę na przetrawienie tych słów.

– Ale powiedziałeś, że oba zadane pytania bezpośrednio jej dotyczyły – wtrąciła Barbara.

– Zgadza się. Najpierw zapytał o liczbę przyjaciół, których miała na Facebooku, potem o numer telefonu Karen. Bardzo proste pytania, tak skonstruowane, żeby gra wydawała się uczciwa. – Hunter zrobił pauzę i uniósł palec. – W zasadzie nawet więcej niż uczciwa. Miała wydawać się łatwa, możliwa do wygrania, ale przede wszystkim miała wywołać ogromne poczucie winy. – Spojrzał na swojego partnera. – Carlos, ile razy podczas dzisiejszej rozmowy Tanya chowała twarz w dłoniach i powtarzała z płaczem, że to wszystko jej wina, że powinna znać numer Karen na pamięć?

Detektyw się skrzywił.

– Pff, mnóstwo.

– Otóż to. I na tym polega cały fortel. Iluzja. Proste pytanie, ale wiedział, że ona nie da rady na nie poprawnie odpowiedzieć.

– Jakim cudem morderca mógł to wiedzieć? – zapytała pani kapitan.

Hunter sięgnął po telefon komórkowy.

– Ponieważ już wcześniej je zadał.

Dwadzieścia dwa

Kiedy Hunter i Garcia opuścili jej mieszkanie, Tanya wróciła na kanapę w salonie. Usiadła na niej i ponownie szczelnie owinęła się szlafrokiem, a następnie skrzyżowała ręce nad brzuchem. Rozglądała się bez celu po pokoju, w końcu popatrzyła na czubki swoich palców u stóp. Obecnie nic dla niej nie miało sensu, a jakiś głos w głowie podpowiadał jej, że już tak będzie zawsze.

– Dlaczego nie potrafiłam podać jej numeru? – wyszeptała do siebie. Jej ciało zaczęło się kołysać delikatnie w przód i w tył, ale nie spuszczała wzroku ze swoich stóp. – Powinnam znać jej numer.

Nastąpiła długa przerwa, po czym z jej ust wydobył się ledwie słyszalny szept.

– Trzy, dwa, trzy, dziewięć, pięć... nie. To nie tak.

Kołysanie nieco się nasiliło.

– Trzy, dwa, trzy, pięć, pięć... nie. To też nie tak.

Dziewczyna myślała, że wylała już wszystkie łzy, jakie tylko mogło pomieścić jej ciało, ale była w błędzie. Nawet nie zwróciła uwagi, że kolejne pojawiły się w jej oczach, a następnie zaczęły spływać po policzkach.

– Trzy, dwa, trzy, pięć, dziewięć, cztery... nie. Ten również jest zły. – Kołysanie, dreszcze, oddech – wszystko to stało się znacznie gwałtowniejsze.

– Ja... – Głos uwiązł jej w gardle. – Ja nie wiem. Nie pamiętam. Powinnam pamiętać, ale nie mogę sobie przypomnieć. – Drżące dłonie przyłożyła do twarzy i ponownie zaczęła szlochać. – Karen... To moja wina. Tak mi przykro.

Nie miała pojęcia, ile to trwało, ale kiedy znowu podniosła głowę, palce zaczęły jej się już marszczyć od wilgoci. Spojrzała na pustą paczkę po papierosach i odruchowo po nią sięgnęła.

– Kurwa – powiedziała zawiedziona. Zapomniała – co było całkowicie zrozumiałe – że wypaliła już wszystkie. – Muszę zajarać. Potrzebuję papierosa. – Fakt, że rzuciła ten nałóg kilka lat wcześniej, zdawał się jej w ogóle nie przeszkadzać. Upuściła pustą paczkę na stolik i wstała. – Naprawdę muszę zapalić.

Tanya zaczęła przeszukiwać pokój. Słowa „potrzebuję papierosa" wydobywały się z jej ust za każdym razem, kiedy otwierała kolejną szufladę. Kolejną szafkę. Kolejne pudełko.

Nic.

– Niech to szlag. – Zatrzasnęła którąś z kolei szufladę. – Muszę pójść kupić fajki. – Zaczęła rozglądać się za torebką. Znalazła ją na stole.

W normalnych warunkach nigdy nie wyszłaby z domu bez choćby małej ilości podkładu, kredki do powiek czy szminki na ustach; w końcu makijażem zarabiała na życie. Nie wyobrażała sobie również wyjścia w szlafroku albo z włosami w takim nieładzie jak w tej chwili. Jednak to nie były normalne warunki – bardzo było do takich daleko.

Skoro ludzie są w stanie chodzić do Walmartu w bikini i bieliźnie, ja mogę pobiec do najbliższego sklepu w szlafroku, pomyślała.

Być może ludzie w jej okolicy byli bardziej przyzwyczajeni do dziwactw z Walmartu, niż sądziła, ponieważ nikt, nawet kasjer, nie spojrzał na nią wymownie.

Zanim dotarła z powrotem do mieszkania, zapalała już drugiego papierosa. Przestała płakać, a dreszcze wyraźnie się zmniejszyły. Wróciła na kanapę i tym razem dała radę się położyć. Nie miało znaczenia, jak bardzo czuła się wyczerpana, oraz że poprzedniej nocy nie zmrużyła oka, była całkowicie pewna, że i tak nie potrafiłaby zasnąć, nie bez pomocy środków nasennych.

Rozważyła tę myśl.

Wiedziała, że ma jeszcze opakowanie aventylu na dnie szuflady z lekami, ale w ostatnich godzinach wróciła już do jednego złego nawyku, nie chciała wracać do kolejnego.

Tanya odrzuciła ten pomysł i oparła głowę o stertę poduszek. Kilka sekund później powieki jej zatrzepotały i odkryła, iż nie jest w stanie utrzymać ich otwartych.

Jej mentolowe papierosy miały o wiele silniejsze właściwości uspokajające, niż podejrzewała, ponieważ już po chwili od zamknięcia oczu przeniosła się do świata snów na jawie. Fantazje i rzeczywistość przeplatały się w tańcu przed jej oczami w karnawale obrazów, które na przemian pieściły jej twarz albo ją policzkowały, jednak naprawdę dokuczliwy okazał się dźwięk. Przeszywający. Niepokojący. Irytujący. I stawał się coraz głośniejszy.

Co to, do cholery, jest?

Brzmi jak nóż elektryczny.

Tylko głośniej.

Nie. Piła łańcuchowa.

Skąd to dochodzi?

Zbyt głośne.

W końcu Tanya otworzyła oczy.

W pokoju panowała cisza.

– Co za popieprzony sen – powiedziała częściowo rozbawiona, przecierając oczy dłońmi.

Wtedy znowu to usłyszała. A przynajmniej tak jej się wydawało.

– Co? – Poderwała się do pozycji siedzącej wystarczająco szybko, żeby krew uderzyła jej do głowy. Wysiłek spowodował, że pokój zaczął wirować jej przed oczami.

Wzięła głęboki wdech i złapała się mocno kanapy, żeby odzyskać równowagę. Nadal nie miała pewności, czy rozum płata jej figle, czy nie.

Obraz powoli się ustabilizował, ale dźwięk nie zniknął.

Rozejrzała się na boki, ale przez zaciągnięte zasłony wpadało mało światła, dodatkowo nadal była zamroczona po śnie, niewiele więc rozumiała z otaczającej ją rzeczywistości.

Ponownie usłyszała ten dźwięk, jednak nie tak głośny jak jeszcze przed chwilą. W jakiś sposób stracił sporo na sile, kiedy przeniósł się ze snu do rzeczywistości.

Wówczas powróciły wspomnienia i strach ją sparaliżował.

– O mój Boże. – Dziewczyna przyłożyła dłonie do ust, a następnie obejrzała się za siebie. Zamek drzwi wejściowych był otwarty. Łańcuch zabezpieczający wisiał luźno. Zapomniała za sobą zamknąć po powrocie ze sklepu.

Przerażenie usztywniło wszystkie jej mięśnie.

– Ktoś tu jest. Ktoś jest w moim mieszkaniu.

Jej oddech zmienił się ze spokojnego na taki, jaki może mieć maratończyk tuż przed linią mety, wszystko to w ułamku sekundy. Zniknął senny letarg, ale to samo stało się z dźwiękiem.

– Co, do cholery? Odbija mi?

Skupiła się na nasłuchiwaniu.

. Nic.

Czekała dalej, koncentrując się jeszcze mocniej.   .

Nadal nic.

– Kurde! Chyba naprawdę mi odbija – wyszeptała, śmiejąc się z siebie. Następnie wstała i podeszła zamknąć drzwi wejściowe. Aby uzyskać pewność, tkwiła tam przez chwilę i nadstawiała uszu, zupełnie jak zwierzę.

Cisza.

Odchrząknęła, żeby oczyścić gardło. Wówczas zdała sobie sprawę, jak bardzo jest spragniona. Podeszła do lodówki i nalała sobie dużą szklankę zimnej wody. Kiedy przytknęła ją do ust, w salonie ponownie odbił się echem ten dźwięk, wywołując kaskady lęku płynące wzdłuż kręgosłupa. Nie utrzymała szklanki w dłoni. Kiedy rozbiła się o kuchenną podłogę, Tanya ponownie go usłyszała – przytłumiony, ale całkowicie rzeczywisty. Dobiegał gdzieś z prawej strony. Jej ciało natychmiast obróciło się w tamtym kierunku. Oczy potrzebowały niecałych dwóch sekund, żeby skupić się na źródle hałasu.

Jej komórce.

Wibrowała na książce leżącej na stole.

Dziewczyna zaśmiała się niemal histerycznie.

– Ty głupia pindo – powiedziała do siebie, przechodząc ponad rozbitym szkłem, a następnie sięgnęła po telefon. Już miała odebrać, kiedy do niej dotarło.

Telefon.

Gardło jej się ścisnęło, zupełnie jakby czyjeś silne palce zaczęły ją dusić.

Komórka wibrowała jej w dłoni.

Sprawdziła wyświetlacz – nieznany numer.

– O mój Boże! To znowu on. To ten pieprzony psychol. – Ponownie jej oczy wypełniły się łzami zrodzonymi z desperacji. – Nie. Nie odbiorę tego. Nie odbiorę.

Aparat w końcu przestał dzwonić.

Dziewczyna ponownie spojrzała na ekran pełna przerażenia – cztery nieodebrane połączenia.

– Dlaczego? Dlaczego to się znowu dzieje?

Wrrr. Wrrr.

Komórka zawibrowała w dwóch szybkich sygnałach. SMS, a nie połączenie. Na wyświetlaczu pojawiła się część wiadomości.

Tanya, tu detektyw Robert Hunter z policji Los Angeles. Jeśli sprawdzasz swoje połączenia, to odbierz, proszę. Jeśli nie...

Otumaniająca mgła w jej głowie jeszcze bardziej zgęstniała.

Już miała odblokować telefon i przeczytać resztę SMS-a, kiedy ten znów zaczął wibrować – połączenie przychodzące. Wahała się przez moment, podczas którego trybiki w jej mózgu zaczęły stopniowo obracać się coraz szybciej, kiedy w końcu osiągnęły normalną prędkość, przystawiła komórkę do ucha.

– Halo? – Jej głos drżał.

– Tanya, tu detektyw Robert Hunter, rozmawialiśmy dzisiaj rano.

Dziewczyna natychmiast rozpoznała jego głos. W sposobie, w jaki mówił, coś było, pewność siebie, która ją uspokoiła.

– O! Witam, detektywie. – Czuła, że łomoczące serce zaczyna zwalniać.

– Bardzo mi przykro, jeśli cię obudziłem. – W jego słowach brzmiała szczerość.

– Nie, wcale nie. Nadal nie mogę spać, mimo że próbowałam. – Odwróciła się, żeby spojrzeć na zegar na ścianie, wówczas otworzyła szeroko oczy w wyrazie całkowitego zdumienia. Naprawdę uważała, że leżała najwyżej piętnaście albo dwadzieścia minut, podczas gdy w rzeczywistości minęły prawie trzy godziny, od kiedy jej głowa dotknęła poduszki. – O Boże! – wykrzyknęła.

– Coś się stało?

– Nie, nie. Ja po prostu... straciłam poczucie czasu. Nie wiedziałam, że już tyle go upłynęło.

– Biorąc pod uwagę okoliczności, to nie jest wcale zła rzecz.

– Nie. Chyba nie – zaśmiała się, co prawda już nie histerycznie, ale Hunter i tak coś wyczuł.

– Na pewno wszystko w porządku?

– Tak, na pewno. – Spojrzała na rozbitą szklankę i rozlaną wodę na podłodze.

Detektyw odczekał kilka sekund, zanim ponownie się odezwał.

– Jest mi bardzo przykro, że znowu cię niepokoję, ale rozmyślałem nad czymś, o co muszę zapytać.

Tanya wzięła głęboki wdech. Nie chciała już więcej myśleć o tym, co się wydarzyło, ale nie miała wyjścia.

– Dobrze, w porządku. – Jej głos ponownie stał się lękliwy.

– Chciałbym poprosić, żebyś cofnęła się pamięcią, ale niestety nie potrafię powiedzieć jak daleko. Może kilka dni, tygodni, miesięcy, a nawet dłużej.

– OK – odparła bez przekonania.

– Chciałbym, żebyś spróbowała sobie przypomnieć, czy ktokolwiek zadał ci już wcześniej takie same pytania jak wczoraj albo podobne. Naprawdę mam na myśli kogokolwiek – przyjaciół, znajomych, obce osoby, klientów i tak dalej.

Dziewczyna usiadła na kanapie.

– Nie jestem pewna, czy rozumiem.

Robert miał przeczucie, że przekombinował.

– Dobrze. – Tym razem spróbował zacząć prościej. – Podejrzewam, że od wynalezienia smartfonów wszyscy zrobiliśmy się nieco... leniwi, jeśli chodzi o zapamiętywanie numerów telefonów. Dziesięć, piętnaście lat temu większość z nas pamiętała numery przynajmniej pięciu osób.

Choć Tanya była młoda, wiedziała, że jej rozmówca ma rację. W wieku dziesięciu lat znała na pamięć kilka numerów – domowy, dwóch czy trzech koleżanek, telefon do pracy jej taty i tak dalej.

– Tak, to prawda.

– Dobrze. Zatem moje pytanie jest takie: czy kiedykolwiek przeprowadziłaś z kimś podobną rozmowę o tym, jak to kiedyś pamiętaliśmy po kilka numerów telefonów, a teraz już nie?

Kobieta patrzyła w przestrzeń nieobecnym wzrokiem, zastanawiając się nad tą kwestią.

– Tak – odparła w końcu. – W zeszłym tygodniu gadałam z Cynthią dokładnie na ten sam temat.

– W porządku, a kim jest Cynthia?

– To kosmetolożka w DuBunne, spa, w którym pracuję.

Detektyw zapisał sobie to imię na kartce.

– Czy ktoś jeszcze brał udział w tej konwersacji?

Upłynęło kilka pełnych zastanowienia sekund.

– Nie. Raczej nie. Tylko ja i Cynthia.

– A czy ktoś stał obok, wystarczająco blisko, żeby podsłuchać? Pamiętasz może?

Tanya przygryzła dolną wargę.

– Nie. Pamiętam to dobrze, byłyśmy razem na zapleczu, sortowałyśmy zapasy.

– OK. A czy przypominasz sobie taką rozmowę z kimś innym? Klientem spa, kimś, z kim byłaś na randce... kimkolwiek? Albo konwersację, podczas której ktoś zadał bardziej szczegółowe pytanie?

– Jak na przykład, czy znam numer do mojej najlepszej przyjaciółki? – zapytała niższym głosem, smutek rozbrzmiewał w każdym słowie.

– Tak, chociaż nie musiało być aż tak dokładne.

Kaitlin zastanawiała się przez jakiś czas. Przysunęła lewą dłoń do ust i zaczęła skubać wargi kciukiem i palcem wskazującym.

Robert czekał cierpliwie.

– Ja... nie jestem pewna. Mój mózg jest dalej w rozsypce.

– Nic się nie stało. Dziękuję, że próbowałaś. Jeśli możesz, postaraj się o tym pomyśleć jakiś czas. Może nagle coś ci się przypomni.

– Dobrze, oczywiście, że mogę.

– Jeśli coś sobie przypomnisz, cokolwiek, choćby wydawało się bez znaczenia, zadzwoń, proszę. Nieważne o której godzinie, OK?

– Tak, oczywiście. Jeśli coś sobie przypomnę, zadzwonię.

Dziewczyna się rozłączyła i wzięła do ręki wizytówkę, którą detektyw zostawił przy popielniczce na jej stoliku. Przyglądała się jej przez chwilę, aż nawiedziły ją paranoiczne myśli. Postanowiła, że nie odłoży jej, dopóki nie nauczy się na pamięć obu wydrukowanych numerów.

Dwadzieścia trzy

Musiał minąć jeszcze cały kolejny dzień, zanim w niedzielę rano przyszły wyniki sekcji zwłok Karen Ward. Szczegóły brutalności, z jaką została zamordowana, były równie szokujące na papierze jak w rzeczywistości.

Łącznie zliczono dwadzieścia dziewięć poważnych ran twarzy. Trzy z nich sięgały na wylot do wnętrza ust. Spowodowały niemal całkowite odcięcie języka. Morderca używał tyle siły, uderzając głową ofiary o szkło, że odpryski zespoliły się z sześcioma spośród czternastu kości twarzy. Włączając w to nos, policzki, czoło i brodę. Nos, szczęka i kości policzkowe zostały połamane. Śmierć rzeczywiście nastąpiła na skutek rozległego urazu mózgu, podwzgórze i droga wzrokowa zostały przebite przez kawał szkła, długi na ponad dwanaście centymetrów, który został wepchnięty w lewy oczodół.

Wyniki wszelkich badań toksykologicznych okazały się negatywne. Przestępca nie uśpił Karen, nawet w celu obezwładnienia jej przed dokonaniem morderstwa, a to oznaczało, że kobieta była przez cały czas w stu procentach świadoma.

CSI również dostarczyło wyniki kilku testów. W mieszkaniu ofiary znaleziono tylko jeden, należący do niej samej zestaw odcisków palców. Odciski zebrane z zewnętrznej strony drzwi mieszkaniowych też niewiele dały. Jedne należały do Karen, a dwa pozostałe nie zostały odnalezione w bazie danych – a to oznaczało, że ich właściciele nie byli wcześniej notowani. Całkowitym zaskoczeniem okazało się sprawdzenie drzwi od wyjścia ewakuacyjnego: nie było na nich ani jednego odcisku palca. Zupełnie jakby ktoś wyczyścił je dokładnie tej samej nocy.

Technicy nadal analizowali włókna, włosy i drobinki pyłu

pobrane na miejscu zbrodni. Jak dotąd nic nie zostało zaklasyfikowane jako nietypowe. Pojemnika, do którego morderca wrzucił kawałki rozbitego lustra łazienkowego, nie odnaleziono, podobnie zresztą jak pozostałego szkła. Podejrzewano, że przestępca zachował je w charakterze trofeum.

Informatykom z kolei udało się złamać hasło dostępu do laptopa znalezionego w salonie Karen. Zespół wyznaczony przez detektywów prowadzących śledztwo przeszukiwał już pliki tekstowe, obrazy, e-maile i wszystko, co tylko mogli znaleźć, jednak zgodnie z przypuszczeniami Huntera nie udało im się wpaść na żaden ślad czegokolwiek, co miałoby pomóc w dochodzeniu.

– Jakieś sukcesy? – spytał Garcia, gdy tylko partner wszedł do ich biura.

Robert spędził cały poranek w Santa Monica, pojechał do Burke Williams, spa, w którym pracowała Karen Ward, gdy zaczęła otrzymywać listy.

– Jeszcze nie wiem – odparł detektyw, zdejmując marynarkę. Następnie powiesił ją na oparciu krzesła.

Carlos się skrzywił, ale czekał, aż przyjaciel wyjaśni.

– Udało mi się zdobyć listę wszystkich klientów przychodzących do Karen podczas jej krótkiego pobytu w tym salonie.

– No i super, ile nazwisk?

– Sześćdziesiąt dwa.

– Wow.

– Nie jest tak strasznie, jak się wydaje. Biorąc pod uwagę budowę mordercy, Tanya jest pewna, że to mężczyzna, pamiętasz?

– OK – zgodził się Garcia. – A wśród tych sześćdziesięciu dwóch osób ilu jest mężczyzn?

– Pięciu.

– To całkiem niezły spadek.

– Dział operacyjny już przygotowuje ich profile. Poczekamy i zobaczymy, co uda im się zrobić, to będzie dla nas punkt wyjścia.

– A co z tymi listami od stalkera, które otrzymywała? Pytałeś o nie ludzi w spa?

– Tak, nikt nie miał pojęcia, o czym mówię.

– Co? – Carlos uznał to za nieco dziwne.

– Wychodzi na to, że nie powiedziała nikomu w Burke Williams o tych listach ani o tym, że ktoś ją prześladuje – wyjaśnił Hunter. – Rozmawiałem nie tylko z menedżerem, ale również ze wszystkimi pracownikami, włączając w to recepcjonistkę. Każdy powtarzał słowa Kaitlin: to była świetna kosmetolożka i najmilsza osoba, jaką można spotkać. Nikt nie wiedział jednak nic o listach. Nikomu nie powiedziała.

– To jaki powód im podała przy rezygnacji z pracy? – Carlos pochylił się do przodu i oparł łokcie na biurku. – Coś im musiała powiedzieć.

– Owszem. Powiedziała, że musi wracać do Campbell z powodu problemów rodzinnych. To wszystko. – Robert usiadł na swoim krześle. – Pracowała tam niecałe cztery miesiące, więc nikt nie czuł się na tyle z nią związany, żeby wypytywać o szczegóły.

– No cóż, LA to taka megametropolia, że zmiana dzielnicy jest jak przeprowadzka do innego miasta. Ludziom łatwo mogą ujść na sucho takie małe kłamstwa.

– Po wizycie w Burke Williams pojechałem do Long Beach, żeby porozmawiać z pracownikami True Beauty – opowiadał dalej Hunter.

– Niech zgadnę. Karen nie powiedziała nikomu ani o listach, ani o prześladowcy.

Detektyw przytaknął, włączając komputer.

– W końcu wybrałem się do DuBunne w South Torrance.

– DuBunne? To tam, gdzie pracuje Tanya?

– Dokładnie. Chciałem pogawędzić z tą Cynthią, o której wspominała.

– Tą, z którą rozmawiała o niepamiętaniu numerów telefonów?

– Zgadza się.

– No i?

– Ma dziewiętnaście lat, jest świeżo po szkole. W tym salonie odbywa praktyki. Mieszka z rodzicami w Gardena. – Robert pokręcił głową. – Jakakolwiek by była ta rozmowa o numerach, nie miała na celu nic złego. Zapytałem też, czy pamięta, żeby z kimś innym o tym dyskutowała – zaprzeczyła. Nie sądzę, żeby morderca otrzymał te informacje od niej.

– A skoro mówimy o Tanyi. Masz od niej jakieś wieści? Przypomniała sobie coś o jakichś innych pogaduszkach o zapominaniu telefonów?

– Nie, nic nowego. Miałem nadzieję, że na coś wpadnie, kiedy zadałem jej to pytanie po raz pierwszy. To wzięłoby jej mózg z zaskoczenia – teraz, kiedy miała czas wszystko przemyśleć, już raczej sobie niczego nie przypomni.

– Czekaj, nie rozumiem – przerwał Garcia. – Przecież im więcej o czymś myślisz, tym bardziej przeszukujesz pamięć, a to zwiększa szansę, żeby coś sobie przypomnieć, nie?

– W większości przypadków tak.

– Ale nie w jej? Dlaczego?

– Ponieważ poczucie winy, którym sama się obarczyła, uruchomiłoby toksyczną reakcję obronną, która z kolei popchnęłaby jej rozum w kierunku selektywnej amnezji pourazowej.

Carlos wpatrywał się w milczeniu w partnera przez kilka sekund.

– Dobrze – zaczął w końcu. – Przez chwilę udawajmy, że ja, w przeciwieństwie do ciebie, nie mam doktoratu z psychologii, zatem opowiedz mi o tym dokładnie jeszcze raz.

Hunter się uśmiechnął, po czym zaczął tłumaczyć:

– Tanya czuje się winna śmierci Karen, ponieważ uważa, że powinna była znać jej numer telefonu na pamięć. Twierdzi, że to przez nią zginęła jej najlepsza przyjaciółka. Dlatego istnieje możliwość, że aby zmniejszyć ból, jej mózg zastosuje mechanizm obronny, który spowoduje, że dziewczyna zapomni o wszystkim, co wiąże się z przyczyną tego cierpienia. Im więcej będzie o tym myślała, tym bardziej jej umysł będzie się starał pozbyć wspomnień, bo przez nie poczucie winy jeszcze się pogłębia.

– OK, teraz rozumiem i wcale dobrze to nie brzmi.

– Cały czas jednak trzymam kciuki. Każdy inaczej reaguje na traumatyczne przeżycia, zatem może być różnie. Zadzwonię do niej jeszcze raz wieczorem.

Garcia sięgnął po swój notatnik.

– A tak swoją drogą, to tuż przed twoim przyjściem rozmawiałem z technikami.

– Coś nowego?

– Właśnie skończyli analizę wiadomości, którą znaleźliśmy w sypialni ofiary – oznajmił detektyw, a następnie rozparł się na krześle. – Tak jak podejrzewaliśmy, nic nie znaleźli. Kartka jest całkowicie pozbawiona odcisków palców czy śladów DNA. – Spojrzał znad zapisków. – Kto zadawałby sobie trud i wycinał z gazety literę po literze, żeby potem zapomnieć włożyć rękawiczki, kiedy składał je razem do kupy, prawda?

Robert nic nie odpowiedział. Jakkolwiek niemożliwe się to wydawało, już spotkał się z takim przypadkiem. Większość zabójców miała IQ poniżej średniej i kategoryzowano ich jako „niezorganizowanych morderców". Książki i filmy ukazywały ich często jako geniuszy zbrodni, ale w rzeczywistości większość miałaby problem z rozwiązaniem testu z matmy dla czwartoklasistów. Oznaczenie „niezorganizowany" odnosiło się do tego, że tak naprawdę nie mieli w planach zabicia ofiary. Zwykle działo się to w efekcie niekontrolowanego, brutalnego impulsu, który wyzwalał cały szereg czynników: wstyd, niepewność, zazdrość, gniew, niską samoocenę, wpływ substancji odurzających. Lista była bardzo długa i różna w każdym przypadku. Problem stanowiła druga strona medalu – mordercy zorganizowani. Oni często cechowali się wysoką inteligencją, dyscypliną i umiejętnościami planowania.

– Papier, do którego poprzyklejał wycinki, pochodzi ze zwykłej białej ryzy, nie ma żadnych cech szczególnych – ciągnął Carlos. – Bez problemu można go dostać w dowolnym supermarkecie albo innym sklepie.

– A co z butami?

Mężczyzna pokręcił głową.

– Zostały wyczyszczone... a w zasadzie wybielone. Technicy nic w nich nie znaleźli, nawet jednej komórki naskórka, także takiej, która należałaby do Karen.

Hunter nie czuł się tym zaskoczony.

– A maska? Może tutaj się poszczęściło?

Szkic, który rysownik policyjny sporządził dzięki pomocy Tanyi, został już rozesłany do każdego sklepu z kostiumami i gadżetami imprezowymi w większej części Los Angeles.

Detektyw głośno westchnął.

– Jak na razie żadnych trafień. Najwyraźniej nikt się z czymś takim nie spotkał. W internecie również nic podobnego nie znaleźliśmy. Tej maski nie kupiono w sklepie, morderca sam ją wykonał.

Robert nie miał wątpliwości, że tak właśnie było, ale i tak musieli próbować.

– Nie jest jednak całkiem źle – ogłosił Garcia. – Jedną rzecz potwierdziliśmy, miałeś co do niej stuprocentową rację.

– A jakaż to rzecz?

– Telefony pod 911.

Detektyw zaczął klikać i wertować pliki, zanim trafił na te, których szukał.

– W ciągu ostatnich trzech miesięcy operatorzy przyjęli cztery fałszywe zgłoszenia o wysokim priorytecie dotyczące okolicy mieszkania Karen. Dwukrotnie podano numery mieszkań w bloku ofiary, kolejne dwa razy w budynku obok.

– Poszczęściło nam się z kamerami monitoringu?

Zapytany się zaśmiał.

– Chciałbyś, co nie? Miałeś rację, chłopie, ten facet nie jest głupi. Trzymał się z daleka od budek telefonicznych, zamiast tego dzwonił z czterech różnych telefonów na kartę – nie do namierzenia.

– Mamy pliki audio z nagraniami rozmów?

Carlos oparł się wygodnie i rzucił przyjacielowi szelmowski uśmiech.

– Już tak. Przed chwilą dostałem e-maila.

Dwadzieścia cztery

Hunter wstał i podszedł do biurka partnera. E-mail na ekranie jego komputera zawierał cztery załączniki z plikami audio. Pierwszy miał datę niemal równo sprzed trzech miesięcy. Ostatni był sprzed dziewięciu dni.

– Puśćmy je chronologicznie – zasugerował detektyw.

Garcia przytaknął i dwukrotnie kliknął pierwszy załącznik. Telefon został wykonany o 22.55.

DYSPOZYTOR (kobiecy głos): Dziewięć-jeden-jeden, słucham?
MĘSKI GŁOS: Cóż... chyba przed chwilą słyszałem strzały dochodzące z jednego z mieszkań na końcu korytarza.

W głosie słychać było południowy akcent, jednak nie dlatego detektywi wymienili zaniepokojone spojrzenia. Spowodował to młody wiek rozmówcy. Zdawało się, że należy do dwudziestoparolatka.

Kliknięcia klawiatury.
DYSPOZYTOR: Strzały? Jest pan pewny? Może to po prostu jakiś głośny hałas?
MĘSKI GŁOS: Nie, nie wydaje mi się.
Krótka pauza.
DYSPOZYTOR: Dobrze, czy może pan opisać dokładnie, co pan usłyszał?
MĘSKI GŁOS: Jednego jestem pewny, oni znowu się kłócili. Cholernie często się kłócą, wie pani. Zawsze w nocy. Zawsze się na siebie wydzierają. Dzisiaj jednak brzmiało, jakby oszaleli. Chyba cały budynek to słyszał. Wtedy nagle – BUM, BUM,

BUM – trzy głośne strzały. A teraz zapadła grobowa cisza. Mówię pani, coś tam jest nie tak.
DYSPOZYTOR: Proszę podać adres.

Współrzędne podane przez mężczyznę doprowadziłyby policję do mieszkania znajdującego się bezpośrednio pod lokum Karen Ward.

Więcej kliknięć w klawiaturę.
DYSPOZYTOR: Patrol jest już w drodze. Czy mogę prosić o pańskie...

Rozmówca się rozłączył.

– Dojechanie na miejsce zajęło naszym jakieś jedenaście minut – oznajmił Garcia, przeczytawszy treść otrzymanego e-maila. – Z raportu wynika, że byli dość zaskoczeni, kiedy dwudziestokilkuletnia kobieta z dzieckiem na rękach otworzyła im drzwi. Nazywała się Donna Farrell, mieszkała tam z chłopakiem, który pracuje jako nocny stróż, więc nie było go w domu. Mundurowi spytali ją o strzały albo o sąsiadów, którzy często się kłócą, ale powiedziała, że nie słyszała ani żadnych głośnych dźwięków, ani głosów, ani w ogóle niczego. Nie odnotowała również nigdy żadnych awantur w sąsiednich mieszkaniach. Zanim policjanci zaklasyfikowali zgłoszenie jako fałszywe, porozmawiali z innymi mieszkańcami bloku, od wszystkich otrzymali podobne odpowiedzi. Żadnych strzałów, żadnych krzyczących sąsiadów. – Detektyw przejechał do dalszej części wiadomości. – Połączenie zostało wykonane z telefonu na kartę, nie do zidentyfikowania.

– Udało im się namierzyć, skąd dzwonił?
Carlos poszukał dalszych informacji w e-mailu.
– Tak, gdzieś z okolicy budynku Karen. Pewnie stał tuż przed nim, kiedy wzywał policję.
– Bardzo prawdopodobne – zgodził się partner. – Musiał być blisko, żeby dokładnie zmierzyć czas przyjazdu patrolu. Dobra, sprawdźmy kolejne nagranie.
Jego kolega dwukrotnie kliknął odpowiedni plik. Połączenie wykonano o 23.08, czternaście dni po poprzednim.

DYSPOZYTOR (męski głos): Dziewięć-jeden-jeden, słucham?

MĘSKI GŁOS: Mieszkam na rogu East Broadway i Loma Avenue w Long Beach. Z mojego okna mam dobry widok na balkony budynku naprzeciwko.

Hunter i Garcia wymienili jeszcze bardziej zaniepokojone spojrzenia. Co prawda przejęcie w głosie rozmówcy mogło mieć na to pewien wpływ, ale w ogóle nie brzmiał jak ten z poprzedniego nagrania. Zniknął z niego południowy akcent, całkowicie zastąpiony przez typową dla Los Angeles modulację. Nie wydawał się również tak młody. Mężczyzna miał prawdopodobnie jakieś trzydzieści kilka lat, tembr głosu był znacznie niższy i głębszy.

DYSPOZYTOR: Dobrze, a co się wydarzyło?

MĘSKI GŁOS: Stoję teraz przy oknie i mam bardzo dobry widok na jedno z mieszkań na najwyższym piętrze. Zasłony są rozsunięte, a światła włączone. Widzę mężczyznę, który maszeruje w jedną i drugą stronę, wymachując ręką jak szaleniec. Problem w tym, że trzyma w niej miecz, maczetę albo coś bardzo podobnego. Cokolwiek to jest, wygląda na cholernie groźną broń, gwarantuję to panu.

DYSPOZYTOR (w jego głosie pojawiły się niecierpliwe nuty): Czy widzi pan w tym mieszkaniu jeszcze kogoś?

MĘSKI GŁOS: Właśnie dlatego dzwonię. Obserwuję tego faceta od jakichś pięciu czy dziesięciu minut, jedyne, co robi, to chodzi po salonie w tę i z powrotem, macha bronią i krzyczy na ściany, a przynajmniej tak to wygląda. Przed chwilą jednak zauważyłem małą dziewczynkę w drugim oknie, nie w tym samym pomieszczeniu, tylko sąsiednim. Musi mieć jakieś dwanaście albo trzynaście lat. Jest przerażona. Nie widać szczegółów, bo jest za daleko, ale wydaje mi się, że płacze.

DYSPOZYTOR: Mała dziewczynka?

MĘSKI GŁOS: Zgadza się.

DYSPOZYTOR: Dobrze, czy zna pan adres tego budynku?

Rozmówca podyktował go policjantowi. Ponownie były to ko-
ordynaty bloku Karen Ward.

MĘSKI GŁOS: To mieszkanie znajduje się na najwyższym pię-
trze, na końcu korytarza.
DYSPOZYTOR: Powiedział pan, że widać je z pańskiego okna.
Czy mogę prosić o pański...

Rozmówca już się rozłączył.
– Tam właśnie mieszkała Karen – oznajmił Garcia. – Wysłał
do niej policję?
Drugi detektyw pokiwał głową.
– Ile zajął przyjazd?
Carlos poszukał informacji w e-mailu.
– Tym razem jakieś dziesięć minut.
– Ponownie telefon na kartę?
– Bingo.
Robert oparł się o krawędź biurka kolegi.
– Dobra, to przesłuchajmy trzecie nagranie.
Detektyw włączył odpowiedni plik. Nagranie zostało wykona-
ne dwadzieścia osiem dni po poprzednim, dokładnie o 23.13.

DYSPOZYTOR (kobiecy głos): Dziewięć-jeden-jeden, słucham?
MĘSKI GŁOS: Umm... Ona nie oddycha. Nie wiem, co zrobić.
Ona nie oddycha, i to wszystko moja wina.

W głosie słychać było zdenerwowanie, lęk i płacz. Ponownie bardzo się różnił od tych z poprzednich nagrań. Tym razem
brzmiał bardzo nisko i chrapliwie, zupełnie jakby rozmówca przechodził przez końcowe stadia poważnego zapalenia gardła. Akcent
też uległ ogromnej zmianie, zniknęły ślady poprzedniej modulacji
typowej dla Los Angeles, zastąpione przez charakterystyczną połu-
dniowoteksaską nosową wymowę.

DYSPOZYTOR: Czy może mi pan podać swoje nazwisko?
MĘSKI GŁOS: Todd. Todd Phillips.

111

Kliknięcia klawiatury.
DYSPOZYTOR: A kim jest osoba, o której pan mówił? Kto nie oddycha?
MĘSKI GŁOS: Moja dziewczyna. Nazywa się Kelly Dixon. Musicie jej pomóc. Proszę.
DYSPOZYTOR: Właśnie po to tu jestem, ale żebym mogła to zrobić, muszę zadać jeszcze kilka pytań, dobrze? Kelly nie oddycha. Jest pan pewien? Może pan wyczuć puls?
MĘSKI GŁOS: Nie, nie mogę.
Więcej kliknięć na klawiaturze.
MĘSKI GŁOS: Musisz wysłać kogoś na pomoc. Proszę, wyślij pomoc.
DYSPOZYTOR: Za moment to zrobię. Proszę zachować spokój i podać mi jeszcze kilka szczegółów. Czy może pan szybko powiedzieć, co się stało?
MĘSKI GŁOS: Nie chciałem jej skrzywdzić. Nie chciałem. Przysięgam. Kocham ją.
DYSPOZYTOR: W porządku, wierzę, ale proszę powiedzieć, co się stało?
MĘSKI GŁOS: Nie wiem. Kłóciliśmy się o jakąś bzdurę i straciłem panowanie nad sobą. Złapałem ją. Ścisnąłem, a teraz się nie rusza. Nie oddycha. Musisz wysłać pomoc. Proszę. Musisz.
DYSPOZYTOR (w tle słychać pisanie na klawiaturze): Dobrze, na jaki adres?

Rozmówca rozłączył się zaraz po tym, jak podał ulicę i numer mieszkania.
    – Dyspozytor próbował oddzwonić pod ten numer – przeczytał Garcia z e-maila – ale uwaga, uwaga – nikt nie odebrał. Mimo wszystko musieli przestrzegać przepisów, więc radiowóz razem z karetką zostały wysłane na miejsce, do jednego z bloków naprzeciwko mieszkania Karen. Nie muszę chyba mówić, że nie znaleźli tam żadnego Todda Phillipsa ani Kelly Dixon. Pod podanym adresem od dwudziestu pięciu lat mieszka starsze małżeństwo.
    – Jak szybko tam dotarli?
    – Niewiele poniżej dziesięciu minut.

Hunter zapisał to sobie w notesie.

– Lokalizacja GPS odpowiadała miejscu, do którego rozmówca wzywał pomoc, czyli zapewne znowu stał tuż przed budynkiem, kiedy dzwonił na policję.

– Ponieważ wiedział, że rozmowa zostanie namierzona – zgodził się Robert. – Gdyby zadzwonił z budki na końcu ulicy albo skądkolwiek indziej, lokalizacja GPS nie pasowałaby do jego historyjki. Miał być przy swojej nieoddychającej dziewczynie, pamiętasz? – Detektyw podrapał się w podbródek. – Żadnych potknięć.

Jego partner najechał kursorem na ostatni plik.

– Włączać?

Drugi detektyw pokiwał głową.

– Ciekaw jestem, jakie bzdury teraz usłyszymy.

Dwadzieścia pięć

Czwarty i ostatni telefon został wykonany o 23.19, dokładnie pięć tygodni po poprzednim, na siedem dni przed morderstwem Karen Ward.

DYSPOZYTOR (kobiecy głos): Dziewięć-jeden-jeden, słucham?
KOBIECY GŁOS: Dwa-trzy-jeden Loma Avenue, Long Beach.

Garcia spojrzał na partnera szeroko otwartymi oczami.
– To jest damski głos. Co tu się, kurwa, dzieje?
Hunter również czuł się całkowicie zaskoczony, jednak postanowił powstrzymać się od komentarzy, aż wysłucha całość nagrania.

KOBIECY GŁOS: Czy możecie wysłać kogoś do mojego domu?
Dzwoniąca wydawała się przestraszona i rozemocjonowana.
DYSPOZYTOR: A co się stało, proszę pani?
KOBIECY GŁOS: Mój były mąż właśnie się włamał. Krzyczy i miota się jak wariat. Chyba oszalał, a to brutalny mężczyzna.
DYSPOZYTOR: Gdzie on teraz jest?
KOBIECY GŁOS: Tuż za drzwiami.
DYSPOZYTOR: Za drzwiami? Gdzie pani się znajduje?
KOBIECY GŁOS: Zamknęłam się w sypialni.
Łup. Łup. Łup.
Detektywi usłyszeli dźwięk, jakby ktoś głośno uderzał w drzwi.
DYSPOZYTOR: Czy jest pijany? Wie pani?
KOBIECY GŁOS: Prawdopodobnie. On bardzo dużo pije.
DYSPOZYTOR: Uderzył panią?
KOBIECY GŁOS: Nie. Nie miał okazji. Jak tylko sforsował drzwi wejściowe, to zamknęłam się w tym pokoju. Ale jeśli on się tu dostanie...

DYSPOZYTOR: Dobrze, jak się pani nazywa?

KOBIECY GŁOS: Rose Landry.

DYSPOZYTOR: Pani adres to dwa-trzy-jeden Loma Avenue, Long Beach?

KOBIECY GŁOS: Tak, zgadza się.

Szybki stukot klawiszy klawiatury.

DYSPOZYTOR: Dobrze, radiowóz jest w drodze, niedługo będzie. Może pani poczekać ze mną na linii?

KOBIECY GŁOS (*brzmiał rozpaczliwie*): Nie, nie mogę. Nie mogę. Muszę kończyć.

Połączenie zostało przerwane.

Garcia oparł się wygodnie na krześle i zaczął pocierać usta i brodę, zupełnie jakby gładził wyimaginowany zarost.

– Tym razem adres należał do domu znajdującego się tuż za rogiem budynku Karen. Niecałe trzydzieści sekund drogi. Mieszkali w nim emerytowany nauczyciel z żoną – John i Judith Marble.

– Czas przyjazdu radiowozu?

Detektyw ponownie przejrzał e-mail.

– Osiem minut. Najkrótszy ze wszystkich.

Hunter zapisał to sobie.

– A teraz pozwól, że się powtórzę – powiedział Carlos. – Co tu się, kurwa, dzieje? To był kobiecy głos. Czy morderca z kimś współpracuje, czy to zwykły przypadek?

– Nie, to nie przypadek – zaprzeczył Robert, przeglądając notatki. – Wszystkie cztery telefony wykonano w trzydziestominutowym przedziale – pomiędzy dwudziestą drugą pięćdziesiąt pięć a dwudziestą trzecią dwadzieścia pięć. Pamiętasz, o której Tanya Kaitlin zadzwoniła na policję?

– Nie aż tak dokładnie. Zakładam jednak, że właśnie w tym trzydziestominutowym okresie.

– Dwudziesta trzecia dziewiętnaście – potwierdził drugi detektyw. – Wszystkie fałszywe wezwania miały miejsce w środę wieczorem. Karen Ward została zamordowana dwa dni temu, również w środę wieczorem.

Garcia spojrzał na monitor. Daty wszystkich nagrań zostały

zapisane w typowym formacie: miesiąc, dzień, rok. Jeszcze nie doszedł do tego, że każda z tych dat wypada w środę.

– Jeśli wyliczysz średni czas przyjazdu radiowozu z tych czterech wezwań, to wyjdzie ci dziewięć i trzy czwarte minuty. Jak zaokrąglisz, to otrzymasz dokładnie tyle, ile morderca powiedział Tanyi przez telefon. – Detektyw pokręcił głową. – To żaden przypadek, przyjacielu. Nasz sprawca wykonał wszystkie te cztery połączenia.

Carlos zastanawiał się przez chwilę nad ostatnim nagraniem.

– Modulator głosu? – na wpół spytał, na wpół stwierdził.

– Spece od dźwięku nam to sprawdzą. Przy odpowiednim sprzęcie zmiana męskiego głosu w kobiecy to jedynie kwestia przesunięcia kilku suwaczków w górę albo w dół.

– Pewnie pomyślał też, że wezwanie wykonane przez kobietę będzie miłym gestem.

– Na pewno mniej podejrzanym. Wiedział, że jakieś siedemdziesiąt do siedemdziesięciu pięciu procent wszystkich fałszywych telefonów na policję wykonanych w USA jest dziełem mężczyzn, a nie kobiet. Wcześniej już zrobił trzy lipne wezwania męskim głosem, wszystkie kierowały gliniarzy z Long Beach w to samo miejsce. To był ostatni test przed prawdziwym morderstwem. Nie chciał niczego ryzykować.

– Cóż, z całą pewnością dokładnie wiedział, jak sprawić, żeby telefony brzmiały wiarygodnie – skomentował Garcia. – Powiem ci szczerze, gdybym nie znał prawdy, to pomyślałbym, że wszystkie cztery to prawdziwe wezwania. Momentami słychać było napięcie, momentami strach, innym razem zdenerwowanie, za to zero wahania w głosie. Na każde pytanie dyspozytora odpowiadał zgodnie z historyjką. Wcale bym się nie zdziwił, gdyby się okazało, że ten facet ma przygotowanie aktorskie. – Detektyw przemyślał swoje słowa. – Chociaż w tym mieście połowa ludzi ma za sobą szkołę aktorską.

Jego partner milczał, ale gdzieś głęboko w mózgu zapaliła mu się czerwona lampka wskazująca na kolejny powód do zmartwień.

Dwadzieścia sześć

Hunter i Garcia spędzili kolejną godzinę na przeglądaniu zdjęć z miejsca zbrodni, wertowaniu rozmaitych dokumentów i próbach zdobycia bardziej szczegółowego profilu Karen Ward. Carlos od trzydziestu pięciu minut przeszukiwał internet, aż nagle zatrzymał się i zmarszczył brwi, patrząc na ekran.

– Zaraz – wyszeptał do siebie, a następnie pochylił się i oparł oba łokcie na blacie biurka.

Robert spojrzał na niego znad swojego monitora. Jego partner zdawał się całkowicie pochłonięty przeglądaniem jakiejś strony.

– Coś nie tak?

Zapytany uniósł palec wskazujący i odparł:

– Jeszcze nie wiem. Daj mi chwilkę.

Drugi detektyw wrócił do swojego dokumentu, jednak myślami cały czas błądził wokół tych czterech nagrań, które wcześniej odsłuchali. Im bardziej się starał, tym mniej widział w tym wszystkim sensu. A im mniej widział sensu, tym bardziej teoria o stalkerze mu nie pasowała.

Zasadniczo prześladowcy to wrażliwi ludzie, bardzo impulsywni i niemal zawsze zniewoleni przez swoje emocje, rzadko będący w stanie je kontrolować. Oczywiście niektórzy byli znani z doskonałej organizacji, jeśli chodzi o określone aspekty swoich obsesji. Kompulsywnie obserwowali obiekt swoich uczuć, musieli wiedzieć o nim wszystko, co tylko możliwe. Śledzili. Robili zdjęcia. Podsycali płomień obsesji w każdy sposób, w jaki tylko mogli – smutna prawda była taka, że większość z nich wiodła nudne, pozbawione atrakcji życie, a mania nadawała mu jakiś cel. Tu właśnie znajdował się haczyk.

Jeśli obiekt uczuć nagle by zginął, wówczas sens życia mógł

117

się zamienić w otchłań tak głęboką, że potrafiłaby nieszczęśnika pochłonąć. W takim razie po co zabijać ukochaną osobę?

Doświadczenia pokazują, że w większości przypadków, gdy stalker rzeczywiście zamordował obiekt swojej obsesji, nie było to wynikiem zaplanowanego działania. Nie zaczaił się, żeby zabić swoją ofiarę. Po prostu górę wzięła ta niestabilna strona osobowości, która próbuje kontrolować emocje. W skrócie: bezmyślny, impulsywny czyn, w wyniku którego obiekt uwielbienia stracił życie. A to nie miało nic wspólnego z tym, co do tej pory pokazał morderca. Wiedzieli o nim, że jest dobrze przygotowany, metodyczny, bardzo sprytny, zaradny, a jeśli mierzył czas przyjazdu radiowozu na miejsce zbrodni na trzy miesiące przed jej popełnieniem, to z całą pewnością potrafił wszystko odpowiednio zaplanować. Impulsywność... bezmyślność... to zupełnie obce mu cechy.

– Sukinsyn – warknął Garcia, wyrywając Huntera z zadumy.

Obaj detektywi spojrzeli po sobie.

– Być może jest inny powód, dla którego Tanya nie pamięta prowadzenia rozmowy o numerach telefonicznych z kimkolwiek innym.

– A jaki to powód?

Carlos wskazał na swój monitor.

– Musisz tu przyjść i sam zobaczyć.

Dwadzieścia siedem

Cassandra zamknęła za sobą drzwi do salonu, położyła torebkę koło ciemnoszarej kanapy i powoli poszła do kuchni. Z jednej z szafek wyciągnęła szklany wazon, napełniła go wodą i włożyła do środka kolorowy bukiet kwiatów.

Nie, kwiaty nie pochodziły od tajemniczego wielbiciela ani od Pana J. Kobieta kupiła je sobie sama. Prawdę mówiąc, jej mąż nawet po dwudziestu jeden latach wciąż potrafił ją niekiedy zaskakiwać jakimiś drobnymi prezentami: czasami były to kwiaty, czasami czekoladki, czasami zaproszenie na romantyczną kolację, bilety do opery, na balet albo nawet na mecz Lakersów, ponieważ była ich wielką fanką. Niezależnie jednak od okazji karteczka przyczepiona do bukietu lub jakiegokolwiek innego podarku zawsze zawierała takie same słowa: *Uczyniłaś mnie najszczęśliwszym człowiekiem na ziemi. Z wyrazami miłości, dzisiaj i zawsze. J.*

Wspomnienia przywołały na jej usta radosny uśmiech. Głównie dlatego, że uważała się za wielką szczęściarę. Pomimo upływu lat Pan J nadal był bardzo przystojnym mężczyzną: wysoki, z silnie zarysowaną szczęką, ogoloną głową i ciemnymi oczami, tak pełnymi ekspresji, że można go było zrozumieć w ułamku sekundy. Nigdy nie zaniedbał swojej formy fizycznej – w przeciwieństwie do mężów wielu jej koleżanek. Jego postura nadal zdradzała treningi, którym się poddawał za młodu. Wciąż mógł się pochwalić szerokimi ramionami, płaskim brzuchem i umięśnionymi rękami. Cassandra zauważała zalotne spojrzenia, którymi inne kobiety, włączając w to jej koleżanki, obrzucały jej męża, jednak on ich nie odwzajemniał. Zawsze pozostawał uprzejmy, ale nigdy nie flirtował.

Raz, tylko jeden raz, kiedy kilka lat wcześniej odrzuciła jego awanse w sypialni, zapytał ją spokojnie, czy ma kogoś innego. Czy zadurzyła się w jakimś mężczyźnie. Czy przestała już go kochać.

– Proszę, nie bądź niemądry, kochanie – odpowiedziała. – Oczywiście, że nie mam nikogo innego, i oczywiście, że nie przestałam cię kochać. Po prostu dzisiaj nie jestem w nastroju, dobrze? To była prawda, zarówno wtedy, jak i teraz. Cały czas kochała Pana J i nie zauroczył jej żaden inny, miała tego całkowitą pewność. Jak by mogła? Kochający, dobry i czuły mąż, a ponadto fantastyczny ojciec dla Patricka. Zawsze traktujący ją z szacunkiem i godnością. Słuchający wszystkiego, co miała do powiedzenia, i szanujący każdą jej opinię na temat ich życia rodzinnego. To prawda, wiele się zmieniło przez te wszystkie lata, zwłaszcza kiedy syn stał się nastolatkiem. Wówczas poczuła się najgorzej w całym swoim życiu. Straciła matkę rok wcześniej, a z jakiegoś powodu widok jej małego chłopca przeistaczającego się w mężczyznę nasilił depresję, którą ukrywała przed wszystkimi. Przez swój stan oddaliła się nie tylko od męża, ale również od wszystkich przyjaciół. Nie miała pewności, czy to tylko przypadek, ale gdy Patrick już dojrzał, w końcu udało jej się zapanować nad depresją i powoli, acz skutecznie zaczęła wygrzebywać się ze straszliwego dołka, w którym się znalazła. Z każdym dniem coraz bardziej przypominała dawną siebie.

Spojrzała na zegar w kuchni: 19.24. Zastanawiała się nad wyjściem gdzieś na kolację, może do jakiegoś przyjemnego włoskiego lokalu albo do nowej śródziemnomorskiej knajpki, która otworzyła się zaledwie kilka przecznic dalej, ale zrezygnowała z tego pomysłu w drodze do domu. Nie miała ochoty siedzieć samotnie w restauracji. Co prawda mogła zaprosić którąś z koleżanek, ale była w bardziej „domowym" nastroju.

Poszła do salonu, odstawiła wazon z kwiatami na stół, a następnie wróciła do kuchni.

– W porządku, spójrzmy może, co tutaj mamy – powiedziała na głos, otwierając drzwi lodówki. – Hmmm. – Skrzywiła się, przeglądając po kolei wszystkie półki. Jedzenia było mnóstwo, ale na nic specjalnie nie miała ochoty. – Wiesz co? – Zaczęła rozmowę z samą sobą. – Miałam ciężki tydzień, a dzisiaj jest sobotni wieczór. Międzynarodowy czas niegotowania w domu. Skoro nigdzie nie wychodzę, to może warto sobie coś zamówić? – Zamknęła lodówkę i zaczęła się zastanawiać. – Tak, to zdecydowanie dobry plan.

Podeszła do blatu kuchennego i otworzyła ostatnią szufladę po lewej. Wyciągnęła ze środka cały plik ulotek.

– Pizza? Nie. Coś meksykańskiego? Hmm... też nie.

Odrzucone kartki trafiały z powrotem do szuflady.

– Kuchnia włoska...? Być może.

Tę odłożyła na bok.

– Zdrowa sałatka? Hmm... nie dzisiaj. Burger i żeberka? Nie. Japońszczyzna?

Tym razem „hmm" nabrało śpiewnej intonacji. Otworzyła menu i szybko przejrzała zawartość.

– Kurczak teriyaki brzmi nieźle. Może także jakieś sashimi. – Zacisnęła usta i poczuła napływającą ślinkę.

Decyzja podjęta.

– Jednak pewnymi rzeczami trzeba się zająć w pierwszej kolejności – oznajmiła, odkładając pozostałe ulotki na miejsce. – Teraz należy mi się duży kieliszek wina.

W tym przypadku Cassandra nie musiała się zastanawiać. Doskonale wiedziała, który trunek wybierze. Z menu w ręku udała się do salonu, gdzie z dobrze zaopatrzonego barku wyjęła butelkę Hourglass Estate, Cabernet Sauvignon z 2002 roku. Gdy wyciągnęła korek, zbliżyła szyjkę do twarzy, żeby napawać się aromatem wiosennych kwiatów i jagód.

– O tak, absolutnie niebiańskie.

Nalała sobie kieliszek, ale nie napiła się od razu. Zamierzała lepiej poczuć smak wina, pozwoliła mu więc pooddychać przez minutę lub dwie. W tym czasie mogła zamówić jedzenie. Podeszła do kanapy i sięgnęła po torebkę. Gdy szukała w niej komórki, natknęła się na list, który jakiś psychol zostawił na szybie jej auta. Nie zapomniała o nim, ale gdy palce natrafiły na białą kartkę, przed oczami stanęła jej treść tej wiadomości, a to wywołało zaraz gęsią skórkę na rękach.

Czy kiedykolwiek czułaś się obserwowana, Cassandro?

– Ehhh – westchnęła, po czym potrząsnęła rękami, jakby chciała pozbyć się nieprzyjemnego uczucia. Szybko wyciągnęła komórkę, a następnie upuściła torebkę na podłogę. Odruchowo rozejrzała się po pomieszczeniu i poszła do drzwi wejściowych. Wiedziała, że je zamknęła. Widziała łańcuch tkwiący na swoim miejscu, jednak paranoja kazała jej to sprawdzić. Klucz został przekręcony w zamku do oporu. – Kurwa! Jakim cudem taki śmieszny i kretyński list może mnie aż tak wystraszyć? – zapytała samą siebie, choć w rzeczywistości dokładnie znała odpowiedź. Od jakichś trzech, czterech tygodni, na długo przed otrzymaniem wiadomości, uczucie, że jest obserwowana, prześladowało ją niczym duch. Niemal wszędzie, gdzie poszła – do pracy, na spotkanie z przyjaciółmi, na kolację z mężem czy gdziekolwiek indziej. Wszędzie miała wrażenie, że ktoś ją obserwuje.

Wiedziała, że każdy co jakiś czas ma poczucie bycia śledzonym. Kilka razy w przeszłości już się tak czuła, ale tym razem to było coś zupełnie innego. Mroczne, dławiące uczucie, zupełnie jakby obserwowało ją prawdziwe zło.

Ruszyła szybko do stołu, sięgnęła po kieliszek i upiła spory łyk. Wiedziała, że w ten sposób nie powinno się postępować z tak dobrym winem, ale w obecnej sytuacji bardziej zależało jej na samym alkoholu niż na walorach smakowych.

Odstawiła kieliszek i sprawdziła komórkę. Żadnych wiadomości. Żadnych nieodebranych połączeń. Pan J obiecał, że zadzwoni, jeśli jego plany powrotu ulegną zmianie. Nie odzywał się, więc najpóźniej nazajutrz powinien się pojawić w domu. Ta myśl przyniosła jej wielką ulgę.

Dwie poprzednie wiadomości, które otrzymała, pracując w WomenHeart, uznała za głupi kawał. Dlatego też nie powiedziała o nich mężowi, jednak tym razem sprawy zaszły za daleko. Postanowiła, że pokaże mu kartkę, którą znalazła na szybie samochodu. Trzymała ją więc w torebce, żeby nie zapomnieć.

Sięgnęła po ulotkę japońskiej restauracji i już miała wybrać numer, kiedy usłyszała dzwonek do drzwi. Zmarszczyła brwi i spojrzała w tamtym kierunku. Nie spodziewała się żadnych gości.
Ding-dong.

– Jakieś żarty? – powiedziała do siebie, odkładając menu. Następnie spojrzała na zegarek – była 19.36.

Ding-dong.

Trzymając w dłoni telefon, podeszła do drzwi i spojrzała przez wizjer. Na zewnątrz stał umundurowany policjant, patrzył prosto na drzwi, zupełnie jakby widział przez nie na wylot.

Mars na czole Cassandry jeszcze się pogłębił.

– Kto tam? – zawołała, nie otwierając zamka.

– Pani Jenkinson? – spytał mężczyzna. Głos miał spokojny, ale stanowczy.

– Słucham?

– Funkcjonariusz Douglas z policji Los Angeles. Czy mogę zamienić z panią słówko?

Nastąpiło kilka przepełnionych zdziwieniem sekund ciszy.

– Słówko na jaki temat?

Mężczyzna odpowiedział dopiero po chwili, zupełnie jakby musiał się zebrać w sobie.

– Chodzi o pani męża. Johna Jenkinsona.

W tonie jego głosu było coś, co sprawiło, że serce kobiety na moment stanęło.

– Co? Co z Johnem? Coś mu się stało?

Kolejna chwila ciszy.

– Jeśli to możliwe, proszę pani, lepiej, żebyśmy porozmawiali w środku.

Cassandra miała wrażenie, że ściany wokół zaczęły nagle na nią napierać.

– O mój Boże! – wyszeptała, szybko otwierając drzwi. – Co się dzieje? Czy coś mu się stało? Gdzie on jest?

Nie widziała oczu policjanta, ponieważ zasłaniały je lustrzane okulary, ale minę miał poważną i posępną.

– Byłoby lepiej, gdybyśmy usiedli, pani Jenkinson.

Próbowała ponownie coś wyczytać z jego twarzy, jednak ta pozostała nieprzenikniona.

– Dlaczego? Co się stało?

– Proszę, naprawdę będzie lepiej, jeśli usiądziemy.

– Dobrze, proszę wejść – powiedziała w końcu i otworzyła

drzwi na oścież, następnie wskazała mężczyźnie szarą kanapę w salonie. – Niech mi pan wreszcie powie. Gdzie jest John? Nic mu nie jest? Wszystko z nim w porządku?

Mężczyzna wszedł do środka.

Kiedy zamknęła za nim drzwi, odwrócił się do niej.

– Czy mogę o coś spytać, pani Jenkinson?

– Tak, oczywiście.

Funkcjonariusz zdjął ciemne okulary.

– Czy kiedykolwiek czułaś się obserwowana?

Dwadzieścia osiem

Hunter wstał i podszedł do biurka partnera.

– Co tam znalazłeś?

Garcia cały czas wyglądał częściowo na zmieszanego, częściowo na zaskoczonego. Ewidentnie nie spodziewał się tego znaleźć, cokolwiek to właściwie było. Wyprostował palec wskazujący i ponownie wycelował nim w swój monitor.

– Spójrz.

Na ekranie widoczna była strona jakiegoś portalu społecznościowego. Robert spojrzał na nią, nie rozumiejąc.

– Czego właściwie mam tutaj szukać?

– Tego postu. – Detektyw wskazał odpowiednie miejsce.

Drugi mężczyzna przeczytał treść, znieruchomiał i ponownie przeczytał. Następnie spojrzał na partnera.

– Czyja to strona?

– Pete'a Harrisa.

Hunter zastanawiał się przez chwilę.

– To ten przyjaciel, o którym mówiła Tanya? Ten makijażysta, który podobno jest teraz gdzieś w Europie?

– Zgadza się. A z tego, co widzę, to naprawdę tam jest. Wrzucił dzisiaj rano post. – Przejechał na samą górę strony. – Jest na planie w Berlinie. Prawie cały miesiąc.

Detektyw przyjął tę informację do wiadomości, Carlos wrócił więc do tego samego miejsca, w którym byli wcześniej.

– Dobra, a widziałeś pierwszy komentarz?

Napisała go Tanya Kaitlin, a następnie odpowiedzieli również Pete Harris i Karen Ward. Robert poszukał daty w górnej części wiadomości.

– To zostało zamieszczone ponad sześć miesięcy temu – oznajmił cicho.

– Zgadza się. Dlatego nawet jeśli dziewczyna nie przechodzi przez tę pourazową amnezję, o której opowiadałeś, to i tak mogła tego nie pamiętać.

Hunter ponownie skierował uwagę na ekran monitora. Pete Harris wrzucił obrazek, który zapewne znalazł gdzieś w internecie. Przedstawiał dwie kobiety stojące obok siebie. Jedna wyglądała na jakieś dwadzieścia kilka lat, druga na mniej więcej pięćdziesiąt. Młodsza z nich uśmiechała się, patrząc w wyświetlacz komórki, natomiast starsza trzymała przy uchu słuchawkę starego telefonu z tarczą. Pod obrazkiem znajdował się tekst, napisany czarnymi literami, zawierający wyzwanie oraz skalę.

Ty kontra pokolenie twoich rodziców. Wyzwanie z numerem telefonu. Czy technologia nas odmóżdża?

Ile numerów telefonów potrafisz wymienić bez patrzenia na listę kontaktów?

0 = 100% odmóżdżenia. Jesteś niewolnikiem swojej komórki. Pamiętasz jeszcze własne imię?

1-3 = Trudno w to uwierzyć, chociaż jesteś już lepszy od 85% ludzi, ale nie oszukuj się – i tak kiepsko z twoim mózgiem i bardzo daleko ci do tego, co potrafili twoi rodzice.

4-6 = Jesteś już blisko, zasługujesz na poklepanie po pleckach. Należysz do 3% swojego pokolenia. Tak, serio.

7-10 = Gratuluję, dotarłeś do średniego poziomu ludzi z czasów twoich rodziców i mieścisz się w 1% elity rówieśników.

Powyżej 10 = Naprawdę? Imponujące. Twoje zasoby pamięci są nadzwyczajne i odmóżdżenie ci nie grozi. Pokolenie twoich rodziców nie zagnie cię, jeśli chodzi o pamiętanie numerów telefonów, a w obecnych czasach być może jesteś JEDYNY W SWOIM RODZAJU.

Pete poprzedził ten post słowami: „Bądźcie szczerzy, ludziska".

Pierwszy komentarz zamieściła Tanya Kaitlin: *Lol, ja nie pamiętam ani jednego. Wstyd, wiem. Całkowicie mnie odmóżdżyło :(I przyznaję, jestem niewolnicą swojej komórki.* Karen odpowiedziała: *Serio? Nawet mojego? Super z ciebie przyjaciółka, lol.*

A mój?, dodał tuż pod poprzednią wypowiedzią Pete.

Na to odpisała Tanya: *Sorki, ale mam gównianą pamięć, jeśli chodzi o takie rzeczy. Przecież wiecie. A co z waszą dwójką? Też jesteście moimi najlepszymi przyjaciółmi. Czy któreś z was poda z głowy mój numer? Tylko nie oszukiwać.*

Karen napisała swój ostatni komentarz: *Punkt dla ciebie, lol.*

A Pete: *Tak, koniec tematu. Dzięki Bogu za cuda technologii, lol :)*

– Ile osób odpowiedziało pod tym postem?

– Są pięćdziesiąt dwa komentarze od czterdziestu sześciu różnych osób. A polubiło go dziewięćdziesiąt jeden – odparł Garcia.

– Mogę? – spytał Robert, wskazując na myszkę.

– Jasne. – Drugi detektyw odjechał z krzesłem kawałek w bok.

Hunter pochylił się nieco w stronę monitora i rozwinął do końca listę komentarzy, a następnie powoli wszystkie przeczytał. Większość była bardzo podobna do napisanego przez Tanyę, ich autorzy nie potrafili wymienić choćby jednego numeru. Nikt się nie wyróżniał.

– Na kogo jesteś zalogowany?

– Na siebie – odpowiedział Carlos, po czym się skrzywił. Wiedział, dlaczego partner zadał to pytanie. – To oznacza, że Pete ma publiczny profil, zatem ten post też taki był. Czyli każdy mógł go sobie obejrzeć. W żaden sposób nie da się namierzyć tych osób. – Spojrzał na przyjaciela. – Wcale bym się nie zdziwił, gdyby właśnie stąd morderca zaczerpnął inspirację do urządzenia tej chorej gry z połączeniem wideo. Tutaj miał wszystkie informacje w jednym miejscu: Karen powiedziała, że Tanya jest jej najlepszą przyjaciółką, która z kolei wyznała, że nie zna na pamięć jej numeru telefonu. Miałeś rację, on już wcześniej wiedział, że dziewczyna nie poda odpowiedzi na to jego pytanie.

Robert odszedł od biurka i odetchnął. Karen Ward miała zginąć, bez względu na wszystko. Był tego pewny tak samo jak morderca. Gra to jedynie pretekst, tylko do czego? Zaspokajania najgłębszych, sadystycznych skłonności szaleńca? Możliwe. By przepełnić Tanyę poczuciem winy, które będzie ją dręczyło do końca życia? Również możliwe, Hunter nie potrafił jeszcze podać odpowiedzi na swoje pytania.

– A co z profilami Ward i Kaitlin? Sprawdzałeś je? Również są publiczne?

– Sprawdzałem. Ten Karen nie jest. Jeśli nie należałeś do jej przyjaciół, to nie uzyskałbyś praktycznie żadnych informacji na jej temat.

– A drugiej dziewczyny?

Carlos się zaśmiał.

– Zupełne przeciwieństwo. Otwarty absolutnie dla każdego.

Fakt, że w dzisiejszych czasach ludzie tak chętnie udostępniali w internecie rozmaite informacje o swoim życiu albo codziennych czynnościach, zawsze zdumiewał Roberta. Zdjęcia, nazwiska, adresy, daty, lubiane bądź nielubiane rzeczy... wszystko tam było i wcale nie potrzeba geniusza, żeby zrobić z tego użytek.

– Czy jesteśmy całkowicie pewni, że ten Pete Harris w ciągu ubiegłego miesiąca przebywał w Europie?

Drugi detektyw przekrzywił nieco głowę.

– Nie sprawdziliśmy tego oficjalnie, ale przez ostatnie trzy tygodnie zamieszczał różne fotki z Berlina. Większość jest podobna do tej, którą ci pokazałem, z nim w roli głównej i różnymi znanymi miejscami w tle. Zatem jeśli przez ostatni miesiąc nie fotoszopował swojego życia, to naprawdę jest w Niemczech.

Partner przyjął to do wiadomości, ale nie odpuścił.

– Niech ktoś to na wszelki wypadek sprawdzi. Morderca przygotował wszystko na tyle dokładnie i drobiazgowo, że zabawa Photoshopem, żeby zapewnić sobie alibi, to przy tym wszystkim pestka.

– Załatwię to – odparł Garcia, a następnie sięgnął po telefon. Rozmowa trwała niecałe dwie minuty.

Dwadzieścia dziewięć

Pan J wyszedł z windy na piątym piętrze hotelu, w którym się zatrzymał, i spokojnie poszedł jasno oświetlonym korytarzem w kierunku swojego pokoju o numerze 515. Gdy wszedł do środka, zawiesił na klamce tabliczkę „Nie przeszkadzać", a następnie zamknął za sobą drzwi. Delikatny i bardzo przyjemny zapach jaśminu i wanilii wisiał w powietrzu – efekt aromaterapii zapewnianej przez hotel.

Położył walizkę i marynarkę na wielkim, królewskim łożu, zdjął buty i skierował się do urządzonej na biało łazienki. Odkręcił kran przy umywalce i pochylił się nad nią, a następnie ochlapał sobie twarz i kark lodowato zimną wodą. Pomoczył sobie przy okazji kołnierzyk, przez co zimne krople spłynęły po jego piersi i plecach, ale nie przeszkadzało mu to. Z ulgą przyjął orzeźwiające doznanie. Pełna minuta minęła, zanim się wyprostował i spojrzał w lustro.

Tak bardzo się zmienił.

Wpatrując się w odbicie własnych oczu, wziął bardzo głęboki wdech i zatrzymał powietrze w płucach. Po kilku chwilach zaczął je powoli wypuszczać przez zaciśnięte usta.

– Po prostu oddychaj – powiedział do siebie po cichu. – Po prostu oddychaj.

Powtórzył ten proces pięciokrotnie, zanim w końcu zakręcił wodę.

Czas, aby wrócić do normalności.

Przyłożył lewą dłoń do twarzy i koniuszkami palców odciągnął w dół powiekę prawego oka. Następnie kciukiem i palcem wskazującym delikatnie wyciągnął błękitną soczewkę kontaktową, którą nosił przez ostatnie dwanaście godzin. Gdy pozbył się również drugiej z lewego oka, wrzucił obie do muszli klozetowej i spuścił wodę. Kiedy jego tęczówki odzyskały prawdziwy kolor, Pan J zajął się sztucznymi wąsami, kozią bródką i zębami, po czym odłożył je ostrożnie na bok. Przez kolejną minutę otwierał i zamykał usta, wykonując ćwiczenia rozciągające, oraz masował brodę i górną wargę, aby pozbyć się nieprzyjemnego uczucia.

Pan J zaczynał wyglądać jak Pan J.

Ostatnim krokiem było delikatne zdjęcie blond peruki. Gdy już się z tym uporał, zaczął masować skórę głowy koniuszkami palców.

Rany, czyż to nie przyjemne uczucie?

W tamtej chwili tylko jednej rzeczy potrzebował bardziej niż prysznica. Wrócił do sypialni i z małej lodówki wyciągnął parę miniaturowych buteleczek whisky, a następnie wlał ich zawartość do szklanki – bez wody, bez lodu. Gdy upił pierwszy łyk, zamknął oczy i pozwolił podniebieniu zatonąć w złocistym płynie. Nie był to trunek wysokiej jakości, ale miał wystarczającą moc. Upił jeszcze jeden łyk i odstawił szklankę na stolik nocny. Gdy sięgnął po walizkę, usłyszał dzwonek komórki dobiegający z kieszeni marynarki. Po dźwięku rozpoznał, że to jego prywatny telefon, a nie służbowy. Wziął go do ręki, sprawdził wyświetlacz i zmarszczył brwi. Dzwoniła Cassandra, nie było to jednak zwyczajne połączenie, tylko rozmowa wideo.

Pan J rozmawiał w ten sposób z żoną tylko raz, jedenaście miesięcy wcześniej, kiedy sprawdzali możliwości jej nowej komórki. Żadnemu z nich nie spodobało się zbytnio to doświadczenie.

Prawdopodobnie chce się dowiedzieć, kiedy wrócę do domu, pomyślał. *Ale dlaczego przez wideopołączenie?* Kolejna myśl, która przyszła mu do głowy, przepełniła go poczuciem ulgi. *Jak dobrze, że zdjąłem ten cały syf z twarzy.*

Trzymał aparat przed sobą i zaakceptował rozmowę, jednak obraz, który pokazał się na wyświetlaczu, sprawił, że poczuł się jeszcze bardziej zdezorientowany. Widział jedynie ścianę w ich salonie. Rozpoznał pomieszczenie dzięki zegarowi ściennemu i oprawionemu obrazowi Gauguina, który jego żona kupiła kilka lat wcześniej.

– Halo? Cass? Gdzie jesteś? – zapytał niepewnym głosem. – Wszystko w porządku?

Bez odpowiedzi.

– Cass?

Cisza.

– Kochanie, nie wiem, czy mnie słyszysz, ale to chyba nie działa. Ani cię nie widzę, ani nie słyszę.

W dalszym ciągu nie doczekał się odpowiedzi, jednak obraz w telefonie przesunął się w prawo i w końcu twarz Cassandry znalazła się w kadrze.

Pan J poczuł zimny dreszcz przebiegający mu po karku. Coś było nie tak. Coś było bardzo nie tak.

Jego żona siedziała na jednym z krzeseł w salonie, a włosy miała związane w koński ogon. Głowę trzymała opuszczoną, przez co część twarzy miała zasłoniętą, jednak mężczyzna widział dość, żeby nim to wstrząsnęło. Kobieta płakała, a wnosząc z zaczerwienionego nosa i rozmazanego makijażu, który spłynął jej aż do brody, robiła to już od dłuższego czasu.

Pod względem emocjonalnym Cassandra to najsilniejsza kobieta, jaką kiedykolwiek spotkał. Niełatwo doprowadzić ją do łez. Pan J widział to tylko raz, osiem lat wcześniej, gdy zmarła jej matka.

– Kochanie, co się stało? Nic ci nie jest? Dlaczego płaczesz? – W jego głosie brzmiała szczera troska.

Głęboko wciągnęła powietrze przez zatkany nos, ale się nie odezwała.

– Cass, powiedz coś, na litość boską. Zaczynam się bać. – Przekręcił telefon w lewo, a potem w prawo, szukając czegoś. – Co jest, kurwa? Dźwięk jest wyłączony? Nie wiem, czy ta wideorozmowa dobrze działa, kotku.

– Z dźwiękiem jest wszystko w porządku, John.

Głos, który wydobył się z malutkiego głośniczka komórki, sprawił, że całe ciało mężczyzny zesztywniało. Został cyfrowo przerobiony, żeby był niski i chropowaty. O wiele za niski jak na ludzki głos.

– Co? Kto tam, kurwa, jest? I co to za demoniczny głos? Co tam się, do cholery, wyprawia?

– To się wyprawia, że założyłem się z twoją żoną.

Pan J był coraz bardziej zmieszany.

– Co? Czy to jakiś żart?

– Och! Absolutnie nie. Mogę cię zapewnić, że to tak prawdziwe, jak tylko się da.

– Kim jesteś?

– To, kim jestem, nie ma znaczenia. Ale ma co innego. Podnieś głowę.

Polecenie zostało skierowane nie do niego, tylko do jego żony. Cała drżała, ale je spełniła.

Spojrzała przed siebie i kiedy ujrzała twarz swojego męża na małym wyświetlaczu, kolejna fala łez spłynęła po jej policzkach. Serce Pana J pękło. Skupił całą swoją uwagę na jej oczach i dostrzegł w nich coś, czego nigdy wcześniej tam nie było. Całkowity brak nadziei oraz ogromny strach. Zrozumiał, że cokolwiek tam się działo, to nie był żart.

– Cassandra, co jest grane? Kto jest z tobą w domu?

Jej wargi zadrżały, ale pokręciła tylko głową.

– Nie wolno jej rozmawiać, John – oznajmił demoniczny głos. – Muszę najpierw dać jej pozwolenie.

Na przekór tym słowom kobieta się odezwała, lecz była w stanie z siebie wydusić wyłącznie cichy szept.

– John, proszę.

ŁUP.

Została uderzona w twarz tak szybko, że mężczyzna nawet nie zauważył ruchu. Siła ciosu sprawiła jednak, że cała głowa kobiety przekrzywiła się w lewo. Skóra na jej prawym policzku natychmiast się zaczerwieniła, a straszliwy ból wydarł z niej krzyk, po którym nastąpiło łkanie.

Pan J był tak zaskoczony, że jego serce zgubiło na chwilę rytm. Otworzył szeroko oczy w zupełnym niedowierzaniu.

– Co jest, kurwa? Ty sukinsynu!

– Mówiłem, że nie wolno ci mówić, dopóki ci nie pozwolę, czyż nie? – wyjaśnił spokojnie demoniczny głos. – Nie rób tego więcej.

Kobieta powoli uniosła głowę i ponownie spojrzała na wyświetlacz telefonu. Silne uderzenie spowodowało również rozcięcie w kąciku ust, przez co kropelka krwi ściekła po jej brodzie. Strach w jej oczach zmienił się w przerażenie.

Gniew popłynął w żyłach Pana J niczym mroczna lawina, rozlewając się we wszystkich kierunkach, aż całe jego ciało zaczęło drżeć.

– Cassandro, kochanie, posłuchaj mnie. Wszystko będzie dobrze. Obiecuję. Na razie rób wszystko, co on ci każe. Załatwię to. Obiecuję ci, najdroższa. Prędzej umrę, niż pozwolę, żeby coś ci się stało.

Kobieta przełknęła z trudem, a kolejne łzy spłynęły jej po policzkach. Mrugnęła i pochyliła minimalnie głowę, żeby przekazać mężowi nie tylko, że zrozumiała, ale również że pokłada w nim całą swoją wiarę.

Mężczyzna zamknął oczy i wziął głęboki wdech. Kiedy je ponownie otworzył zaledwie moment później, wyglądało, jakby przeistoczył się w zupełnie inną osobę. Taką, której Cassandra nigdy wcześniej nie widziała.

Trzydzieści

Twarz Pana J była całkowicie pozbawiona emocji, spojrzenie miał zimne niczym lód, ale pełne skupienia. Pomimo wszystkiego, co się właśnie działo, następne słowa wypowiedział przerażająco spokojnie, z ogromną determinacją.

– Teraz ty mnie posłuchaj, kimkolwiek jesteś. Wiem, dlaczego to robisz. Wiem, że jesteś wściekły. Wiem, że zostałeś skrzywdzony, ale twój problem dotyczy mnie, nikogo innego. Moja żona nie ma z tym nic wspólnego. Więc rozpraw się ze mną. – Przysunął twarz bliżej telefonu. – Ty i ja. Nikt więcej. Wybierz tylko czas i miejsce, a zjawię się tam. Masz na to moje słowo. Wtedy rozwiążemy to, jak tylko będziesz chciał, na twoich warunkach. Bez żadnych pytań. Teraz jednak musisz zostawić moją żonę w spokoju i wyjść z mojego domu.

– Wiesz, dlaczego to robię? – zapytał demoniczny głos. Nawet pomimo cyfrowych zniekształceń sarkazm był wyraźny.

– Nie udawaj idioty – odpowiedział John lodowatym tonem. – Obaj wiemy, dlaczego chcesz się na mnie zemścić. Jak mnie odnalazłeś, to zupełnie inne pytanie. Najwidoczniej musiałem być nieostrożny w trakcie jednego z moich zleceń i zostawiłem jakiś ślad, który cię doprowadził do mnie. Gratuluję. Cholera wie, ile czasu zajęło ci wytropienie mnie, ale to już bez znaczenia. Masz mnie. Jestem tutaj. Tego właśnie chciałeś, czyż nie? Zatem *weź mnie*. I wypuść moją żonę.

Oczy Cassandry się zwęziły. Odczuwany dotąd strach zaczął się przeradzać w zdumienie.

– To się zrobiło bardzo interesujące – powiedział głos z zadowoleniem. – Wnosząc z miny twojej małżonki, ona jest równie zaintrygowana jak ja. Może zatem nam powiesz, dlaczego niby szukam na tobie zemsty?

– Skoro mnie szukasz, to doskonale wiesz, do czego jestem zdolny. Dalej chcesz zgrywać idiotę?

Jego twarz nadal pozostawała całkowicie wyprana z emocji, jednak w jakiś sposób spojrzenie zawierało jeszcze więcej groźby niż przed chwilą.

– Powtarzam: zostaw moją żonę w spokoju. Wyjdź z mojego domu. Potem możemy to rozwiązać, jak tylko będziesz chciał.

– Bardzo mi przykro, że muszę cię zawieść, John, ale wbrew temu, co myślisz, a przyznaję, że bardzo mnie to zaciekawiło, nie ma takiej rzeczy, którą moglibyśmy razem rozwiązać. Musiałeś zrobić coś bardzo niedobrego, skoro uważasz, że ktoś mógłby chcieć skrzywdzić twoją żonę w ramach zemsty. Cokolwiek to jednak było, to nie moja sprawa. Tak czy inaczej, ta zabawa zaczyna się robić nudna, a czas leci... zwłaszcza dla Cassandry. Zatem teraz *ja* powiem ci, co będzie dalej. Jak już mówiłem, założyłem się z twoją żoną. Dwa pytania. Zadam ci dwa pytania. Twoim zadaniem jest odpowiedzieć poprawnie na oba. Jeśli ci się uda, to puszczę ją wolno i żadne z was już nigdy więcej nawet o mnie nie usłyszy. Jeśli jednak ci się nie uda... – Niedokończone zdanie zawisło złowrogo między nimi na kilka sekund. – Teraz nadstaw uszu, ponieważ nie będę powtarzał zasad.

– Nie słuchasz mnie – przerwał demonowi Pan J. Jego głos nadal brzmiał spokojnie, ale emanował siłą i żądaniem. – Nie będziemy teraz grać. Nie o jej życie. Spotkamy się twarzą w twarz i wtedy możemy zabawić się w jakąkolwiek posraną gierkę, jaką tylko...

– Zamknij mordę – uciął tajemniczy rozmówca. – To *ty* mnie nie słuchasz. Daję ci szansę na uratowanie jej życia, ale możesz to zrobić wyłącznie poprzez podanie mi dwóch poprawnych odpowiedzi. Jeśli nie chcesz, jeśli się wycofasz, to ona zginie teraz, tutaj, wprost na twoich oczach.

Na ekranie kobieta znów zalała się łzami. Głowa opadła jej w dół, a całym ciałem zaczęły wstrząsać dreszcze.

Czy to możliwe, że to tylko zbieg okoliczności? – pomyślał Pan J. *Czy ten debil naprawdę nie zdawał sobie sprawy, z kim ma do czynienia?* Możliwe. Wiedział, że jest najlepszy w tym, co robił. Nie popełniał błędów. Zachowywał najwyższą ostrożność. Jak zatem ktoś zdołałby go wytropić?

– Cass, skarbie, posłuchaj mnie – spróbował ją uspokoić. – On cię nie dotknie. Nie skrzywdzi. Obiecuję ci to, najdroższa. – Zamilkł na chwilę, gdy ponownie się odezwał, swoje słowa skierował do tajemniczego rozmówcy: – Jeśli to prawda, że nie wiesz, co robię ani kim jestem, to pozwól, że dam ci szansę na ponowne przemyślenie swoich czynów. Pracuję dla najpotężniejszego syndykatu w Los Angeles. Najpotężniejszego syndykatu w całej Kalifornii. Syndykatu, którego nie wiążą żadne prawa. Który ustanawia swoje własne. Czy rozumiesz, co do ciebie mówię? – Nie dbał o odpowiedź. – Moja rola w tej organizacji jest bardzo specyficzna. Można powiedzieć, że jestem „ostatecznym wykonawcą" ich praw. Znajduję się na samym końcu łańcucha rozwiązywania problemów. A tak naprawdę ja stanowię koniec tego łańcucha. Jeśli cię odwiedzę, będę ostatnią osobą, którą zobaczysz w życiu. Zrozumiałeś?

Nastąpiła celowa pauza.

– Czyli chcesz mi powiedzieć, że jesteś... spluwą do wynajęcia? – odpowiedział demon. W jego cyfrowo przerobionym głosie zabrzmiało coś dziwnego, zupełnie jakby próbował powstrzymać śmiech. – Mordercą. Skrytobójcą. I pracujesz dla jakiegoś... zbrodniczego syndykatu. I powinienem się teraz ciebie bardzo bać.

– Chcę ci powiedzieć, że jeśli mojej żonie spadnie włos z głowy, to nie znajdziesz na ziemi kamienia, pod którym mógłbyś się przede mną schować, bo wszędzie cię znajdę i żywcem obedrę ze skóry – oznajmił John niezmienionym tonem. – To nie jest groźba. Tylko obietnica. Wyrwę ci serce z piersi i rzucę szczurom na pożarcie. Sprawię, że poczujesz cierpienie, jakiego nie jesteś w stanie sobie nawet wyobrazić. Czy to do ciebie dociera?

Brak odpowiedzi.

– Zatem teraz ja oferuję tobie szansę na uratowanie *twojego* życia. Jeśli zostawisz Cassandrę w spokoju i wyjdziesz, nie będę cię szukał. Nie będę na ciebie polował. *Pozwolę* ci żyć. Masz moje słowo. Po prostu wyjdź, a ja obiecuję, że zapomnę o tym wszystkim. Słuchasz mnie?

Minęło kilka sekund ciszy.

– Tak – odpowiedział w końcu demon. – A czy *ty* mnie słuchasz? Jeśli tak, to lepiej obserwuj wyświetlacz.

Trzydzieści jeden

Psychoterapeutka doktor Gwen Barnes została w swoim gabinecie po wyjściu ostatniego pacjenta. Wolała przeglądać notatki, kiedy sesje terapeutyczne były nadal świeże w jej pamięci. Dodatkowo nie chciała zabierać pracy do domu, o ile nie zachodziła taka konieczność. A już szczególnie nie w sobotnie wieczory.

Pierwszą pacjentką w tym dniu była kobieta w średnim wieku, z którą odbyła już kilka sesji. Wszystko wskazywało na to, że miała problemy tylko dla samego faktu ich posiadania. Każde spotkanie polegało na przerabianiu jakiejś kwestii, która tak naprawdę nie stanowiła nigdy problemu, a jedynie została w niego przekuta.

– Nie ma tutaj za wiele do powtarzania – powiedziała do siebie doktor Barnes.

Kolejne cztery osoby przyszły w poszukiwaniu pomocy w skomplikowanych małżeńskich rozterkach. Gwen dawała z siebie wszystko, ale wiedziała, że na dłuższą metę związki tej czwórki klientów są, z braku lepszego słowa, skazane na porażkę. Każde z nich ledwo potrafiło znieść widok swojego współmałżonka, a terapeutka odnosiła wrażenie, że pojawiają się na sesjach nie tyle, aby znaleźć jakieś rozwiązanie, ile żeby móc spędzić kolejne dziewięćdziesiąt minut z dala od osób, które darzą zaciekłą nienawiścią.

Jej ostatnia pacjentka, siedemnastoletnia Beverly Dawson, stanowiła prawdziwą zagadkę. Cierpiała z powodu licznych zaburzeń osobowości, a jej przypadek był równie fascynujący, co momentami przerażający. W czasie ośmiu spotkań terapeutka odkryła jej pięć różnych osobowości, a każda z nich objawiała złożoność o zupełnie innym wymiarze. Najbardziej przerażającą z nich Gwen nazwała w tajemnicy „Poważnie Agresywną Beverly", w skrócie PAB.

Gdy skończyła przeglądać notatki, instynktownie położyła prawą dłoń na lewym nadgarstku. Ten ruch wykonywała nieświadomie zawsze, gdy była zdenerwowana albo zamyślona. Kiedy palce dotknęły gołej skóry, ogarnęło ją smutne, niemal bolesne uczucie. Zacisnęła powieki i odepchnęła je od siebie. Chwilę później przysunęła krzesło bliżej biurka i wyłączyła komputer.

Gdy w końcu zamknęła drzwi swojego gabinetu na resztę weekendu, wsiadła do windy i zjechała nią na podziemny parking. To był długi dzień. Tak naprawdę to długi tydzień. Dlatego też nie mogła się już doczekać powrotu do domu, gorącego prysznica i butelki czerwonego wina. A co tam, może wypali sobie także skręta.

Podeszła do swojej perłowobiałej toyoty camry, o tej porze będącej jednym z niewielu aut na parkingu, i zauważyła, że ktoś zostawił coś na przedniej szybie, co z kolei zbytnio jej nie zaskoczyło. Niemal każdego dnia znajdowała za wycieraczką przynajmniej jedną ulotkę. Większość reklamowała sieci fast foodów w okolicy albo informowała o happy hours w pobliskich barach.

Doktor Barnes stanęła przy samochodzie i sięgnęła po kartkę, gotowa ją wyrzucić. Tylko tym razem okazało się, że to nie jest ulotka, a koperta. W poprzek niej znajdowało się imię terapeutki utworzone z powycinanych z jakiejś gazety liter.

– Co, do cholery? – wyszeptała, po czym postawiła teczkę na ziemi i rozerwała kopertę.

Jej zaskoczenie wzrosło. W środku znalazła złożoną na pół kartkę, na której z kolei poprzyklejano jeszcze więcej wyciętych liter i wyrazów tworzących razem krótką wiadomość. Rozłożyła ją i zamierzała zabrać się do czytania, kiedy usłyszała jakiś dźwięk dochodzący z lewej strony. A przynajmniej tak jej się zdawało. Natychmiast zerknęła w tamtym kierunku. W ciemnościach parkingu nie dostrzegła niczego. Nikt tam nie stał. Omiotła wzrokiem niemal pusty budynek. Nadal nic nie widziała. Ani nikogo. Ponownie skupiła uwagę na kartce i w końcu mogła przeczytać wiadomość.

– Co? – spytała, marszcząc brwi. Instynktownie znowu się rozejrzała. Nic w otoczeniu się nie zmieniło.

Spojrzała znów na początek liściku i drugi raz go przeczytała. Gdy skończyła, zaśmiała się pozbawionym wesołości śmiechem.

– Co za głupi, durny żart. Ktoś myśli, że w to uwierzę? – powiedziała sama do siebie, gotowa wyrzucić wiadomość do śmieci. Wtedy zorientowała się, że w kopercie coś jeszcze jest.

Wysypała to na otwartą dłoń.

Ułamek sekundy później jej serce stanęło.

Trzydzieści dwa

Po wyjściu partnera Hunter został w biurze sam. Nie był zbytnio obeznany z Facebookiem, Twitterem i resztą mediów społecznościowych, ale chciał pogrzebać głębiej w profilach Karen Ward, Tanyi Kaitlin i Pete'a Harrisa. Zaczął od dokładnego przeczytania wszystkich komentarzy pod postem o odmóżdżaniu. Żaden z nich się nie wyróżniał, z wyjątkiem tego pozostawionego przez Tanyę, która otwarcie przyznała, że nie zna żadnego numeru na pamięć. Oczywiście morderca mógł zdobyć te informacje na mnóstwo innych sposobów, a ten post to jedynie przypadek, jednak Robert nie wierzył w zbiegi okoliczności. A już szczególnie nie w tej sprawie, gdy Karen zapytała bezpośrednio: *Serio? Nawet mojego? Super z ciebie przyjaciółka, lol.*

Kolejne półtorej godziny spędził na przeskakiwaniu z jednego profilu na drugi, czytając komentarze i oglądając zdjęcia oraz zamieszczone obrazki. Im więcej czytał i im więcej oglądał zdjęć, tym bardziej czuł się zaskoczony. Mówiąc w skrócie, ludzie podawali wszystkim swoje całe życie na tacy, dostępne dla każdego, komu chciało się o nim czytać. Co prawda strony oferowały całkiem solidny system zabezpieczeń, większość ludzi miała go jednak gdzieś.

O 9.30 oczy Huntera zaczęły łzawić od wpatrywania się w monitor. Musiał wyjść z biura.

Największą pasją detektywa była whisky single malt. W jego mieszkaniu, ukryty w rogu salonu, znajdował się staroświecki barek z niewielką, aczkolwiek imponującą kolekcją tegoż trunku. Zbiór mógłby zadowolić podniebienie większości koneserów. Sam nigdy nie nazwałby się znawcą whisky, ale w przeciwieństwie do wielu ludzi wiedział, jak doceniać jej smak i jakość, zamiast po prostu się nią upijać. Chociaż czasami upijanie się w zupełności wystarczało.

Rozważał pójście do domu, gdzie mógłby rozkoszować się ulubionym trunkiem w dowolnych ilościach, nie płacąc za to fortuny, ale przyszło mu do głowy, że siedzenie w czterech ścianach może nie być takim dobrym pomysłem. Robert żył samotnie. Nie miał żony. Nie miał dziewczyny. Nigdy się nie ożenił, a jego związki rzadko trwały dłużej niż kilka miesięcy, na ogół zresztą znacznie krócej. Presja, jaką wywoływało stanowisko detektywa w policji LA, w jednostce SO, oraz zaangażowanie, jakiego ono wymagało, przerastało większość ludzi. Nie przeszkadzało mu kawalerskie życie. Mieszkanie w pojedynkę również. Jednak był istotą ludzką i czasami pustka małego mieszkania stawała się ostatnią rzeczą, której potrzebował. Tego wieczora nadeszła jedna z tych chwil.

Życie nocne w Los Angeles według niektórych należy do najżywszych, najbardziej szalonych i ekscytujących na świecie. Spektrum wyboru praktycznie nie ma końca: od luksusowych i modnych nocnych klubów, gdzie bogaci i znani bawią się razem z gwiazdami Hollywood, po bary tematyczne, obskurne, ciemne mordownie i imprezy, na których szaleją różni dziwacy. Każdy, niezależnie od nastroju i rodzaju oczekiwanej zabawy, znajdzie coś dla siebie. Hunter czuł, że ma nastrój na mocnego drinka w spokojnym miejscu.

Trzydzieści trzy

– A czy *ty* mnie słuchasz? Jeśli tak, to lepiej obserwuj wyświetlacz. Niezachwiana determinacja brzmiąca w tym cyfrowo zmienionym głosie spowodowała, że Pan J poczuł mdlącą gulę w żołądku. Jego pełne zwątpienia i gniewu oczy wpatrywały się w oczy żony, dla odmiany przepełnione strachem. Zauważył w nich jednak coś jeszcze. Coś, co widział już wiele razy, ale nigdy nie w jej spojrzeniu. Spotykał się z tym u ludzi, z którymi miał do czynienia – tymi, których likwidował. To była desperacja spowodowana całkowitą utratą nadziei.

Kobieta nadal nie miała pojęcia, co się dzieje i dlaczego przytrafia się to właśnie jej, ufała jednak mężowi niemal bezgranicznie i aż do teraz wierzyła ślepo w każde jego słowo.

Cassandro, kochanie, posłuchaj mnie. Wszystko będzie dobrze. Załatwię to. Obiecuję ci, najdroższa. Prędzej umrę, niż pozwolę, żeby coś ci się stało.

Uświadomiła sobie, że to nie była prawda. Co mógłby zrobić? Jak miałby dotrzymać tej obietnicy? Jak mógł sprawić, że nie stanie jej się krzywda? Jak miał ją obronić, skoro znajdował się tyle kilometrów od niej?

Czuła bezgraniczne zmieszanie. Nigdy nie widziała, żeby jej mąż wyglądał na tak pozbawionego emocji. Nigdy nie słyszała takiego lodu w jego głosie. To nie Pan J, jakiego znała. To nie mężczyzna, za którego wyszła. Jej mąż był doradcą biznesowym. Prowadził własną, niewielką firmę, prawda?

Pracuję dla najpotężniejszego syndykatu w Los Angeles. Najpotężniejszego syndykatu w całej Kalifornii. Syndykatu, którego nie wiążą żadne prawa. Który ustanawia swoje własne. Moja rola w tej organizacji jest bardzo specyficzna. Można po-

wiedzieć, że jestem „ostatecznym wykonawcą" jej praw. Znajduję się na samym końcu łańcucha rozwiązywania problemów. A tak naprawdę ja stanowię koniec tego łańcucha. Jeśli cię odwiedzę, będę ostatnią osobą, którą zobaczysz w życiu.

Co, do cholery, wygadywał? Czy cokolwiek z tego było prawdą? Jeśli blefował, żeby przestraszyć tego mężczyznę w jej domu, to w ogóle mu się nie udało.

– Patrz w ekran – powiedział ponownie demon.

Nagle, niemal tak szybko jak wtedy, gdy napastnik spoliczkował Cassandrę, dłoń w rękawiczce pojawiła się i dźgnęła kobietę w szyję. Całe jej ciało zadrżało gwałtownie, najpierw pod wpływem ciosu, następnie bólu. Jej usta się otworzyły, gotowe do nieuniknionego krzyku, jednak sparaliżowane struny głosowe wydały z siebie jedynie potulny jęk, ledwie wyłapany przez mikrofon telefonu.

– NIEEEEEEEEE!

Zamiast niej wrzasnął John.

Trzymając telefon, skoczył na równe nogi. Stracił równowagę, ale zaraz złapał się łóżka. Gula, którą wcześniej czuł w żołądku, przerodziła się w bezdenną otchłań mogącą pochłonąć go od środka.

Wciąż patrzył w oczy żony, które zaszły mgłą. Świadomość w nich przeradzała się szybko w otępienie.

Gdy dłoń w rękawiczce się odsunęła, Pan J zrozumiał w końcu, co się wydarzyło. Biorąc pod uwagę kąt dźgnięcia, krew z tętnicy powinna wylecieć z wystarczającym ciśnieniem, żeby chlusnąć na drugi koniec pokoju. Wiedział o tym bardzo dobrze. Zamiast tego widział na szyi żony jedynie kropelkę czerwonego płynu, w miejscu, gdzie skórę przebiło ostrze strzykawki.

– Spokojnie, John – powiedział łagodnym i tajemniczym tonem demon. – Twoja ukochana żyje. Jeszcze. Po prostu wstrzyknąłem jej środek, który sparaliżuje większość jej ciała, ale nie wpłynie na mózg ani układ nerwowy. Wzrok i słuch również nie zostaną w żaden sposób przytłumione. Wiesz, co to oznacza, prawda? – Tym razem drugi mężczyzna zrobił dramatyczną pauzę. – To oznacza, że jej ciało jest sparaliżowane, ale ona wszystko widzi, słyszy i czuje. Czyż to nie cudowne?

Na małym wyświetlaczu było widać, jak oczy kobiety błądziły bez celu przez chwilę, aż w końcu ponownie skierowały się w stronę kamery. Widoczne w nich zmieszanie przeistoczyło się w opór, następnie pustkę, a ostatecznie w całkowite przerażenie, kiedy zrozumiała, że nie ma już władzy nad własnym ciałem.

Pan J czytał w nich jak w książce i jego serce pękło po raz drugi.

– Zatem, jak już próbowałem wyjaśnić, zanim mi przerwałeś, takie są zasady.

Ciało Johna zadrżało pod wpływem gniewu i czegoś, czego już od dawna nie doświadczał: strachu. Naprawdę czuł to, co powiedział. Mając cień szansy, oddałby swoje życie za żonę, w każdej chwili, bez wahania.

– Weź mnie – powiedział tak spokojnie, jak tylko potrafił, utrzymując swój gniew na wodzy. – Przyjdę do ciebie ze związanymi rękami, zasłoniętymi oczami... jak tylko chcesz. Powiedz tylko gdzie, a tam będę. Możemy zrobić zamianę. Puścisz moją żonę i dostaniesz mnie. Potem będziesz mógł zrobić, co zechcesz. Jeśli to sprawia ci radość, będziesz mógł przysporzyć mi tyle bólu, ile tylko zapragniesz, zanim mnie zabijesz. Nie będę się bronił. Obiecuję. Tylko ją wypuść.

Całkowita cisza.

Wtedy Pan J wymyślił zupełnie nową teorię. To było, jakby go ktoś spoliczkował.

– Chodzi o pieniądze? – zapytał, wątpiąc we własne słowa. – Tego pragniesz?

Nadal cisza.

– Mam blisko cztery miliony dolarów na zagranicznym rachunku bankowym. Jeśli ruszę inne środki, powinienem uzbierać kolejny milion. To daje razem *pięć* milionów dolarów. Wszystkie twoje. Przeleję do ostatniego centa, wystarczy tylko, że...

– Nie słuchasz mnie, John – przerwał mu ponownie demon. – Jest tylko jeden sposób, w jaki możesz teraz pomóc swojej żonie, czyli poprzez udzielenie poprawnych odpowiedzi na moje dwa pytania. Jeśli jeszcze raz mi przerwiesz, wezmę to za błędną odpowiedź. Za każdym razem kiedy popełnisz błąd, twoja żona zostanie ukarana. Rozumiesz, co do ciebie mówię?

Wzrok Cassandry wyrażał błaganie.

– Tak czy nie, John? Żadna inna odpowiedź nie pomoże. Jeśli powiesz teraz coś innego niż „tak" albo „nie", to zacznę ją karać.

Poza polem widzenia kamery palce Pana J zacisnęły się w pięść, a on sam zatrząsł się z niemożliwego do opisania gniewu. W całym swoim życiu nie czuł się nigdy tak bezradny. W końcu podał taką odpowiedź, jaką głos pragnął usłyszeć.

– Tak.

– No, wreszcie jesteśmy na dobrej drodze. – Kolejną minutę zajęło demonowi wyjaśnienie zasad. – Proste, czyż nie? I nawet nie myśl o dzwonieniu na policję. Nie mają szans dotrzeć tutaj na czas.

Pan J poczuł, że w ustach ma sucho jak na pustyni.

– Zatem słuchaj uważnie, bo od tego zależy życie twojej ukochanej.

Nastąpiła pełna napięcia pauza.

– Gdzie urodziła się Cassandra?

John zmrużył oczy. Dobrze usłyszał? Ten psychol żartuje? Od takiego debilnego pytania ma zależeć życie jego żony?

– Czy to jest, kurwa, żart? – Krew gotowała mu się w żyłach.

– Masz pięć sekund. – W zmienionym cyfrowo głosie nie dało się wyczuć żadnego rozbawienia.

Kobieta nie była w stanie się poruszyć, dotyczyło to również jej twarzy, jednak w oczach odbijały się te same uczucia co u jej męża. Przerażenie przemieniło się w dezorientację.

Co? To jest to pytanie? Niemożliwe. Co tu się, do cholery, wyprawia? To musi być jakiś chory żart.

Następnie dezorientacja przerodziła się w nadzieję. Pan J odwiedzał miasto, w którym się urodziła, tak wiele razy, że jego nazwa wryła mu się w mózg. Nie ma szans, żeby źle odpowiedział.

– ...cztery... trzy...

– Cassandra urodziła się w Santa Ana. Hrabstwo Orange, Kalifornia... co to, *kurwa*, ma być?

Spojrzenie kobiety zmiękło, w jej oczach pojawiły się łzy. Tym razem były to łzy radości.

– Zgadza się. Gratuluję. Widzisz, to wcale nie takie trudne, czyż nie? Teraz wystarczy, że podasz mi jeszcze jedną poprawną odpowiedź i razem z żoną będziecie mogli wrócić do bycia szczęśliwą parą. Chociaż wydaje mi się, że będziesz miał sporo do wyjaśnienia. – Nastąpiła kolejna krótka pauza. – No ale nie wyprzedzajmy faktów. Zostało jeszcze jedno pytanie.

Przez cały ten czas Pan J nie odrywał spojrzenia od twarzy ukochanej. Do nadziei w jej wzroku dołączył lęk. Do gniewu w jego niedowierzanie.

– Twoja rocznica ślubu – powiedział głos. – Kiedy wypada?

Gdy Cassandra usłyszała pytanie, jej lęk przerodził się w całkowitą panikę.

Pomimo całej miłości, którą do niej czuł, John od siedmiu lat zapominał o ich rocznicy ślubu. Żona przypominała mu trzykrotnie, ale po czwartym razie uznała, że nie ma to sensu. Mimo wszystko nigdy go za to nie winiła. Wiedziała, że te zaniki pamięci zaczęły się, kiedy ona przeżywała depresję, o której z kolei mąż nie miał zielonego pojęcia, gdyż starannie ją przed wszystkimi ukrywała. Gdy Cassandra oddaliła się od niego przez swoją chorobę, on zrobił to samo na swój sposób. Zapomnienie o rocznicy stało się tego naturalną konsekwencją.

Rozpacz w oczach kobiety była odzwierciedlona w postawie Pana J. Od kiedy twarz żony pojawiła się w małym wyświetlaczu jego komórki, po raz pierwszy zerwał z nią kontakt wzrokowy. Spojrzał w lewo, potem w prawo, zupełnie jakby szukał odpowiedzi w powietrzu.

– Masz pięć sekund... cztery...

Mężczyzna popatrzył w górę. Znał tę datę. Oczywiście, że znał datę własnego ślubu. Po prostu musiał poszukać jej w pamięci.

– Trzy...

Oddychał o wiele bardziej nerwowo, niż mu się wydawało.

– Dwie...

Spojrzał na wyświetlacz i zobaczył, że po twarzy jego żony ponownie spływają łzy. W jej oczach już nie widział radości.

– Jedną...

– Siódmy marca – wyrzucił w końcu z siebie. – Pobraliśmy się siódmego marca. W roku tysiąc dziewięćset dziewięćdziesiątym szóstym.

Trzydzieści cztery

Siedząc w pokoju przesłuchań komisariatu policji na West Six Street, doktor Gwen Barnes kończyła swoją wystygłą kawę. Gdy przełknęła gorzki płyn, jej żołądek zaprotestował.

– To by było na tyle – wyszeptała. Odstawiła pusty już papierowy kubek na duży metalowy stół i odepchnęła go od siebie. Nawet gdyby to była najlepsza gatunkowo kawa na świecie, po pięciu kolejkach nie dałaby rady wypić kolejnej. Teraz potrzebowała dużego kieliszka wina. Nie, chrzanić to. Cała butelka wydawała się zdecydowanie lepszym wyborem.

– No, ludzie, to już dawno przestało być niedorzeczne – powiedziała, odwracając się do wielkiego, przypominającego okno lustra po prawej stronie. Nie po raz pierwszy znajdowała się w takim pomieszczeniu. Doskonale wiedziała, że patrzy na lustro weneckie, jednak to nie było przesłuchanie. Nikt nie siedział po drugiej stronie i się jej nie przyglądał – a szkoda. Może ktoś by jej wysłuchał.

– To jakiś żart – oznajmiła wystarczająco głośno, żeby wychwycił to mikrofon na środku stołu. – Detektyw musiał już do tej pory wrócić. No bez jaj.

Gdy skończyła zdanie, odwróciła się w kierunku ciężkich drzwi kawałek za nią i czekała, aż ktoś je w końcu otworzy.

Dziesięć.

Dwadzieścia.

Trzydzieści sekund minęło.

Bez rezultatu.

Wzięła głęboki wdech i oparła się na metalowym niewygodnym krześle.

Na stole przed nią leżały jej komórka, kluczyki samochodowe, koperta znaleziona za wycieraczką auta i wiadomość, która znajdowała się w środku. Za każdym razem gdy na nią patrzyła, jej serce na moment się zatrzymywało.

Kiedy przeczytała list na podziemnym parkingu budynku, w którym prowadziła swoją praktykę, doktor Barnes roześmiała się w głos, uważając, że to tylko idiotyczny i nieśmieszny kawał. Wtedy jednak znalazła w kopercie coś jeszcze, coś, co nadało wszystkiemu wyraźnie większe znaczenie. Wówczas śmiech przerodził się w panikę. Dwadzieścia pięć minut później wparowała na posterunek policji przy Venice Boulevard.

Funkcjonariusz jej wysłuchał i wszystko zanotował, mimo to Gwen zażądała rozmowy z detektywem. Nie chciała, żeby ta sprawa została zamieciona pod dywan.

Policjant wyjaśnił jej, że obecnie żaden detektyw nie jest dostępny, zatem ma dwa wyjścia. Pierwsze: mogła zostać i poczekać, jeśli naprawdę czuje taką potrzebę. Drugie: mogła wrócić do domu, a detektyw oddzwoni albo ją odwiedzi w jakiejś dogodniejszej chwili.

Ostatnią rzeczą, na jaką miała ochotę, był samotny powrót do domu, wybrała więc pierwszą opcję. Czekała już bardzo długo, jednak w dalszym ciągu nikt nie przyszedł z nią porozmawiać. Po niemal dwóch godzinach, czterech kubkach obrzydliwej kawy oraz pięciu coraz bardziej nerwowych wycieczkach do dyżurki policjant w końcu jej powiedział, że udało mu się dodzwonić do jednego z detektywów, który właśnie jest w drodze do komisariatu. Funkcjonariusz, który z łatwością dostrzegł jej frustrację, zaproponował, żeby poczekała w pokoju przesłuchań, z dala od hałasu i zamieszania panujących na korytarzu. Doktor Barnes z przyjemnością przystała na tę propozycję, ponieważ zaczynały ją niepokoić spojrzenia, jakimi obdarzał ją wytatuowany, umięśniony mężczyzna siedzący naprzeciwko.

Od tego momentu minęła już niemal godzina.

Trzydzieści pięć

Pan J zamrugał raz... potem drugi.

Cassandra patrzyła na niego chwilę dłużej, zanim w końcu zamknęła oczy.

Siódmy marca, pomyślał. *To poprawna odpowiedź, nie? Musi być. W przeciwnym razie nie wpadłaby mi tak od razu do głowy. Pobraliśmy się dwadzieścia jeden lat temu, siódmego marca w katedrze Matki Bożej Anielskiej w centrum Los Angeles.*

Kobieta otworzyła ponownie powieki. W jej spojrzeniu można było dostrzec wyłącznie przerażenie.

– Mam nadzieję, że patrzysz żonie prosto w oczy, John – powiedział w końcu demon. – Właśnie ją zawiodłeś.

– Co? Nie, zaczekaj...

– To nie jest twoja data ślubu – przerwał mu porywacz. – Zasady są takie, że jak podasz błędną odpowiedź, ona zostaje ukarana.

– Nie, proszę, poczekaj...

– Reguły to reguły. Powiedziałeś, że jesteś swego rodzaju „ostatecznym wykonawcą praw", zatem doskonale rozumiesz, że należy ich przestrzegać.

Kamera została nieco uniesiona, ale twarz Cassandry dalej pozostała w centrum. Chwilę później postać ubrana na czarno ustawiła się bezpośrednio za nią. Pan J widział jedynie głowę żony i masywny męski tors.

– Pamiętasz zasady naszej małej gry? Musisz cały czas patrzeć. Jak przestaniesz, ona zostanie ukarana. Odwrócisz głowę, ona zostanie ukarana. Odejdziesz od telefonu i przestanę cię widzieć, ona zostanie ukarana.

John wpatrywał się bez przerwy w to samo miejsce.

– A może teraz chciałbyś poznać prawdziwy powód, dla którego ją sparaliżowałem? – Demon nie czekał na odpowiedź. – Żeby nie popsuła zabawy, ruszając się.

Nagle dłonie mężczyzny pojawiły się nad głową ofiary. Nie były puste.

Trzydzieści sześć

Doktor Barnes ponownie spojrzała na zegarek.

– A, chrzanić to – warknęła pod nosem.

Miała już dość. Zebrała swoje rzeczy i wsadziła je ponownie do aktówki. Nadal nie chciała wracać sama do domu, postanowiła więc zrobić to, co należało uczynić już dawno temu – pojechać na inny posterunek.

Gdy wstała i odwróciła się, gotowa do wyjścia, drzwi do pokoju przesłuchań zostały w końcu otwarte przez wysokiego, szerokiego w barach mężczyznę. Wyglądał na czterdzieści kilka lat, jego surowa twarz sprawiała wrażenie, jakby nie uśmiechał się od dawna. Ubranie miał czyste, ale pogniecione, zupełnie jakby w nim spał, natomiast włosy proste i potargane.

– Pani Barnes – zaczął, wyciągając do kobiety dłoń. Jego głos dorównywał szorstkością aparycji. – Detektyw Julian Webb. Miło mi panią poznać.

Uścisnęła jego rękę, przedstawiając się jako „doktor".

– Naprawdę bardzo mi przykro, że musiała pani tak długo czekać, gdyby tylko było to możliwe, przyjechałbym wcześniej. Niestety dzisiaj musiałem się zająć już dwoma zabójstwami i jednym zbiorowym gwałtem.

Kobieta nie zdołała ukryć zaskoczenia.

– Niektóre noce takie już są. Jeśli to ma być Miasto Aniołów, to niech mnie Bóg broni przed wizytą w Mieście Diabłów. – Wskazał na metalowy stół. – Proszę...

Gwen usiadła na tym samym krześle, które zajmowała już od godziny. Detektyw wybrał miejsce naprzeciwko.

– Jak mogę pani pomóc? – Złączył palce i położył dłonie na blacie.

Kobieta przyglądała mu się przez chwilę. Wyglądał na człowieka, który przywykł do ciężkiej pracy i odpowiedzialności. Wciągnęła powietrze przez nos i powoli wypuściła je ustami, zanim zaczęła mówić. Rozpoczęła opowieść od momentu, gdy weszła na podziemny parking.

– Czy ma pani tę wiadomość przy sobie? – zapytał policjant, sięgając po okulary do czytania, które wisiały mu na szyi.

Doktor Barnes położyła kartkę na stole.

Mężczyzna wyciągnął z kieszeni parę lateksowych rękawiczek, założył je i odwrócił kopertę w swoją stronę.

– Nigdy wcześniej nie otrzymała pani podobnego liściku?

– Nie, ten jest pierwszy – odparła, kręcąc głową.

– Czy poza panią ktoś inny trzymał kartkę w rękach?

– Nie.

– Zatem od momentu gdy ją pani znalazła, nikt inny jej nie dotknął?

– Tak.

Webb otworzył kopertę i wyciągnął list. Ani treść, ani fakt, że autor wykorzystał wycięte z gazet litery, go nie zaskoczyły. Czytał w milczeniu.

Założę się, że nigdy nawet mnie nie zauważyłaś, kiedy brałaś swój egzemplarz „LA Timesa" ze stojaka z gazetami, mam rację?
...
Muszę przyznać, że twoje włosy pachną inaczej, kiedy nie śpisz.

Po dwukrotnym przeczytaniu tekstu mężczyzna spojrzał na Gwen. Kobieta nie odrywała od niego wzroku.

Webb ściągnął okulary i pozwolił im ponownie zawisnąć na wysokości piersi.

– Kiedy ostatni raz brała pani egzemplarz „LA Timesa" ze stojaka, doktor Barnes?

– Dzisiaj rano. Robię to codziennie przed pójściem do mojego gabinetu.

– Gdzie kupuje pani gazetę?

– W centrum. Na West Ninth Street.

Detektyw pokiwał głową.

– Ruchliwa ulica. Czy zauważyła pani kogoś stojącego tuż za panią? Mam na myśli odległość wystarczającą, żeby ten ktoś mógł powąchać pani włosy?

– Nie, nie zauważyłam.

– Proszę się zastanowić. Dzisiaj, wczoraj, przedwczoraj?

– Może mi pan wierzyć, przemyślałam to o wiele dokładniej, niż pan przypuszcza. Nie widziałam nikogo stojącego za mną dzisiaj, wczoraj, przedwczoraj ani żadnego innego dnia.

Webb rozparł się na krześle i przyjrzał siedzącej naprzeciwko kobiecie. Była atrakcyjna. Czarne włosy miała idealnie przycięte w kształt krótkiego postrzępionego boba, z podkreślającymi rysy jaśniejszymi pasmami. Oczy, równie ciemne jak włosy, emanowały pewnym spokojem, który zdawał się zaraźliwy. Cała jej aparycja działała uspokajająco. Policjant nie czuł się zaskoczony tym, że wybrała akurat zawód psychoterapeuty.

– Czy miała pani kiedykolwiek problemy ze stalkerami?

– Nie, nie mogę powiedzieć, żeby coś takiego mnie spotkało. – Teraz ona spojrzała taksująco na niego. – Nie wydaje się pan przekonany.

Mężczyzna wzruszył ramionami.

– Każdego roku dostajemy dziesiątki takich zawiadomień. Zajmuję się kilkoma z nich. Prawdę mówiąc, spełnia pani większość kryteriów idealnej ofiary stalkingu.

Doktor Barnes czuła się dość zaskoczona takim komentarzem, ale niczego po sobie nie pokazała.

– A jakie to kryteria?

– Jest pani niezamężną, bardzo atrakcyjną kobietą. Zdaje się, że robi pani karierę...

– Skąd pan wie, że nie mam męża? – przerwała mu.

Detektyw wydął wargi i uniósł brew, zupełnie jakby mówił: „Pytasz serio?".

Gwen ułożyła dłonie w geście wyrażającym kapitulację. Przez chwilę zapomniała, gdzie się znajduje.

– W porządku – zaczął Webb. Wiedział, że miała aż za dużo czasu, żeby rozważyć rozmaite scenariusze dotyczące tego listu. –

Pozwolę sobie zadać pani kilka szybkich pytań. Czy uważa pani, że wiadomość mógł zostawić jakiś eks: mąż, chłopak, kochanek? Ktoś, z kim łączył panią związek w przeszłości? Może jakaś osoba, z którą rozstanie nie przebiegło zbyt dobrze?

Terapeutka pokręciła głową.

– Nigdy nie miałam męża, a pozostałe warianty również nie pasują. Cały czas o tym myślałam, od kiedy tylko znalazłam kopertę. Czekam tu od kilku godzin, więc zdążyłam to przeanalizować sto razy. Nikt taki nie przychodzi mi do głowy.

– Jeszcze raz bardzo przepraszam, że musiała pani tak długo czekać – odparł detektyw. Jego ton był uprzejmy i szczery. – Czy spotyka się pani z kimś?

– Nie.

– A może jakiś były pacjent? Albo nawet obecny? – zasugerował.

Znowu pokręciła głową.

– Nie, o tym też już myślałam. Nie znam nikogo, kto byłby do tego zdolny.

– Ludzie są zdolni do niewyobrażalnych rzeczy. – Webb zaczął bawić się okularami. – Czy zna pani jakąś osobę, która mogłaby chcieć panią przestraszyć... albo skrzywdzić?

Gwen wzruszyła ramionami.

– Nie, nie mam żadnego pomysłu.

Mężczyzna pochylił się do przodu i oparł łokcie na blacie.

– Czy chce pani poznać moją szczerą opinię?

– Nie, proszę zaserwować mi jakąś kretyńską bajkę, to będzie o wiele bardziej pomocne.

Policjant nie zareagował w żaden sposób.

– Przepraszam – powiedziała kobieta, ponownie unosząc dłonie. – To bardzo stresujący dzień. – Przechyliła głowę. – I jestem głodna.

– Nie ma powodu do przepraszania. Rozumiem.

– Więc jaka jest pańska szczera opinia?

Webb spojrzał ponownie na kartkę, a następnie na doktor Barnes.

– Myślę, że to ściema, tak po prostu. Ktoś robi sobie z pani jaja. Być może nawet pani nie zna tej osoby. Jakiś żartowniś. Ktoś, kto wie, że jest pani psychoterapeutką i pewnie będzie pani analizować w nieskończoność taką wiadomość. Może ta osoba pracuje w tym samym budynku. Może widziała panią, jak brała dziś rano gazetę, nie wiem dokładnie. Uważam jednak, że to... – Kiwnął głową. – To, że pani tu jest. Przestraszona. To właśnie taka reakcja, na jaką liczył, robiąc ten kawał. Bardzo przykro mi to mówić, pani doktor, ale uważam, że marnuje pani swój czas.

Ku jego zaskoczeniu kobieta się z nim zgodziła.

– Dokładnie tak pomyślałam, kiedy pierwszy raz przeczytałam ten list. Uznałam, że to zwykły żart, w dodatku kiepski, ale zauważyłam, że jest coś jeszcze oprócz wiadomości.

Detektyw zmarszczył brwi, a jego spojrzenie powędrowało w kierunku koperty.

– Co takiego?

Sięgnęła po nią, otworzyła ją i przechyliła, żeby zawartość mogła się wyślizgnąć.

Trzydzieści siedem

Z imponującą kolekcją ponad trzystu rodzajów bourbona, szkockiej, single malt, mieszanej, a także żytniej whisky Seven Grand był jednym z najlepszych barów dla miłośników tegoż trunku w całym Los Angeles.

Hunter wysiadł z taksówki przy numerze 542 na West Seventh Street. Wiatr wiejący znad wybrzeża przybrał znacząco na sile, a w nocnym powietrzu dało się wyczuć lekką nutkę wilgotnej ziemi, co znaczyło, że deszcz był nieunikniony. Detektyw postawił kołnierz kurtki i przycisnął go ciasno do szyi, następnie otworzył drzwi i poszedł schodami na drugie piętro, gdzie mieścił się bar.

– Witam, dobry wieczór. – Mająca nieco ponad sto siedemdziesiąt centymetrów wzrostu brązowowłosa hostessa przywitała go przy przeszklonych drzwiach Seven Grand. Uśmiechała się zachęcająco. – Interesuje pana również karta dań czy jedynie drinków? – Mówiła z czarującym, szkockim akcentem.

– Prawdopodobnie obie.

Kobieta była niższa od detektywa o kilkanaście centymetrów, musiała więc przechylić głowę, żeby spojrzeć za niego. Nikogo więcej nie dostrzegła.

– Stolik dla jednej osoby?

– Taki już mój los – zażartował Hunter, potakując.

Hostessa uśmiechnęła się szerzej, biorąc do ręki menu.

Poprowadziła detektywa przez krótki korytarz, udekorowany tapetą i wypchanymi zwierzętami, następnie koło sali bilardowej i baru po prawej, i dalej przez zatłoczone piętro restauracyjne. Głośne rozmowy mieszały się z dźwiękami muzyki electro swing płynącymi z głośników pod sufitem.

– Gościł pan już u nas?

– Tak, kilka razy, ale głównie w barze. Minęło jednak trochę czasu od mojej ostatniej wizyty.

– Właśnie chciałam powiedzieć, że nie przypominam sobie, żebym już pana widziała, a pracuję tu od ośmiu miesięcy.

– Nie mogę pani winić – odparł Robert. – Moja twarz nie zapada ludziom w pamięć.

Kobieta się zatrzymała i spojrzała na niego.

– Nie powiedziałabym. – Ponownie się uśmiechnęła. – Wręcz przeciwnie, pański wygląd przyciąga uwagę i ma pan łagodne spojrzenie. Ludzie na pewno to zapamiętują.

– Dziękuję. – Odwzajemnił uśmiech.

Przeszli koło dużego stolika, przy którym ośmiu młodych mężczyzn w kosztownych, dobrze dopasowanych garniturach urządzało sobie przyjęcie.

– Hej, seksowna *lassie* – powiedział jeden z nich, zwracając się do hostessy z najgorszym szkockim akcentem, jaki detektyw kiedykolwiek słyszał. Z jakiegoś powodu wyraźnie akcentował te pojedyncze szkockie słowa, które znał, wciskając je na siłę do wypowiedzi. Brzmiał również na porządnie pijanego. – Potrzebna nam też kolejna *tipple*, ale nie tego szkockiego zajzajeru, tylko porządnego amerykańskiego bourbona, Tennessee – rozumiesz? Ci *lads* są spragnieni.

Pozostali mężczyźni wybuchnęli śmiechem.

– Żaden problem, proszę pana – odpowiedziała uprzejmie. – Zaraz każę dostarczyć butelkę do stolika.

– *Aye* – odparł młodzieniec, a następnie stanął przed hostessą i zablokował jej drogę. – Myślę, że byłoby lepiej, gdybyś sama ją przyniosła, *lass*. – Wyciągnął z portfela trzy pięćdziesięciodolarowe banknoty i zamachał jej nimi przed nosem.

– Przykro mi – odrzekła, robiąc krok w tył, jednak cały czas zachowując uprzejmy ton. – Nie mogę przyjąć teraz płatności i właśnie wskazuję stolik innemu klientowi. Jeśli pan chwilę poczeka, to mogę wysłać rachunek razem z butelką albo zapłaci pan na sam koniec.

– Och, jestem pewien, że klient potrafi sam znaleźć swój stolik, prawda, *lad?* – Położył Hunterowi rękę na ramieniu.

Robert najpierw zerknął na dłoń spoczywającą na swoim prawym ramieniu, a następnie na pijanego gościa. Kiedy spojrzenia obu mężczyzn się spotkały, młodzieniec przestał się uśmiechać i natychmiast cofnął rękę. Hostessa to dostrzegła i musiała zagryźć dolną wargę, żeby ukryć uśmiech. Natarczywy gość jeszcze nie dał jednak za wygraną. Swoją uwagę ponownie skierował na kobietę i złapał ją za ramiona.

– Powinnaś dołączyć do naszego przyjęcia, *lassie*. Możemy ci pokazać napraaawdę dobrą zabawę, nie, *blokes?*

– *Aye* – jednogłośnie odparła pozostała siódemka, ponownie wybuchając śmiechem.

Detektyw zamierzał zareagować, ale hostessa wydostała się z objęć natręta i sama się nim zajęła.

– Trzy rzeczy – powiedziała spokojnie i zaczęła odliczać na palcach. – Pierwsza: *bloke* to słowo używane w Anglii, Irlandii, Australii i Nowej Zelandii. W Szkocji nie za bardzo.

Zgięła pierwszy palec.

– Druga: nigdy nie używa się go w wołaczu, jak to zrobiłeś wcześniej, co tylko obrazuje twoją ignorancję w stosunku do naszej gramatyki. Trzeba już było zostać przy *lads*. A po trzecie, nie imprezuję z małymi chłopcami.

Rechot i krzyki przybrały na sile, kiedy pijane towarzystwo zaczęło kpić z ośmieszonego przyjaciela. Najwyraźniej nikt z nich nie zdawał sobie sprawy, że komentarze kelnerki dotyczyły ich wszystkich.

– Podoba mi się pani styl – skomentował Hunter, kiedy wreszcie odeszli od hałaśliwej grupki. – Ale wątpię, czy chociaż jeden z nich zrozumiał, co znaczy „wołacz".

– Pewnie nie – zaśmiała się. – Wyglądali na niezbyt bystrych.

– Za to bardzo pijanych.

– Typowi chłopcy z sektora finansowego – powiedziała, oglądając się przez ramię. – Każdej nocy przychodzi przynajmniej jedna taka grupa, w końcu pracują tuż za rogiem. Wszyscy są tacy sami: zbyt bogaci, zbyt młodzi. Ponieważ mają więcej pieniędzy, niż potrafią wydać, to wydaje im się, że mogą robić, co tylko chcą. W Glasgow też jest takich mnóstwo. Tam ich nazywamy „przemądrzałymi ciulami".

Detektyw się uśmiechnął.

– Adekwatnie.

– Chwileczkę... – Zatrzymała się, kiedy wreszcie dotarli do małego stolika na końcu sali restauracyjnej. – Nie pracuje pan w sektorze finansowym, prawda? – Wyglądała na szczerze zawstydzoną.

Mężczyzna odruchowo spojrzał na swoje ubranie: czarne dżinsy, czarne buty, niebieska koszula pod czarną skórzaną kurtką.

– Czy wyglądam na kogoś z takiego sektora? – W jego głosie zabrzmiała troska.

– Nie, zupełnie nie. Ale jedno o Los Angeles wiem na pewno: wygląd prawie zawsze jest zwodniczy.

– Tak, to prawda. Ale nie, nie jestem finansistą.

– To dla mnie ulga. Inaczej musiałabym się bardzo postarać, żeby wybrnąć z tej sytuacji. – Spojrzała na pusty stolik, przy którym stanęli. – To obecnie jedyne wolne miejsce, chyba że woli pan jednak usiąść przy barze.

– Nie, tutaj jest idealnie. Dziękuję.

– Proszę. – Poczekała, aż zajmie miejsce, a następnie położyła dwie karty menu na stole. – Kelnerka zaraz do pana przyjdzie. Skoro jednak gościł już pan u nas, to może najpierw przyniosę coś z baru?

Normalnie Hunter poświęciłby trochę czasu na przejrzenie karty alkoholi, która tutaj bardziej przypominała książkę, ale dzisiaj wiedział już, na co ma ochotę.

– Chętnie. Czy kilchoman dalej jest w ofercie?

Hostessa pokiwała głową, sygnalizując, że to dobry wybór.

Kilchoman to jedna z bardzo nielicznych destylarni w Szkocji, która w dalszym ciągu stosowała tradycyjne metody warzenia, wracając tym samym do korzeni, dzięki czemu osiągała niesamowite rezultaty.

– Tak, oczywiście. Czy ma pan na myśli jakiś szczególny rodzaj? Posiadamy ich kilka.

– Single cask, jeśli jest.

Lewa brew kobiety nieco się uniosła.

– Z lodem?

– Nie, poproszę jedynie odrobinę wody.

Tym razem hostessa pokiwała głową z uznaniem.

– Amerykanin, który nie tylko wie, jak wybrać swoją whisky, ale również wie, jak ją wypić. To rzadki widok.

Robert zmarszczył brwi.

– Naprawdę? W tak znakomitym lokalu?

Zachichotała.

– Zdziwiłby się pan. Po pierwsze, wielu Amerykanów wymawia *whiskey* z „e" w środku. Potem może być już tylko gorzej. – Kiwnęła głową w kierunku pijanej gromadki. – Wie pan, co mam na myśli?

– Tak, chyba rozumiem – odpowiedział z uśmiechem.

– Zaraz przyniosę pańskiego drinka.

Hostessa udała się w kierunku baru, tymczasem Hunter przeglądał kartę dań.

– Proszę bardzo – oznajmiła zaledwie minutę później, stawiając na stoliku szklankę z alkoholem i mały dzbanek wody. – Kilchoman rocznik dwa tysiące dziesiąty, single cask.

– Dziękuję.

– Czy już pan wybrał danie?

Mężczyzna pokiwał głową.

– To mogę od razu przyjąć zamówienie.

Zdecydował się na cheeseburgera z frytkami.

– Za chwilę przyniosę. – Zamilkła, po czym wyciągnęła do niego rękę. – Na imię mam Linsey.

– Robert – odparł, ściskając jej dłoń. – Miło mi poznać.

– Wzajemnie. – Po tych słowach nastąpiło subtelne, ale bardzo urocze mrugnięcie.

Kobieta odeszła, starannie omijając stolik „finansowych chłopaków", tymczasem detektyw sięgnął po swoją szklankę i zbliżył ją do twarzy. Złożony aromat złocistego trunku wywołał uśmiech na jego ustach. Dolał dosłownie kilka kropelek wody i upił pierwszy łyk swojego drinka. Łagodna słodycz wanilii, następnie posmak wędzenia i miodowobursztynowe zakończenie. Jednym słowem perfekcja zamknięta w szklance. Mężczyzna zamknął oczy i rozkoszował się chwilą, być może odrobinę za długo, ponieważ nie zauważył nawet, że ktoś do niego podszedł.

– Jesteś mi winny wyjaśnienia.

Trzydzieści osiem

Gdy przedmiot wyśliznął się z koperty na blat, detektyw Webb przysunął krzesło nieco bliżej, żeby móc mu się lepiej przyjrzeć. Jego spojrzenie przeskakiwało przez chwilę między nowym obiektem a doktor Barnes niczym piłeczka pingpongowa, a on sam zastanawiał się, czy to już wszystko, co miał zobaczyć. Nic więcej się nie pojawiło.

– To jest... srebrna bransoletka – oznajmił w końcu zawiedzionym tonem, wpatrując się w ozdobę z wiszącym delikatnym serduszkiem.

– To jest bransoletka z białego złota – poprawiła go kobieta. – A nie ze srebra.

– OK. Przepraszam. – Webb oparł się na krześle, nie wiedział, jaką to w tym przypadku miało robić różnicę.

Gwen zobaczyła wyraz twarzy detektywa i wyjaśniła:

– Dostałam ją od matki na trzynaste urodziny. Byliśmy biedni, mieszkaliśmy w kiepskiej, zaniedbanej okolicy. Ojciec opuścił nas, kiedy miałam pięć lat. Nigdy więcej go nie widzieliśmy. Mama musiała pracować na dwóch etatach, żeby zapewnić nam utrzymanie, i oszczędzała Bóg jeden wie, jak długo, żeby móc kupić taką biżuterię. – Nagle głos kobiety wyraźnie posmutniał. – Zmarła kilka miesięcy później.

Wtedy Webb zauważył maleńki grawerunek na serduszku. Trzy wyrazy, jeden nad drugim: *Zawsze. Bądź. Silna.*

– Przykro mi to słyszeć – powiedział szczerze.

Doktor Barnes kiwnęła głową, przyjmując do wiadomości jego słowa, po czym ciągnęła opowieść:

– Od trzynastych urodzin nosiłam ją każdego dnia, bez wyjątku. Nigdy o niej nie zapomniałam. Nigdy jej nie zgubiłam. Od zawsze jest przy mnie. Zdejmuję ją jedynie, kiedy kładę się spać.

Detektyw wyglądał na zaintrygowanego.

– Nie mogę zasnąć, mając na sobie jakąkolwiek biżuterię – wyjaśniła. – Żadnych bransoletek, wisiorków, pierścionków ani innych rzeczy. Z jakiegoś powodu mnie to cholernie przeraża, śnią mi się wtedy koszmary.

Webb uznał to za bardzo interesujące, ponieważ miał przyjaciółkę z podobnym problemem. Musiała ściągać wszystko przed snem, wszystko, łącznie ze ślubną obrączką.

– Wczoraj wieczorem wróciłam do domu, zdjęłam bransoletkę, pierścionki i naszyjnik, a następnie położyłam je na stoliku nocnym, tak jak zawsze. Gdy rano się obudziłam, wszystko było na swoim miejscu, poza tą bransoletką. Zniknęła.

Mężczyzna chciał coś powiedzieć, ale ona go uprzedziła.

– Tak.

Zmarszczył brwi.

– Tak, tak, nie i tak.

– Słucham?

– Wiem, o co zamierza mnie pan spytać, detektywie. Po pierwsze, chce pan wiedzieć, czy jestem absolutnie pewna, że miałam ją na sobie, kiedy weszłam do domu. Odpowiedź brzmi: tak. Następnie zapyta pan, czy na sto procent zdjęłam ją w sypialni i położyłam na stoliku, jak mówiłam wcześniej. Odpowiedź również brzmi: tak. Dalej zasugeruje pan, że może zapięcie puściło gdzieś po drodze i ozdoba spadła z mojego nadgarstka, na przykład na parkingu, gdzie pracuję, albo tuż przed moim domem, albo nawet przy stoisku z gazetami, gdzie jestem każdego ranka.

Gdy detektyw był pod wrażeniem, jego mina stawała się milsza – choć niewiele. Teraz zdecydowanie był pod wrażeniem. Jak na razie doktor Barnes trafiła ze wszystkimi pytaniami prosto w sedno.

Pokiwał głową.

– Dokładnie tak pomyślałem. Gdyby bransoletka spadła pani z ręki koło stoiska z gazetami, ktoś mógłby to zobaczyć i zamiast zrobić, co należy – czyli oddać zgubę, zamienił wszystko w kiepski dowcip. – Postukał palcem w rękawiczce w list. – To by wszystko elegancko wyjaśniało.

– Zgadza się, to by wszystko wyjaśniło. Jednak odpowiedź na to pytanie brzmi: nie. Nie ma takiej możliwości, żebym zgubiła ją w tamtym miejscu poprzedniego poranka albo gdziekolwiek indziej.

Webb ponownie zamierzał zadać pytanie, jednak Gwen podniosła dłoń i mu przeszkodziła.

– Skąd mogę mieć pewność?

Na jego twarzy znowu zagościł wyraz uznania. Zdecydował, że nie ma sensu się wcinać, i rozparł się wygodnie na krześle, pozwalając kobiecie snuć opowieść we własnym tempie.

– Ponieważ nie ma szans na to, żebym dała radę przetrwać cały dzień bez bransoletki i tego nie zauważyć. Za każdym razem kiedy jestem zdenerwowana albo nad czymś rozmyślam, bawię się nią. – Jej prawa dłoń automatycznie powędrowała do lewego nadgarstka. – To nieświadomy odruch, towarzyszy mi od lat i każdego dnia powtarzam go dziesiątki razy. Nie minęłoby więcej niż trzydzieści minut, zanimbym się zorientowała, że jej nie mam.

Detektyw zauważył ten ruch przynajmniej kilkakrotnie w ciągu ostatnich paru minut, nie zaskoczyło go to jednak. Każda osoba, którą znał, miała jakiś tik nerwowy. On sam przesuwał językiem po górnej wardze.

– A zeszłego wieczoru, kiedy jechałam samochodem, dokładnie pamiętam, jak jej dotykałam. To zatem sprowadza nas do mojego ostatniego „tak". Tak, jestem absolutnie pewna, że nie upadła mi w samochodzie. Miałam ją na sobie, gdy weszłam do domu. Miałam ją na sobie, gdy poszłam do łóżka, i miałam ją na stoliku nocnym, gdy pogasiłam światła. Jestem tego pewna w stu procentach. Dzisiaj rano, kiedy wstałam, już jej nie było.

Dzięki ponad dwudziestu latom pracy w policji detektyw Webb wyrobił sobie umiejętność błyskawicznej oceny ludzi, potrafił to zrobić jeszcze dokładniej po spędzeniu z nimi kilku minut. Jego rozmówczyni wydawała się bardzo stabilną emocjonalnie, inteligentną i twardo stąpającą po ziemi kobietą. Nie podnosiła głosu, niezależnie od nastroju. Była bardzo elokwentna, a wszystkie jej argumenty wydawały się oparte na prawdopodobnych przesłankach.

– Mało nie oszalałam, nie mogąc jej dzisiaj znaleźć. A szukałam wszędzie – dosłownie wszędzie. Pod łóżkiem, za stolikiem, w szufladach, pod dywanem, w kuchni... można wymieniać bez końca. Nawet w samochodzie. Nie było jej. Nigdzie jej nie było. Przegrzałam swój mózg, próbując prześledzić w pamięci cały poprzedni wieczór, od momentu wejścia do domu aż do chwili, gdy poszłam spać. Wiedziałam doskonale, że miałam ją na sobie po otwarciu drzwi wejściowych.

Doktor Barnes zamilkła i nabrała powietrza. Naprawdę przydałby się jej teraz duży kieliszek wina.

– Dzisiaj rano po raz pierwszy spóźniłam się na sesję. Jestem psychiatrą, lepiej od większości ludzi wiem, jak działa mózg. Mam całkowitą świadomość, że skoro każdego wieczoru robię dokładnie te same rzeczy, czyli odkładam całą biżuterię na stolik przed zgaszeniem światła, mój umysł z łatwością może dać się oszukać i pamiętać coś, czego w rzeczywistości nie zrobiłam. Powtarzalne czynności mogą w taki sposób oddziaływać, ale nie w tym przypadku.

Detektyw przesunął językiem po górnej wardze.

– Czyli uważa pani, że ktoś włamał się do mieszkania, przeszedł przez pokój, gdy pani spała, i zabrał bransoletkę, planując wszystko od samego początku. – Wskazał głową na wiadomość i leżącą biżuterię. – A być może również powąchał pani włosy.

– Tak, ponieważ nie widzę żadnego innego wytłumaczenia.

– Czy zauważyła pani jakieś ślady włamania?

Gwen westchnęła tak pełna frustracji, że powietrze w pomieszczeniu nagle jakby zgęstniało.

– Nie mogę być pewna, ponieważ żadnych nie szukałam. Obudziłam się rano, nie mogłam znaleźć bransoletki, zatem nie pomyślałam od razu, że ktoś się włamał.

– Pomyślała pani, że ją zgubiła – naciskał Webb.

– Tak – przyznała pokonana.

Mężczyzna musiał wziąć głęboki oddech.

– W porządku – zaczął ponownie. Naprawdę chciał jej pomóc. – Czy przed wyjściem z domu zauważyła pani, żeby jakieś drzwi były zamknięte lub otwarte?

– Frontowe były zamknięte.

– Jest pani pewna?

– Tak, jestem pewna. Pamiętam, że rano je otwierałam. Nie sprawdzałam tylnych drzwi, ale one zawsze są zamknięte.

Detektyw nie wiedział, jak zareagować, jednak to ona odezwała się ponownie. Jej słowa zostały wypowiedziane powoli i przepełniały je emocje.

– Nie wiem, jakie jeszcze mogę panu podać informacje, ale mam pewność, że nie zgubiłam mojej bransoletki.

Objęła się rękami, zupełnie jakby temperatura w pokoju spadła nagle o kilka stopni. Wtedy Webb pierwszy raz zobaczył u niej strach. Prawdziwy strach.

– Ktoś był w moim pokoju. Mówię poważnie. Ktoś tam był, koło mojego łóżka, i patrzył, jak śpię.

Trzydzieści dziewięć

Gdy wyświetlacz telefonu zrobił się czarny, Pan J poczuł, że cały jego świat się zawalił. Nogi się pod nim ugięły i musiał złapać się ściany, aby się nie przewrócić. Palce straciły siłę i wypadła z nich komórka, odbiła się od łóżka, po czym wylądowała na podłodze. Nic nie miało sensu. Czuł się, jakby całe jego jestestwo pożarła czarna dziura i nic już nie zostało, poza pustą, ludzką skorupą.

– Co się stało? – wyszeptał cicho. Oszalałym spojrzeniem wodził dookoła, szukając ratunku w każdym zakątku pokoju hotelowego. Nie znalazł go. Zamiast tego poczuł, że pomieszczenie zaczyna się wokół niego kurczyć. – Tracę rozum. To nie może być prawda. Nie może.

Przyłożył trzęsące się dłonie do twarzy i zaczął ją pocierać z całych sił.

Ściany dalej niebezpiecznie się zbliżały.

Odwrócił się i szybko poszedł do łazienki, gdzie oblał sobie głowę zimną wodą.

– Cassandra – powiedział, gdy ujrzał w lustrze własne oczy. – To nie jest prawdziwe. – Próbował przekonać swoje odbicie. – Nie jest. Udowodnię to. Nic z tego nie wydarzyło się naprawdę.

Pan J pobiegł do pokoju, zabrał telefon, wrócił do łazienki i ponownie stanął przed lustrem.

– Zobaczysz. Zaraz ci udowodnię – oznajmił swojemu odbiciu, grożąc mu palcem. Następnie wybrał numer żony. – Nie wiem, co to, do cholery, było, ale na pewno nie wydarzyło się w rzeczywistości. Nic z tego. Zaraz się przekonasz.

Nie usłyszał nawiązywania połączenia, od razu włączyła się automatyczna sekretarka.

– Cześć, dodzwoniłeś się do Cassandry Jenkinson, niestety nie mogę…

166

Rozłączył się i szybko ponownie wybrał numer.

– Cześć, dodzwoniłeś się do Cass...

Jeszcze raz.

– Cześć, dodzwoniłeś... ·

Rozłączył się.

Spojrzał w lustro. Odbicie nadal czekało.

Dom, wyszeptał głos w jego głowie. *Zadzwoń do domu.*

Szybko wybrał numer.

Dryń. Dryń. Dryń. Dryń. W końcu nawiązał połączenie.

– Cześć...

Natychmiast rozpoznał rozmówcę i poczuł, jakby ktoś wyssał z niego życie. To był on sam. Włączyła się automatyczna sekretarka.

– ...dodzwoniłeś się do domu... – Poczekał na sygnał na końcu nagrania.

– Cassandro, kochanie, to ja. Jeśli tam jesteś, odbierz, proszę. Proszę. – Głos mu się załamał. – Muszę z tobą porozmawiać, kotku. Muszę cię usłyszeć. Proszę, odbierz. Proszę.

Brak odpowiedzi.

– KUURWAAAAA. – Jego przepełniony cierpieniem wrzask odbił się echem w pokoju.

Pięć minut później mężczyzna nadal siedział na krawędzi wanny, twarz ukrywał w dłoniach, telefon leżał na podłodze u jego stóp. Odbicie w lustrze znudziło się czekaniem.

Kolejne pięć minut upłynęło, zanim Pan J odsunął dłonie od głowy. Ręce opadły mu bezwładnie wzdłuż boków. Czuł się całkowicie pozbawiony energii. Zamrugał kilka razy, źrenice mu się zmniejszyły, reagując na jaskrawe światło odbite od białych kafelków. Potrzebował jeszcze chwili, żeby przebić się przez mgłę otumanienia i odzyskać jasność umysłu. Wówczas wszystko się zmieniło: pokój, powietrze, cały świat. Krew w żyłach stała się zimna jak lód, do płuc dostała się czysta nienawiść zamiast tlenu, nie czuł już bicia własnego serca w piersi. Wszystko w nim umarło wraz ze śmiercią żony. Wszystko, poza mózgiem. Musiał utrzymać go przy życiu. Musiał myśleć. Zatem myślał. Kilka minut później sięgnął po komórkę i wykonał pierwsze z trzech połączeń.

Czterdzieści

Hunter spojrzał na osobę stojącą przed nim i zmarszczył brwi. Niepewność w jego oczach była widoczna zaledwie przez ułamek sekundy, następnie zastąpiło ją całkowite zaskoczenie – niestety kobieta nie dostrzegła tej zmiany.

– Och, przepraszam. – Nie potrafiła ukryć zażenowania. – Nie pamiętasz mnie, prawda? – W jej głosie pojawiła się nutka zawodu.

– Oczywiście, że pamiętam – odparł, odstawiając szklankę na blat. – Całodobowa czytelnia UCLA. – Przez moment szukał w pamięci imienia. – Tracy, tak? Tracy Adams.

Rozczarowanie ustąpiło miejsca szerokiemu uśmiechowi.

– Twoje włosy wyglądają inaczej. Dlatego potrzebowałem chwili.

Falujące rude włosy miała założone za uszy i przytrzymane małymi spinkami, dzięki czemu nie widać było kolczyków w kształcie czaszek z maleńkimi czarnymi kamykami w miejscach oczu. Reszta kosmyków opadała luźno poniżej ramion, otaczając jej bardzo atrakcyjną twarz w kształcie serca, z ekspresyjnymi zielonymi oczami ukrytymi za oprawkami okularów typu kocie oczy. Prawdziwa różnica natomiast zaszła w wyglądzie jej grzywki: zamiast charakterystycznego loka w stylu pin-up po prostu opadała naturalnie, zasłaniając częściowo lewe oko.

– Przepraszam za najście. – Jej zażenowanie nadal było nieco widoczne. – Siedziałam przy barze, kiedy zauważyłam, jak hostessa prowadzi cię do stolika. – Delikatnie wzruszyła ramionami. – Pomyślałam, że podejdę i powiem „cześć".

– Nie masz za co przepraszać. – Jego spojrzenie przesunęło się w kierunku baru. – Cieszę się, że przyszłaś.

Nie chciał się zbytnio narzucać, toteż szybko ocenił sytuację. Nie widział przy kontuarze kogokolwiek, kto patrzyłby w ich stronę. Tracy miała drinka w dłoni, więc raczej nie zostawiła nikogo przy stoliku albo ladzie. Wskazał puste krzesło naprzeciwko.

– Przysiądziesz się?

Zastanawiała się przez moment, po czym jeszcze dopytała:

– Na pewno? Naprawdę nie chciałabym przeszkadzać.

– Bez obaw – zapewnił ją. – To dla mnie przyjemność.

Uśmiech ponownie zagościł na jej ustach i w końcu się zgodziła.

– W takim razie chętnie. Dziękuję. – Usiadła, odstawiła swoją szklankę i skinęła w kierunku jego drinka, nawiązując do ich poprzedniego spotkania przy automacie do kawy. – Muszę przyznać, że to wygląda znacznie bardziej apetycznie od karmelowego frappuccino deluxe.

Hunter się uśmiechnął.

– Zgadzam się. Jest też zapewne zdrowsze.

– Co zatem zamówiłeś? Wybór tutaj jest oszałamiający.

– Tak, bez wątpienia. – Spojrzał na swoją szklankę. – Szkocką. Kilchoman... Karmelowy barley deluxe.

Zaśmiała się.

– Rocznik?

Pytanie go zaskoczyło.

– Dwa tysiące dziesiąty.

Spojrzała na niego z uznaniem.

– Świetny wybór. To destylarnia z tradycjami. Jeśli się nie mylę, tylko oni prowadzą wszystkie procesy wyrobu whisky u siebie. Niczego nie powierzają podwykonawcom.

Robert próbował nie zmarszczyć ponownie brwi, ale czuł się szczerze zaintrygowany. Generalnie kobiety nie przepadały zbytnio za szkocką whisky, co raczej nie zaskakiwało. Upodobanie do tego trunku należało sobie wyrobić, ponieważ jego moc na początku jest zbyt wielka dla czyjegokolwiek podniebienia, może w dodatku wycisnąć człowiekowi powietrze z płuc. Sam wiedział to doskonale. Sztuczka polegała na tym, żeby się nie poddawać i próbować dalej, pomału, aż w końcu pewnego dnia zacznie naprawdę smakować. Kobiety przeważnie nie miały tyle cierpliwości do drinków. Albo od samego początku jakiś lubiły, albo nie.

– Wygląda na to, że wiesz sporo o whisky. – Nie zadał pytania bezpośrednio, jednak dało się je wyczuć w powietrzu, niewypowiedziane na głos domagało się odpowiedzi.

– Mój ojciec był Szkotem z Highlands – odparła, a następnie wzięła kolejny łyczek trunku. – Zatem zostałam z nią zaznajomiona w bardzo młodym wieku, i mam na myśli naprawdę młody wiek. Zanurzał w niej mój smoczek, gdy byłam dzieckiem, żebym szybciej zasnęła. Od kiedy skończyłam jakieś cztery latka, pozwalał mi skosztować troszkę od siebie na specjalne okazje, takie jak Boże Narodzenie albo Nowy Rok. Jeśli dziadek był w pobliżu, robił to samo. Mojej matce się to nie podobało i wiele razy mu zwracała uwagę, ale się tym nie przejmował. Odwracał się i mówił: „Aj, niech dzieweczka sobie troszeczkę spróbuje, kochanie. To dobrze jej zrobi".

Ku zaskoczeniu Huntera jej szkocki akcent był absolutnie bez zarzutu, w dodatku brzmiał bardzo zmysłowo.

– Na szesnaste urodziny ojciec nalał mi pierwszego pełnego kielicha szkockiej. – Przerwała na chwilę, czując potrzebę wyjaśnienia. – Byłeś kiedyś w Szkocji?

Pokręcił głową. Teraz nadeszła jego kolej, żeby poczuć nieco zażenowania.

– Nie, niestety nie. Tak naprawdę to nigdy nie byłem za granicą.

Tracy rzuciła mu zaskoczone spojrzenie.

– Musisz się tam kiedyś wybrać. To niesamowite miejsce. Zwłaszcza Highlands. Skoro nigdy nie byłeś w Szkocji, to możesz tego nie wiedzieć: zgodnie z prawem wszystkie bary, puby i restauracje muszą nalewać równą miarę whisky. Nie ma takiego dowolnego polewania jak tutaj. Kiedy mówię „kielich", mam na myśli mniej więcej tyle. – Wskazała na swoją szklankę. Znajdowało się w niej nieco mniej niż połowa tego, co dostał na początku.

– Wow.

– Jak już mówiłam, od czwartego roku życia ojciec pozwalał mi po prostu na łyczek szkockiej – zawsze dokładnie mi tłumaczył, jak czuć ją nosem, podniebieniem i przełykiem. Zatem do szesnastych urodzin potrafiłam już rozróżniać poszczególne smaki i rodzaje. Szkocka to mój ulubiony alkohol. – Przerwała i zrobiła zbolałą minę. – I właśnie zanudziłam cię na śmierć, prawda?

– Nie, wręcz przeciwnie. – Pokręcił głową. Uważał, że Tracy jest bardzo charyzmatyczna. Łatwo się przy niej czuć swobodnie. – To bardzo ciekawa historia.

Zaśmiała się.

– W takim razie nie znasz zbyt wielu osób o szkockich korzeniach. Bardzo poważnie tam podchodzą do whisky i od maleńkości szkolą swoje dzieciaki.

– To działa – skomentował Robert. – Jak już mówiłem, wygląda na to, że wiesz dużo na temat whisky. Teraz jestem ciekawy: skoro jesteś koneserką, co *ty* pijesz? – Kiwnął głową w kierunku jej szklanki.

Milczała przez chwilę.

Hunter nie potrafił stwierdzić, czy zrobiła to dla lepszego efektu, czy nie.

Spojrzała mu w oczy i odparła:

– To samo co ty. Kilchoman, dwa tysiące dziesiąty.

Tym razem mężczyzna nie potrafił powstrzymać się od zmarszczenia brwi.

– Żartujesz.

– Nie. – Popchnęła szklankę w jego kierunku. – Sam spróbuj.

Przyglądał jej się przez chwilę, zanim po nią sięgnął. Najpierw przystawił ją do nosa. Gdy wciągnął zapach napoju, jego zaciekawienie wzrosło.

Tracy czekała.

Upił mały łyczek trunku i rzucił jej szybkie spojrzenie.

Na ustach kobiety zagościł nowy uśmiech.

– Nabrałam cię, czyż nie? Serwują tutaj ponad trzysta rodzajów whisky, gdybyśmy oboje zamówili to samo, to byłby niesamowity zbieg okoliczności.

Robert odstawił szklankę i przesunął ją w kierunku towarzyszki.

– To prawda. I fakt, nabrałaś mnie. Zatem co to jest? Balvenie? – Wzruszył ramionami. – Może caribbean cask albo doublewood?

Spojrzała na niego pełna podziwu.

– Bardzo dobrze. Caribbean cask, czternastoletnia. I mówisz, że to ja się znam? Widzę, że z ciebie jest prawdziwy koneser.

Detektyw zachichotał.

– Niezupełnie. Mam tę butelkę w domu, więc smak jest mi całkiem dobrze znany.

Wysoka kelnerka niosąca okrągłą srebrną tacę podeszła do ich stolika.

– Proszę, cheeseburger i frytki?

– To dla mnie. Dziękuję – odpowiedział.

Postawiła przed nim tacę i zapytała:

– Podać panu coś jeszcze? Ketchup, musztardę, kolejnego drinka?

– Nie, na razie dziękuję.

Kelnerka popatrzyła na Tracy.

– Ja jeszcze mam. – Uniosła szklankę. – Dziękuję.

– Smacznego w takim razie. – Ponownie spojrzała na Huntera. – W razie czego proszę zawołać. Mam na imię Max.

Kiedy wysoka kobieta odeszła, Robert zwrócił się do swojej towarzyszki:

– Proszę, poczęstuj się frytkami. Ta porcja wystarczy do wykarmienia czworga ludzi.

– Rzeczywiście, dużo ich. Ale dziękuję, już jadłam.

– Weź chociaż kilka.

Tracy przyglądała mu się przez chwilę. Nie tknął jeszcze swojego jedzenia. Następne pytanie zadała ostrożnie.

– Boisz się jeść w obecności innych?

Detektyw odwzajemnił badawcze spojrzenie.

– Nie – odparł w końcu. – Ani trochę. – Sięgnął po solniczkę i posypał frytki.

Nadal na niego patrzyła. A on w dalszym ciągu nie tknął jedzenia.

– Nie ma w tym nic złego – oznajmiła pocieszającym tonem. – To o wiele częściej spotykana fobia, niż można by przypuszczać. Wiesz, że około dziesięciu do dwunastu procent Amerykanów boi się lub krępuje jeść w obecności innych osób?

– No cóż, to ty jesteś profesorem psychologii, zatem wierzę na słowo. Ale naprawdę nie czuję ani strachu, ani zażenowania. Po prostu nie chcę, żeby się zmarnowały, ponieważ na pewno nie dam rady zjeść wszystkich. – W końcu wziął do ręki cheeseburgera i odgryzł pierwszy kęs.

Cisza.

Robert udawał, że nie zauważa zmieszania na twarzy Tracy.

– Zatem wracamy do punktu wyjścia: jesteś mi winien wyjaśnienia – powiedziała w końcu.

– Doprawdy? – odparł, gdy skończył przeżuwać.

– No dobrze, nic mi nie jesteś winny, ale chciałabym zrozumieć, skąd wiedziałeś?

Hunter zgrywał głupiego.

– Nie udawaj. Podczas pierwszego spotkania rozmawialiśmy dwie minuty przed czytelnią, nie dałam ci żadnych wskazówek, a mimo to wiedziałeś, że jestem wykładowcą.

Detektyw odgryzł kolejny kęs burgera.

– Wiem, że nie wydedukowałeś tego z moich książek, ponieważ żadna z nich nie dotyczyła wtedy przedmiotu, którego uczę. Dodatkowo teraz ujawniłeś, że wiesz, iż jestem psychologiem. Skąd?

Robert sięgnął po kilka frytek.

– Z twojej rozmowy telefonicznej wywnioskowałam, że pracujesz w Sekcji Specjalnej wydziału zabójstw policji Los Angeles. Musiałam sprawdzić w internecie, żeby zrozumieć, co to właściwie jest – wyjaśniła. – Zatem OK, twoją specjalnością jest dedukowanie. Przynajmniej już mnie tak nie przerażasz.

– Przerażam?

– No wiesz, spotykasz nieznajomego w środku nocy, a on po chwili mówi o tobie rzeczy, których nie powinien wiedzieć. To odrobinę niepokojące, nie uważasz? Zwłaszcza w takim mieście jak to. Mógłbyś być na przykład stalkerem.

Ostatnie słowo przykuło uwagę detektywa.

– Czy masz problem ze stalkerem? – Jego ton był tak przepełniony troską, aż zbił Tracy z tropu.

– Co...? Nie o to chodzi. To tylko przykład.

Hunter milczał.

– Prawdę mówiąc, masz rację: jestem wykładowcą psychologii – ciągnęła. – I właśnie dlatego chciałabym zrozumieć, jak przebiegł twój proces dedukcji. Co mnie zdradziło? Jak na to wpadłeś?

Robert zjadł jeszcze kilka frytek.

– Jesteś pewna, że nie chcesz ani jednej?

Tracy westchnęła.

– Odpowiesz na moje pytanie, jeśli się poczęstuję?

– Jasne.

Kobieta skusiła się w końcu na kilka sztuk i zamoczyła je w sosie pomidorowym.

– Jak już wspominałem, to po prostu obserwacja – oznajmił wreszcie.

– Zgadza się, tak właśnie powiedziałeś. Dlatego też ja powiedziałam, że nie wiem, jak do tego doszedłeś, mimo że odtworzyłam w pamięci każdy szczegół tego spotkania niezliczoną ilość razy. Żadna z książek, które miałam wtedy w czytelni, nie była związana z psychologią ani z moimi wykładami. Nie miałam też przypiętego identyfikatora, jak zatem odkryłeś, że jestem wykładowcą psychologii na UCLA?

Hunter właśnie miał odpowiedzieć, kiedy poczuł wibracje telefonu w kieszeni. Sięgnął po niego i sprawdził wyświetlacz.

– Daj mi sekundkę. – Wstał i przyłożył komórkę do ucha. – Detektyw Hunter, wydział zabójstw. – Słuchał przez chwilę w milczeniu. – Co? – powiedział z niedowierzaniem. – Jesteś pewny? – Sprawdził zegarek: 23.03. – OK. OK. Już jadę.

– Chyba sobie żartujesz – wyszeptała pod nosem Tracy. – Znowu?

– Bardzo przepraszam – oznajmił z miną wyrażającą zmieszanie i niedowierzanie. – Muszę iść.

Kobieta nie wiedziała, co odpowiedzieć, i tylko patrzyła na niego zaskoczona.

Robert wyciągnął portfel i zostawił na blacie kilka banknotów. Zrobił parę kroków w kierunku wyjścia i nagle się zatrzymał, a następnie odwrócił w kierunku Tracy.

– Wiem, że to zabrzmi dziwnie... ale czy mógłbym kiedyś do ciebie zadzwonić?

Tego się nie spodziewała.

– Mmm... tak, jasne. Chciałabym.

Mrugnął do niej i ponownie ruszył w drogę.

– Zaczekaj – rzuciła za nim, po czym zapisała szybko swój numer telefonu na papierowej serwetce. – Z tym będzie ci łatwiej, nie sądzisz?

– Faktycznie, to ułatwi sprawę – odparł, chowając serwetkę. Chwilę później już go nie było.

Czterdzieści jeden

Detektyw Webb wziął klucze od doktor Barnes i otworzył drzwi jej domu w Mid-City, bardzo zróżnicowanej i gęsto zaludnionej części Los Angeles. Białe drzwi z oknem z dekoracyjnego matowego szkła zaskrzypiały nieco.

Pod koniec ich rozmowy na posterunku powiedział Gwen, że jedyne, co może zrobić, to zabrać wiadomość i bransoletkę do laboratorium, żeby sprawdzić odciski palców.

– Bez urazy, ale oboje wiemy, że bardzo możliwe, iż znajdą wyłącznie moje odciski – odparła wyraźnie zawiedziona. – Kto zadawałby sobie tyle trudu, a potem nie pamiętał o założeniu rękawiczek?

– Zdziwiłaby się pani.

– Można poszukać na nich DNA?

Webba zaskoczyło to pytanie.

– Dlaczego? Myśli pani, że człowiek, który zabrał bransoletkę, chodził w niej przez kilka godzin, zanim zostawił ją na pani samochodzie?

Nie miał pewności, czy jego słowa zabrzmiały sarkastycznie, czy nie. Sądząc ze spojrzenia, jakim go obrzuciła – jednak brzmiały.

– Nie, detektywie – odparła takim samym tonem. – A co, jeśli po tym, jak biżuteria została zabrana z mojego domu, trafiła do kieszeni, torby czy czegokolwiek innego, co zawierało DNA?

Policjant wyglądał na całkowicie zaskoczonego. Szczerze wątpił, czy kobieta przemyślała swoje słowa.

– Chodzi pani o przeniesienie DNA? Nazywane często również zanieczyszczeniem? To jest argument obronny, a nie skazujący.

Miał rację. Gwen nie zastanowiła się i teraz jej frustracja

wzmogła się na tyle, że niemal stała się silniejsza od strachu. Została jej jednak jeszcze jedna szansa.

– W porządku, a co z moim domem? Może warto w nim poszukać odcisków palców albo innych śladów? Tam mamy większą szansę na znalezienie czegoś, prawda?

Mężczyzna spojrzał na nią wzrokiem zbitego psa.

– Nie mogę uzasadnić wezwania ekipy techników, a nawet jednego agenta. Nie było kradzieży. Nic nie zniknęło, ponieważ ma pani przy sobie bransoletkę, a w dodatku nie widziała pani śladów włamania. Kapitan nigdy nie podpisałby zgody, ponieważ technicznie rzecz biorąc, nie popełniono przestępstwa.

Frustracja w dalszym ciągu nie przewyższała poziomu strachu, ale z całą pewnością już się z nim zrównała. Gwen nie miała pomysłu, co dalej zrobić. Czuła się zupełnie wyczerpana, ale myśl o samotnym dotarciu do domu napawała ją przerażeniem.

Doktor Barnes poruszyła w detektywie czułą strunę. Nie wiedział, czy chodziło o jej charyzmę, a może o szczerość emanującą z każdego jej słowa. Wiedział natomiast, że bardzo chce jej pomóc.

Zrozumiałe, że czuła się zbyt roztrzęsiona i przestraszona, żeby wrócić do pustego domu. Zapytał, czy może przenocować u kogoś z rodziny albo przyjaciół.

Ta myśl przyszła już Gwen do głowy. Zastanawiała się, czy nie zadzwonić do siostry, Eriki, która mieszkała ze swoim chłopakiem na drugim końcu miasta. Może mogłaby zostać na noc, ale nigdy nie dogadywała się z jej partnerem. Rozważała też udanie się do swojej najlepszej przyjaciółki, Nancy Morgan, ale w końcu zdecydowała, że nie odezwie się do żadnej z nich. Tak naprawdę potrzebowała poczucia bezpieczeństwa we własnym domu.

Webb przejrzał jej tok rozumowania, zatem zrobił w tych okolicznościach wszystko, co tylko mógł: zaproponował, że pojedzie z nią i dokładnie sprawdzi jej mieszkanie.

Skrzypienie drzwi mogłoby z łatwością nadać ciemnemu pokojowi bardzo złowieszczy charakter, gdyby nie unoszący się wewnątrz zapach róż i owoców leśnych.

– Włącznik światła jest po prawej stronie – oznajmiła, stając na werandzie za detektywem.

Być może po to, aby Gwen poczuła się nieco bezpieczniej, policjant, zapalając światło, o mało nie wyciągnął broni z kabury. Jego dłoń ruszyła w kierunku pistoletu, ale zatrzymał ją w połowie drogi, gdyż poczuł się głupio.

Salon był dość przestronny, a w jego aranżacji wyraźnie czuło się kobiecą rękę. Na kanapie leżały puchate poduszki, w świecznikach stały zapachowe świeczki, dywany swoim wyglądem zachęcały do położenia się i drzemki, wazony wypełniały róże i smagliczki, natomiast ściany... ściany były brzoskwiniowe.

Policjant poszedł na środek pokoju i przystanął przy niebieskim fotelu. Mimo całego sceptycyzmu obserwował otoczenie z najwyższą uwagą.

Gwen została na zewnątrz.

Webb sprawdził każde z sześciu okien. Wszystkie okazały się zamknięte. Wrócił do drzwi wejściowych i obejrzał zamki – nie znalazł żadnych śladów włamania. Usatysfakcjonowany kiwnął głową w kierunku korytarza, który prowadził do dalszej części domu.

– Pozostałe pomieszczenia są tam?

– Wszystkie, poza kuchnią – odparła, wskazując drzwi po prawej stronie.

– W takim razie najpierw tam zajrzę.

Doktor Barnes w końcu weszła do środka i zamknęła za sobą drzwi.

Kuchnia miała niewielkie rozmiary, nie było tam gdzie się schować, być może poza lodówką lub szafką pod zlewem. Sprawdził oba te miejsca. Nikt się tam nie ukrywał.

– W porządku, obejrzyjmy resztę domu.

– Pokój gościnny jest za pierwszymi drzwiami na prawo – oznajmiła Gwen, kiedy przemierzali salon. – Na lewo jest łazienka. Sypialnia znajduje się na końcu korytarza.

Policjant zbadał wszystkie pomieszczenia tak dokładnie, jak tylko mógł, nie ominął żadnej szafy ani wnętrza kabiny prysznicowej. Nic nie znalazł.

– OK – powiedział, wstając z klęczek. Przed chwilą zerknął pod łóżko w sypialni. To ostatnia potencjalna kryjówka w całym domu. – Jest czysto, nikogo poza nami tutaj nie ma.

Wreszcie weszła do sypialni i spojrzała na mężczyznę z mieszaniną wdzięczności i zażenowania. Czuła się tak psychicznie wyczerpana, że zaczęła już sama wątpić w swoją teorię o włamywaczu.

– Dziękuję – odparła, nie wiedząc, co więcej mogłaby rzec. Miała pewność, że detektyw uważał to wszystko za całkowitą stratę czasu, ale musiała przyznać, że mimo to bardzo się przejmował i wykazał zaangażowanie. Na posterunku mógł zakończyć rozmowę w ciągu pięciu minut, ale tego nie zrobił. Gwen wiedziała dlaczego.

Zobaczył strach w jej oczach. Zauważył niepewność w jej ruchach. Nieważne, w co wierzył i jak bardzo był zajęty, mimo wszystko poświęcił jej całą swoją uwagę. Traktował jej obawy z pełną powagą. W pewnym sensie zrobił dla niej to, co ona robiła dla swoich pacjentów – wysłuchał wszystkich jej problemów, nieistotne, jak nieprawdopodobnie brzmiały, i zrobił, co mógł, aby jej pomóc. Największym dowodem na to był fakt, że pojechał z nią do domu tylko po to, żeby mogła poczuć się odrobinę pewniej.

Detektyw podszedł do podwójnych przeszklonych drzwi prowadzących do ogródka. Były zamknięte. Następnie sprawdził duże okno na wschodniej ścianie – również zamknięte. Potem odwrócił się do doktor Barnes.

– Wszystko zabezpieczone. Nie chcę pani straszyć, ale te zamki nie są najwyższej jakości. – Uniósł dłonie, od razu ją uspokajając. – Są w porządku, proszę mnie źle nie zrozumieć, ale da się je sforsować.

– Mam się nie przestraszyć po takich informacjach?

– To brzmi gorzej, niż jest w rzeczywistości. Chodzi mi tylko o to, że jeśli zależy pani na bezpieczeństwie swoim i domu, może pani pomyśleć o wymianie zamków na lepsze.

– Powiedział pan, że te można sforsować? – zapytała nerwowo.

– Nie tak łatwo – próbował ponownie ją uspokoić. – Ktoś musiałby wiedzieć jak, a także mieć odpowiednie narzędzia.

– Ale ktoś mógł to zrobić, tak? Ktoś mógł otworzyć z zewnątrz jedno z moich okien albo nawet drzwi?

– Teoretycznie tak, ale gdy się dysponuje odpowiednią wiedzą i narzędziami, można złamać wszystkie zabezpieczenia.

Rozważyła jego słowa. Miał rację, być może przesadzała. Mimo wszystko podjęła decyzję o wymianie zamków na lepsze, a może także o założeniu alarmu. Kiwnęła do niego głową.

– Mogę zaproponować panu kawę?

Webb spojrzał na zegarek. Było późno. Zbyt późno.

– Bardzo bym chciał, ale muszę wracać na posterunek.

– Jest pan pewien? – nalegała. – To zajmie tylko kilka minut. Piłam kawę na posterunku, wiem, że wasza smakuje, jakby ją filtrowano przez brudną pieluchę.

Detektyw się zaśmiał.

– Prawdopodobnie tak właśnie było. Nie wydaje mi się, żeby ktokolwiek wiedział, kto w ogóle ją robi. Nie wydaje mi się również, żeby ktokolwiek chciał to wiedzieć.

Gwen uśmiechnęła się do niego.

Policjant ponownie spojrzał na zegarek.

– A może przełożymy tę kawę? Na przykład na jutro? Mógłbym wtedy znowu sprawdzić, czy jest pani bezpieczna.

Rozciągnęła usta w jeszcze szerszym uśmiechu i skinęła potakująco głową.

– Jasne, jutro mi pasuje.

– Może być o szóstej?

Miała cały dzień wolny.

– Tak, jak najbardziej.

– Wspaniale – odparł, a następnie ruszył w stronę drzwi. – W takim razie do zobaczenia.

Webb wyszedł na dwór i wsiadł do swojego nieoznakowanego radiowozu. Gdy włączył silnik, uśmiechnął się w duchu. Poszło o wiele łatwiej, niż mógł przypuszczać.

Czterdzieści dwa

Dwupoziomowy budynek mieścił się na końcu cichej uliczki w Granada Hills – zamożnej okolicy w San Fernando Valley w Los Angeles. Podróż taksówką do domu Cassandry Jenkinson zajęła Hunterowi prawie godzinę, nawet pomimo późnej pory i wyraźnie zmniejszonego ruchu na drodze.

Gdy samochód skręcił w lewo w Amestoy Avenue i zbliżył się do Flanders Street po prawej, kierowca zwolnił i spojrzał na pasażera w lusterku wstecznym.

– Kurde, chłopie, coś poważnego się stało tam, gdzie jedziesz. Policji tutaj pełno jak much nad gównem.

Robert pokiwał głową.

– Ta, wiem. Dlatego tu jestem.

Taksówkarz przestał patrzeć w lusterko i odwrócił głowę.

– Jesteś gliniarzem?

Detektyw nie odpowiedział. Nic tutaj nie miało sensu. Kapitan Blake zadzwoniła do niego osobiście. Oznajmiła mu, że ich śledztwo przerodziło się w sprawę o wielokrotne morderstwo z motywem seryjnym, ponieważ znaleziono drugą ofiarę. Jeśli to prawda, to byli w błędzie w przypadku większości założeń.

Bardzo niewielka liczba stalkerów osiąga tak zwaną szóstą fazę stalkingu, czyli agresję i przemoc wobec ludzi. Osoby, które docierają do tego stadium, nie są praktycznie w stanie unikać myśli w rodzaju „jeśli ja nie mogę go/jej mieć, to nikt inny też nie". Chęć zamordowania obiektu swoich fantazji zaczyna wówczas dręczyć prześladowcę. Mimo wszystko jedynie część z nich próbuje wprowadzić w życie swoje mroczne plany. Ci, którym się udaje, prawie zawsze popadają w tak ogromne poczucie winy i smutek, że izolują się od wszystkich na całe tygodnie, miesiące, a nawet lata.

Niektórzy nawet sami się w jakiś sposób karzą. Stalkerzy mają jednak obsesyjną osobowość, zatem po ustąpieniu wyrzutów sumienia i poczucia winy niemal nieuchronnie znajdują nowy obiekt zainteresowania. Wówczas istniało duże, nawet bardzo duże prawdopodobieństwo powtórzenia tego morderczego cyklu.

Minęły jednak zaledwie trzy dni od śmierci Karen Ward, a nie tygodnie, miesiące czy lata. To oznaczało jedną z dwóch rzeczy: albo to nie ten sam stalker, albo prześladował jednocześnie kilka osób. To drugie zdarzało się niezwykle rzadko, ale było możliwe.

Siedząc na tylnym siedzeniu taksówki, Hunter rozejrzał się po okolicy.

Flanders Street została całkowicie odcięta, ale żółtą taśmę policyjną rozciągnięto jeszcze o co najmniej kolejne czterdzieści metrów w obie strony. Radiowozy stały zaparkowane niemal wszędzie.

Do mediów również dotarły informacje o morderstwie, zatem kilka vanów z kamerami zamontowanymi na dachach zajęło już strategiczne miejsce na chodniku, dokładnie naprzeciwko strefy odgrodzonej przez policję. Trzech fotografów uzbrojonych w teleobiektywy krążyło niestrudzenie od jednego krańca tego obszaru do drugiego, cały czas poszukując dobrego ujęcia. Niestety usytuowanie domu Jenkinsonów i odległość do niego czyniły to zadanie praktycznie niewykonalnym. Mimo wszystko żaden z nich nie wyglądał, jakby miał zamiar się poddać w najbliższej przyszłości.

Przy taśmie policyjnej zebrał się również mały tłumek gapiów, filmujących i fotografujących absolutnie wszystko. Oczywiście każdy z nich czuł konieczność, aby wrzucić te materiały na nieskończoną ilość stron mediów społecznościowych.

Przy południowym wjeździe do Amestoy Avenue stało dwóch policjantów kierujących ruchem, którzy również upominali wszystkich ciekawskich, zwalniających kierowców.

– Dalej już raczej nie mogę jechać, chłopie – oznajmił taksówkarz, a następnie zatrzymał się za jednym z radiowozów.

Hunter zapłacił mu i wysiadł z pojazdu.

W dalszym ciągu nie spadł jeszcze deszcz, na który się zanosiło, gdy detektyw dotarł do baru, czarne chmury zasnuły jednak niebo tak gęsto, że można go było oczekiwać w każdej chwili. Ulewa nadchodzi, bez dwóch zdań.

Robert zapiął kurtkę.

Pięciu mundurowych o surowych minach trzymało na dystans wszystkich reporterów i ciekawskich gapiów. Detektyw wyminął tłumek zygzakiem, pokazał odznakę policjantom i zanurkował pod żółtą taśmą.

Oceniał, że od Flanders Street do domu ofiary było jakieś dziewięćdziesiąt do stu metrów. Zgodnie z protokołem funkcjonariusze chodzili już od drzwi do drzwi po całej ulicy, rozpytując sąsiadów. W oknach każdego domu widać było zszokowane i przerażone twarze.

Po lewej stronie, blisko końca ulicy, stał biały van techników kryminalistycznych, zaparkowany tuż koło hondy civic Carlosa. Gdy Hunter podszedł bliżej, zauważył swojego partnera rozmawiającego obok radiowozu ze starszym oficerem.

– Robert – krzyknął Garcia, machając ręką. – Tutaj.

Zawołany stanął przed dużym domem należącym do ofiary. Pomalowano go na jasny odcień zieleni, z białymi akcentami wokół dwuspadowego dachu. Trawnik z przodu był niewielki, ale bardzo dobrze utrzymany. Rabatki z kolorowymi kwiatami wyznaczały jego granice. Na lewo znajdował się garaż na dwa samochody, a na wybetonowanym podjeździe z czarnym obramowaniem zaparkowano srebrnego cadillaca SRX. Rzucało się w oczy, że ktokolwiek tutaj mieszkał, bardzo o wszystko dbał. To najładniejszy dom na ulicy, przy której znajdowały się same ładne domy.

– To jest sierżant Thomas Reed z komisariatu w Valley – oznajmił Carlos, gdy jego partner się zbliżył.

Nowo poznani uścisnęli sobie ręce.

Reed był po czterdziestce, a wzrostem mniej więcej dorównywał Garcii. Głowę golił na łyso, ale i tak nie posiadał już zbyt wielu włosów. Stara blizna przecinała jego podbródek od prawego kącika ust do lewej krawędzi żuchwy.

– Sierżant jako pierwszy dotarł na miejsce zbrodni.

– Właśnie mówiłem twojemu partnerowi, że okoliczności zgłoszenia na dziewięć-jeden-jeden były nieco dziwne. – Jego głos miał w sobie pewną łagodność, która sprawiała, że brzmiał jak narrator opowiadań dla dzieci.

– Dlaczego? – zapytał Hunter.

– Po pierwsze, nie dzwoniono stąd. A mówiąc „stąd", mam na myśli Los Angeles.

Obaj detektywi zmarszczyli brwi.

– Rozmówca był we Fresno.

Ta informacja zdecydowanie ich zaskoczyła.

– Zgadza się – potwierdził policjant, widząc zaintrygowanie rozmówców. – Telefon wykonano prawie trzysta dwadzieścia kilometrów stąd.

Czterdzieści trzy

Niebiesko-biały namiot techników rozstawiono przy wejściu do domu Jenkinsonów, całkowicie zasłaniając werandę. Agent CSI szukał na betonowym podjeździe śladów opon, które różniłyby się od tych należących do zaparkowanego srebrnego cadillaca SRX. Dwóch kolejnych ostrożnie przeczesywało trawnik i rabatki oraz sprawdzało okno na prawo od werandy.

– Jeśli rzeczywiście mamy tutaj do czynienia z tym samym sprawcą – zaczął Garcia, gdy razem z partnerem zostawili sierżanta Reeda i ruszyli w stronę domu – to nic nie trzyma się zbytnio kupy, no nie?

Detektyw zauważył bardzo zatroskaną minę przyjaciela, kiedy ten przyjechał na miejsce zbrodni. Domyślał się, że z identycznego powodu, przez który on sam ledwo mógł uwierzyć w rewelacje usłyszane przez telefon niespełna godzinę wcześniej. *Stalker Karen Ward ponownie zamordował?*

– Zgadza się. – Hunter pokręcił głową. – Co wiemy o ofierze?

– Na razie bardzo niewiele. Same podstawowe informacje – odpowiedział Carlos, wyciągając notes z kieszeni. – Cassandra Jenkinson, czterdzieści dwa lata, urodzona w Santa Ana w hrabstwie Orange. Pracowała jako organizatorka eventów w klubie towarzyskim niedaleko stąd, w Porter Ranch. – Instynktownie wskazał ręką na zachód. – Najwidoczniej raz w tygodniu również zajmowała się wolontariatem na rzecz organizacji dla kobiet z chorobami serca: WomenHeart.

Robert uniósł brwi. Na pewno robił już zakupy w ich sklepach.

– Była żoną Johna Jenkinsona, czterdziestoośmiolatka pochodzącego z Los Angeles. Prowadzi firmę konsultingową w śródmieściu. Jak wiemy od Reeda, to z nim morderca nawiązał wideopołączenie.

Jenkinsonowie mają jednego syna, Patricka. Dwudziestolatek, studiuje w Bostonie w Massachusetts. Ofiara ma całkowicie czystą kartotekę. Nie była notowana. Nie miała problemów ze skarbówką. Nie miała długów ani nawet niezapłaconych mandatów. Wynika z tego, że była wzorową obywatelką. Na razie to wszystko, co wiemy.

Detektyw pokiwał głową. Spojrzał na agenta CSI, następnie na drugiego.

– Dopiero zaczęli działania – wyjaśnił Carlos. – Rozstawiali się ze sprzętem, kiedy przyjechałem tu pięć minut temu. – Schował notes do kieszeni.

– Kto dowodzi zespołem techników?

– Ta sama osoba co ostatnio. Doktor Susan Slater. – Rzucił partnerowi znaczący uśmiech.

– Co to było?

– Co niby?

– Ten uśmiech w stylu „To ja zjadłem ostatniego pączka". O co chodzi?

– Daj spokój.

Hunter przystanął i spojrzał pytająco na Carlosa.

Garcia się skrzywił.

– Daj spokój, ona jest gorąca, a ty o tym wiesz.

– Kto? Doktor Slater?

– Nie, moja babcia w brazylijskim bikini tańcząca sambę na plaży w Copacabana. Jasne, że doktor Slater. Nie udawaj durnia, to do ciebie nie pasuje. Widziałem, jak na nią patrzyłeś ostatnio... a ona na ciebie. Powinieneś ją zaprosić na randkę.

– Jesteśmy na miejscu zbrodni.

– No i? Uczucie może rozkwitnąć w najdziwniejszej scenerii.

Drugi detektyw się zaśmiał.

– Jesteś chory.

Gdy ruszyli w dalszą drogę, Robert poczuł kroplę deszczu na czubku głowy. Spojrzał do góry. Carlos zrobił to samo. Obaj zostali jednocześnie trafieni prosto w czoło.

Agent CSI na podjeździe szukający śladów opon chyba właśnie coś znalazł. On również zauważył pierwsze krople. Nagle jego ruchy stały się znacznie bardziej nerwowe.

– W dupę! – krzyknął, panicznie przetrząsając torbę w poszukiwaniu czegoś, czym mógłby przykryć beton tuż przed sobą.

Detektywi ruszyli, aby mu pomóc, ale inny technik ich wyprzedził.

– Masz coś? – spytał Hunter. Rozpiął kurtkę i rozpostarł ją nad głową niczym nietoperze skrzydła, próbując zrobić coś na kształt parasola.

Deszcz się nasilił.

– Chyba znalazłem ślad opon – odparł mężczyzna, nie patrząc w górę. – Pytanie, czy uda się go teraz zabezpieczyć przed zmoczeniem.

Garcia również rozpiął swoją kurtkę i rozłożył nad głową, próbując chronić potencjalny ślad.

– Kurde! – rzucił jeden agent do drugiego. – Nie miałem nawet czasu, żeby zrobić zdjęcie. Jeśli deszcz to zmyje, to nic nie będziemy mieli.

Technicy ruszali się tak szybko, jak to tylko możliwe. Po chwili udało im się przykleić taśmą kawałek nieprzemakalnego materiału do podłoża, wówczas jeden z nich spojrzał na obu detektywów.

– To wystarczy. Nawet jeśli woda zmyje część, to i tak powinno zostać wystarczająco dużo do zbadania. Jesteście z wydziału zabójstw?

Mężczyźni pokiwali głowami, deszcz w tym czasie się nasilił.

– Jak już mówiłem, nie zdążyłem się temu za bardzo przyjrzeć, ale jedno mogę od razu powiedzieć. To nie pasuje mi do SUV-a takiego jak ten cadillac. – Kiwnął głową w kierunku zaparkowanego auta.

Detektywi pozapinali kurtki i ruszyli w kierunku domu.

Policjant stojący na werandzie podał im plastikowe torby zawierające kombinezony ochronne. Następnie dostali do podpisania protokół z miejsca zbrodni.

Hunter i Garcia skończyli się ubierać, włożyli kaptury na głowy i wkroczyli wreszcie do kolejnej scenerii rodem z horroru.

Czterdzieści cztery

Dom Cassandry Jenkinson był nie mniej imponujący w środku co na zewnątrz. Drzwi wejściowe otwierały się na przestronny przedpokój, gdzie z sufitu zwisał olśniewający kryształowy żyrandol. Wielkie okrągłe lustro w gotyckiej ramie zajmowało większą część ściany po lewej stronie. Po prawej stała rzeźba z poskręcanej stali nierdzewnej umiejscowiona na prostokątnym stole o dwóch nogach. Na podłodze leżał tkany turecki dywan nadający pomieszczeniu kolorytu. Na pierwszy rzut oka nic nie wydawało się zniszczone ani poprzestawiane.

Nicholas Holden, ekspert od odcisków palców – ten sam, który pracował z nimi na poprzednim miejscu zbrodni – ostrożnie badał zamek w drzwiach wraz z dziurką od klucza.

– Są jakieś ślady włamania? – zapytał Hunter, po czym pochylił się, aby samemu rzucić okiem.

Technik pokręcił głową.

– Nic wyraźnego. Ani drzwi, ani sam zamek nie noszą żadnych znamion otwarcia siłą.

– A wytrychem? – zasugerował Garcia.

– Mało prawdopodobne. Właśnie to sprawdzałem, ale tutaj jest pięciodźwigniowy mechanizm wpuszczany w futrynę. Niełatwo coś takiego dostać w USA, co jest zaskakujące, ponieważ są solidne jak stal. Przez tych pięć dźwigni otwieranie go wytrychem to cholernie trudne zadanie. Potrzeba nie tylko odpowiednich narzędzi, ale także bardzo dużo czasu.

– Ile konkretnie? – drążył dalej detektyw.

Technik wzruszył ramionami.

– Nie wiem dokładnie. Ale na pewno znacznie więcej, niż jakikolwiek włamywacz byłby skłonny spędzić na werandzie odsłoniętego domu.

Żaden z budynków przy Flanders Street nie był chroniony ogrodzeniem ani bramą. Ktoś stojący lub klęczący przed drzwiami Jenkinsonów zostałby z łatwością zauważony z większości sąsiednich posesji.

– Dopiero zacząłem, ale już natknąłem się na dwa zestawy odcisków. Jedne są kobiece, prawdopodobnie należą do ofiary. Drugie z całą pewnością zostawił mężczyzna. Duże dłonie.

Detektywi podziękowali, po czym otworzyli kolejne drzwi i weszli do następnego pomieszczenia, które rozświetlały dwa potężne reflektory.

Dwupoziomowy salon, do którego weszli, był po prostu oszałamiający. Znajdowały się w nim wysoki granitowy kominek oraz lśniące drewniane podłogi. Bogato udekorowany antycznymi meblami, dziełami sztuki oraz wielkim perskim dywanem, który nadawał mu łagodny, ale jednocześnie egzotyczny wygląd. Żyrandol w przedpokoju robił duże wrażenie, jednak ten, który wisiał w salonie, po prostu olśniewał. Dziesięć żarówek w kształcie świec otaczało setki podłużnych kryształów, które zwisały niczym krople deszczu. Całe to piękno, cały ten spokój zostały całkowicie strzaskane przez scenę rodem z horroru, która wydarzyła się na środku pomieszczenia.

Naprzeciwko kominka stał stół, jedno z sześciu stanowiących komplet krzeseł zostało od niego odsunięte i przyciągnięte pod ścianę, na której wisiało kilka oprawionych w ramy oryginalnych obrazów. Na tym krześle spoczywała rozebrana do naga kobieta, której włosy, twarz i tors całkowicie pokrywała krew. Oczy miała otwarte, jej usta zastygły w niemym krzyku. Hunter miał pewność, że nie usłyszał go nikt, poza potworem, który ją okaleczył.

– Witam panów – powiedziała doktor Slater stojąca tuż za ofiarą.

Żaden z detektywów nie odpowiedział. Nie potrafili oderwać wzroku od oczu ofiary, w których zachował się obraz przeżytego horroru. Szefowa techników nie poczuła się urażona ich milczeniem.

– Nie tego się spodziewaliście, prawda?

Hunter zatopił się w myślach, niczym szachista analizujący nieoczekiwany ruch przeciwnika, starając się rozgryźć, co ów planuje.

– Nie jestem pewny, czego tak właściwie się spodziewałem – odparł, zanim odpowiedział na powitanie kobiety. – Dzień dobry, pani doktor.

Garcia podążył za jego przykładem.

Susan dała im jeszcze chwilę. Jeden blond lok wydostał się spod kaptura kombinezonu, spokojnym ruchem umieściła go ponownie na właściwym miejscu.

– Jak bardzo jesteście pewni, że to ten sam sprawca co ostatnio? – zapytała.

Obaj mężczyźni doskonale wiedzieli, dlaczego zadała to pytanie. Biorąc pod uwagę wyłącznie widok z miejsca zbrodni, każdy mógłby powiedzieć, że zarówno *modus operandi*, jak i „podpis" mordercy są różne.

– W tej chwili niezbyt pewni – odparł Carlos.

– Tak myślałam. Też mam wątpliwości, dlatego chciałam zapytać. Powiązanie obu spraw tylko na podstawie dowodów z miejsca zbrodni... – potoczyła wzrokiem po salonie – byłoby cholernie naciągane. Zgadza się jedynie to, że ta ofiara również znajduje się na krześle w jadalni. *Modus operandi* mordercy różni się znacznie od tego, co widzieliśmy poprzednim razem. – Wyszła zza siedzącej ofiary. – Zapraszam, pokażę, co mam na myśli.

Detektywi podeszli bliżej.

– Jak zapewne pamiętacie, ostatnia ofiara została przywiązana do krzesła na wysokości kostek i torsu, co jednocześnie unieruchomiło jej ręce, ale pozostawiło dość swobody ruchu dla pochylania naprzód i walenia jej głową w szkło.

Mężczyźni pokiwali głowami.

– Mamy zatem pierwszą różnicę. Ta kobieta nie została w ogóle skrępowana. A przynajmniej nie liną, sznurem czy czymkolwiek podobnym. – Wskazała na nadgarstki, kostki, a także skórę pod piersiami denatki. Nie było tam żadnych śladów więzów, otarć ani siniaków. – Trzeba będzie poczekać na wyniki badań toksykologicznych, żeby mieć pewność, czy została czymś odurzona, jednak bardzo bym się zdziwiła, gdyby było inaczej.

– Środek paraliżujący? – zasugerował Garcia.

– Tak podejrzewam. To byłaby zresztą druga rozbieżność, poprzednia ofiara nie miała w organizmie żadnych substancji tego typu.

Susan złączyła palce, aby poprawić lateksową rękawiczkę.

– Trzecia, duża różnica – powiedziała, wskazując na usta kobiety. – Nie ma nacięć, zadrapań ani żadnych innych znaków, które wskazywałyby na to, że została zakneblowana przed śmiercią.

Hunter okrążył denatkę i stanął po lewej stronie, obok pani doktor. Przez kilka pełnych milczenia sekund oglądał całe ciało ofiary. Poza małym rozcięciem w prawym kąciku ust nie widział żadnych innych obrażeń, powierzchownych bądź nie, na jej torsie, rękach, nogach lub twarzy. Pochylił się, aby przyjrzeć się jej ustom i temu drobnemu rozcięciu, ale trudno mu było oderwać wzrok od spojrzenia, które zostało na zawsze uwiecznione w jej oczach: wszechogarniający, zniewalający strach.

– Czwartą i zarazem najbardziej oczywistą różnicą jest całkowite odejście od poprzedniego sposobu zabijania – kontynuowała swoje podsumowanie doktor Slater. – Sądząc po waszych zaskoczonych minach, zakładam, że również spodziewaliście się znaleźć ofiarę z okaleczoną twarzą.

Wzięła ich milczenie za „tak".

– Zrozumiałe by było, gdyby morderca nie użył tym razem rozbitego szkła, jednak zakładałam, że znów zobaczę groteskowe, zupełnie oszpecone zwłoki. – Susan zamilkła i ponownie zwróciła uwagę detektywów na ciało. – Jak widać, pomimo że wszystko pokrywa krew, to jedynym obrażeniem na twarzy tej kobiety jest to maleńkie rozcięcie dolnej wargi. Jest świeże, zatem zakładam, że zostało spowodowane silnym uderzeniem otwartą dłonią. Zapewne chciał ją uciszyć albo pokazać, że nie żartuje.

Nawet pomimo dużej ilości krwi rysy Cassandry były łatwe do rozpoznania: mały nos, wydatne kości policzkowe, pełne usta, zaokrąglona szczęka. Bez wątpienia można ją nazwać bardzo atrakcyjną.

Hunter zauważył już wcześniej, że jasne włosy ofiary zostały całkowicie unurzane we krwi, a jej największa ilość znajdowała się na samym czubku głowy, co oznaczało, że właśnie z tego miejsca wypływała.

– Oczywiste jest, że źródło krwotoku stanowi głowa, jednak nie widzę nigdzie żadnych rozcięć albo urazów spowodowanych uderzeniem tępym narzędziem.

– Mnie również to zaskakuje – przyznała doktor Slater. – Nie wygląda na to, żeby została uderzona czymkolwiek tępym albo ostrym. Również nie widzę żadnych nacięć skóry ani wgnieceń czaszki.

Detektyw przyjrzał się głowie ofiary. Mimo że nie mógł dojrzeć tego przez warstwę pozlepianych krwią włosów, w jego umyśle zaczął materializować się pewien obraz.

– Niewielkie otwory. – Nie sformułował tego jako pytania.

Susan popatrzyła w to samo miejsce i pokiwała głową, nieco zaskoczona jego dedukcją.

– Zabił ją, wybijając niewielkie otwory w jej czaszce.

Czterdzieści pięć

Niecałe dwie godziny wcześniej.

Nagle nad głową Cassandry pojawiły się dłonie demona.

Nie były puste.

Prawa trzymała zwyczajny metalowy młotek. Lewa zaś dwudziestocentymetrowe dłuto kamieniarskie z cienkim i ostrym czubkiem.

Kobieta nie widziała, co się za nią dzieje. Nie mogła ruszyć mięśniami karku. Nie mogła obrócić głowy. Mogła tylko patrzeć w ekran komórki i w oczy swojego męża. Tym razem to ona zobaczyła w nich coś, czego nigdy wcześniej nie oglądała: całkowitą, totalną rozpacz.

– Nie rób tego. Proszę, nie rób tego – błagał instynktownie Pan J, ale jego głos nie brzmiał przekonująco.

Stracił rachubę, ile już razy znajdował się na miejscu demona. Jego cel przed nim, bezradny. Wszyscy prosili. Wszyscy błagali. Wszyscy oferowali mu pieniądze, wymówki, obietnice. To nigdy nie działało. Pan J nigdy nie pojawiał się, aby negocjować. On stanowił ostatni przystanek. Ostateczną konsekwencję wszelkich pomyłek, które cel popełnił. Rozpoznał w głosie demona taką determinację, jaką on sam czuł w podobnych przypadkach. Będąc w pokoju hotelowym, oddalony o całe kilometry od swego domu, Pan J wiedział, że nie ma na świecie rzeczy, którą mógłby powiedzieć lub zrobić, aby powstrzymać teraz mordercę przed tym, co ten zamierzał uczynić. Spojrzał ponownie na żonę, zanim jej wzrok zamgliła kolejna fala łez, dojrzała w jego twarzy cierpienie. Żal. Bezradność.

Morderca przystawił czubek dłuta do głowy Cassandry, jakieś dziesięć centymetrów powyżej czoła i kawałek na prawo od środka głowy.

Kobieta poczuła ostry przedmiot dotykający jej skóry i próbowała spojrzeć do góry tak wysoko, jak tylko dała radę, zupełnie jakby mogła zobaczyć własne brwi.

Demon uniósł młotek.

Cassandra zaprzestała wysiłków i wróciła do robienia jedynej rzeczy, jaką mogła – do patrzenia na swojego męża za pośrednictwem telefonu komórkowego. Jego wargi się poruszały, ale nie wydobywał się z nich żaden dźwięk. Struny głosowe odmówiły mu posłuszeństwa. Potrafił jedynie bezgłośnie powiedzieć: *Przepraszam*.

ŁUP.

Młotek uderzył w dłuto. Gdy jego czubek przebił kość, oczy kobiety uciekły w głąb czaszki, a całe jej ciało zadrżało konwulsyjnie. Pomimo środka paraliżującego, który jej podano, impulsy nerwowe dalej były przekazywane.

Pan J milczał i trząsł się z gniewu. Czuł taką pustkę, jakby coś pożarło jego duszę.

Wtedy nastąpiła niespodzianka.

Czterdzieści sześć

Pan J spodziewał się zobaczyć, jak dłuto zagłębia się w mózgu jego żony na pełną długość. Zamiast tego wniknęło na niecały centymetr. Demon kontrolował siłę uderzenia z precyzją godną rzeźbiarskiego mistrza: jedno dokładne uderzenie, nic więcej, ponieważ tylko tyle potrzebował.

Gdy mężczyzna w końcu odsunął dłonie, gęsta lepka krew wypłynęła z rany i zalała ofierze twarz, tworząc nierówną czerwoną linię poprzez czoło, policzek, aż w końcu dotarła do brody.

John wstrzymał oddech, zgrzytał zębami, odczuwając gniew godny tysiąca bogów.

Powieki Cassandry trzepotały przez chwilę, po czym wreszcie znieruchomiały otwarte. Oczy również powróciły do normalności, ich spojrzenie było udręczone i przepełnione bólem.

– Ha, ha, ha, ha, ha.

Zniekształcony śmiech zaskoczył wściekłego męża, który ponownie szarpnął się w miejscu.

– Myślałeś, że tak po prostu wbiję jej ten kawał metalu do końca, jednym ciosem?

Bez odpowiedzi.

– Tak myślałeś, przyznaj się.

Cisza.

– Nie byłoby wtedy zabawy. O nie. Będziemy to ciągnąć tak długo, aż podasz poprawną odpowiedź albo twoja żonka umrze. Za każdy błąd wybiję jej kolejny otwór w czaszce. Nie jestem pewny, ile ich potrzeba, żeby zabić człowieka, ale raczej niewiele. Jak myślisz?

– Ty skurwy...

– Znasz zasady – przerwał mu demon. – Nie ruszymy dalej,

dopóki nie odpowiesz poprawnie. Zatem spróbujmy jeszcze raz. Twoja data ślubu. Masz pięć sekund.

Trybiki w głowie Pana J nie dały rady ruszyć w jednym kierunku. Gniew walczył ze strachem, który z kolei walczył ze zwątpieniem i przygnębieniem, a temu wszystkiemu jeszcze towarzyszyło poczucie całkowitej pustki.

Cassandra ponownie zamrugała, tym razem bardzo powoli. Jej spojrzenie wydawało się zagubione.

Krew kapała jej z brody na ramię.

– Cztery... – odliczał oprawca.

Siódmy marca. Ta data ponownie przyszła do głowy Johnowi. Wiedział już, że jest błędna, dlaczego w takim razie tak mu się kołatała w myślach? Wszystko pomieszał, a może tylko dzień? Albo miesiąc?

– Trzy...

Na kominku w salonie znajdowało się przynajmniej kilka zdjęć z ich ślubu. Stali razem przed kościołem, oboje szeroko uśmiechnięci. To stąd ten psychol wziął pomysł na pytanie? Dzięki fotografiom?

Nie nad tym powinieneś się teraz zastanawiać. Myśl, do cholery, myśl!

– Dwa...

Na moment spojrzenie w oczach jego żony odzyskało ostrość. Patrzyła na niego z niemą prośbą. Rozpacz, którą widziała na jego twarzy zaledwie kilka sekund wcześniej, znacznie się pogłębiła.

– Jeden...

– Siedemnasty kwietnia? – Wypowiedział te słowa zupełnie bez przekonania, zabrzmiały bardziej jak pytanie niż stwierdzenie. To tylko zgadywanie, nic więcej. Psychicznie czuł się tak rozchwiany, że zapewne potrzebowałby kilku prób, aby podać poprawnie datę własnych urodzin.

Gdy te dwa wyrazy dotarły do uszu Cassandry, zamrugała, i nawet pomimo łez było widać, że ostatecznie porzuciła już wszelką nadzieję.

– Znowu źle – oznajmił demon tak spokojnie jak ksiądz podczas niedzielnego kazania. Ponownie uniósł młotek i przystawił kobiecie dłuto do głowy. Tym razem wybrał miejsce jakieś trzy centymetry powyżej czoła i nieco na lewo od środka czaszki.

Pan J chciał znowu prosić. Chciał błagać, paść na kolana i płakać, ale co by to dało? Oprawca by nie słuchał. Nie przestał. Młotek wzniósł się wyżej. A następnie opadł w dół.

ŁUP.

Kolejny idealnie kontrolowany cios, który wbił jedynie czubek dłuta w czaszkę ofiary. Ponownie drgawki wstrząsnęły jej ciałem, a źrenice uciekły w nieznane. Tym razem jednak konwulsyjnie szarpnęła się również jej głowa, zupełnie jakby wielki insekt dostał się jakoś do środka i użądlił ją w mózg.

Życie Johna straciło sens. Żona, będąca dla niego opoką, całym światem, właśnie umierała na jego oczach. Nie dość, że nie mógł zrobić nic, aby ją obronić, to jeszcze działo się to przez jego własną głupotę. Wszystko dlatego, że nie potrafił zapamiętać daty swojego ślubu.

Krew zaczęła płynąć z nowej rany, najpierw poprzez czoło, a następnie po lewym policzku. Jej powieki się uniosły, ale jedynie do połowy. Nie potrafiła znaleźć w sobie siły, żeby otworzyć je do końca.

Rozrywający duszę ból, który wywoływało oglądanie ukochanej osoby poddawanej torturom, oraz niewyobrażalne poczucie winy sprawiły, że zrobiło mu się słabo i na ułamek sekundy odwrócił głowę od ekranu.

Demon to zauważył.

– Przestałeś patrzeć.

John natychmiast spojrzał ponownie na wyświetlacz.

– NIE – krzyknął, kręcąc głową. – NIE.

– Znasz zasady, ty nie patrzysz, ona zostaje ukarana.

Ponownie ustawił dłuto, tym razem wybrał miejsce na samym środku głowy.

Pan J spojrzał żonie prosto w oczy. Gdy tylko to uczynił, zupełnie umilkł. Cassandry już tam nie było. W jej pełnych łez oczach zobaczył tylko pustkę. Źrenice zaszły mgłą. Białka przybrały kolor taniego czerwonego wina. Nawet gdyby teraz udało mu się przypomnieć sobie datę ślubu, a demon dotrzymałby słowa i ją uwolnił, żona, którą znał, przestała już istnieć. Z tego, co widział, dłuto zagłębiło się wystarczająco głęboko, żeby przebić czaszkę na wylot.

Mózg zapewne doznał już nieodwracalnych uszkodzeń. Jeśli udałoby się jej przeżyć Bóg jeden wie, ile operacji, to jaka by się stała? Potrafiłaby mówić? Chodzić? Ruszać rękami? Rozpoznawać kogokolwiek? Nie mówiąc już o psychicznych zniszczeniach spowodowanych przez te wszystkie męczarnie, których doznała tego dnia. Nieważne, co teraz zrobi, i tak już stracił swoją Cassandrę.

ŁUP.

Młotek ponownie opadł, tym razem jednak wyglądało na to, że oprawca użył trochę więcej siły niż dotychczas, wyraźnie rozległ się dźwięk pękającej kości. Zupełnie jakby ktoś stanął na potłuczonym szkle. Ułamek sekundy później świeża struga krwi popłynęła z kolejnej rany.

Kobieta zadygotała. Potem znów. I jeszcze raz. Demon puścił jej głowę, która opadła bezwładnie, niemal jak w zwolnionym tempie.

Po chwili niespodziewanie ciałem wstrząsnął kolejny spazm. Następnie ślina zaczęła kapać z prawego kącika jej ust. Skurcze mięśni ramion rzuciły nią jeszcze kilka razy w przód i w tył, aż w końcu całkowicie znieruchomiała.

Tym razem Pan J czuł się sparaliżowany. Oczy miał jak przyklejone do małego wyświetlacza. Oddychał z trudem.

Demon odłożył narzędzia i pozwolił, aby obraz pozbawionej życia kobiety przez kilka sekund wypełniał ekran. Następnie przyłożył dwa palce do jej szyi. Po chwili zrobił to samo z lewej strony.

W pokoju hotelowym John również wyprostował palce i położył je na komórce, delikatnie nimi przesuwał, zupełnie jakby naprawdę dotykał twarzy ukochanej.

– Przepraszam – wymruczał zbolałym głosem. – Przepraszam, kochanie. Kocham cię najmocniej. Wybacz mi.

– Gratuluję – powiedział demon, który zniknął już z kadru. – Udało ci się pozwolić żonie umrzeć.

Pojedyncza łza spłynęła po twarzy Pana J. Zamknął oczy i wziął głęboki oddech przepełniony nienawiścią. Gdy je otworzył, stały się równie pozbawione życia jak Cassandry. Odsunął dłoń od wyświetlacza.

Nagle jednym szybkim ruchem kamera została przesunięta i pokazała coś, czego mężczyzna nie spodziewał się zobaczyć: twarz demona. Tylko że to nie była prawdziwa twarz, a maska. Pomimo że zdawała się realna i groteskowa – porozcinane i poparzone ciało, zdeformowane i diabelskie oczy, urwany nos i ostre, zakrwawione zęby wyglądały jak prawdziwe – Pan J nie mrugnął. Nie poruszył się. Nie odwrócił wzroku.

– Teraz, skoro twoja mała gierka już się skończyła, ty i ja zagramy sobie w nową. – Powiedział to tonem tak spokojnym i tak zimnym, że szyby w oknach o mało nie pokryły się szronem. – Grę, w której jestem najlepszy. Grę, w którą gram od lat i której jeszcze nigdy nie przegrałem. Słuchasz mnie?

Demon nic nie odpowiedział.

– Naprawdę ci się wydaje, że ukrywanie się za kamerą albo za brzydką maską w jakiś sposób cię uratuje? – Przerwał, patrząc prosto w diabelskie oczy. – Każde zlecenie, jakie wykonuję, to pościg. Wszyscy robią ten sam błąd, który ty robisz w tej chwili. Wierzą, że jeśli uciekną, zmienią miasto, stan czy kraj... albo nazwisko czy wygląd... jeśli zdobędą nowe dokumenty... albo cokolwiek... Wierzą, że wtedy będą bezpieczni. Zniknięcie ma być kluczem do nowego życia, a to stare, razem ze wszystkimi problemami, zostanie gdzieś z tyłu. – Kolejna celowa pauza. – Wszyscy się mylą. Pozwól, że powiem ci coś, czego jeszcze o mnie nie wiesz, kimkolwiek jesteś. Pierwszą częścią mojej pracy jest wytropienie tych uciekinierów, gdziekolwiek mogą się znajdować. – Pan J pochylił się nad ekranem. – A ja jestem w tym absolutnie najlepszy. Zatem zapamiętaj. Gdziekolwiek się udasz, gdziekolwiek się schowasz i kimkolwiek się staniesz. Ja cię znajdę... a wtedy wyrwę ci serce. Słyszysz mnie, pojebie?

O dziwo demon przez cały czas się nie rozłączał.

– Ha, ha, ha, ha. – Z głośnika popłynął śmiech. Najpierw stłumiony, jakby morderca próbował go powstrzymywać, jednak szybko stał się głośniejszy. O wiele głośniejszy.

– Ha, ha, ha, ha, ha, ha!

Usta klowna rodem z horroru wykrzywiły się dziwnie, kiedy mężczyzna śmiał się niemal histerycznie.

– Ha, ha, ha, ha, ha, ha, ha, ha, ha, ha, ha.

Pan J nie potrafił odwrócić wzroku od małego wyświetlacza, zupełnie jak zahipnotyzowany. Wiedział, że w swoim życiu widział już rzeczy, których nikt inny nie zobaczył. Obrzydliwe, straszne rzeczy, które wytrąciłyby z równowagi najtwardszych ludzi, jednak z czymś takim jeszcze się nie zetknął.

Nagle, zupełnie niespodziewanie, demon przestał się śmiać.

Ułamek sekundy później połączenie zostało zerwane.

Czterdzieści siedem

Pan J przybył na świat jako John Louis Goodwin, nieplanowane, jedyne dziecko Bruce'a i Sally Goodwinów. Urodził się w Madison, w Nebrasce, pod znakiem Raka. Co ciekawe, według najnowszych badań FBI właśnie raki są najgroźniejszymi i najbardziej przebiegłymi przestępcami spośród wszystkich znaków zodiaku. Jeszcze ciekawsze jest to, że drugie miejsce wśród najgroźniejszych znaków zajmuje Byk, następnie Strzelec, a potem Baran. Ojciec Pana J był Bykiem, a matka Baranem.

Narodziny dziecka powinny przynieść rodzinie radość, ale w tym przypadku stało się dokładnie na odwrót. Jego matka, która od czasów nastoletnich zażywała narkotyki, szczerze wierzyła, że syn przyniesie jej zbawienie, jednak padła ofiarą wyniszczającej depresji poporodowej. Jej odpowiedzią na to, całkowicie wbrew dobru noworodka, stało się zwiększenie ilości przyjmowanych środków z umiarkowanego poziomu na „poziom ćpuna". W ten prosty sposób oczekiwane zbawienie przerodziło się w potępienie.

Z kolei jego ojciec, który nigdy nie chciał mieć dzieci, wyżej sobie cenił butelkę od igły oraz pięść od rozmowy. Z powodu tej wybuchowej mieszanki chłopak wyrósł na zaniedbane dziecko: typowego niewidzialnego chłopca ze skomplikowanej, patologicznej relacji.

Cały ten brak miłości i uczuć nie uszedł uwagi małego Johna, który już od najmłodszych lat zdawał sobie sprawę, że nie pasuje do planów swoich rodziców. Lanie, które dostawał od ojca, stawało się coraz częstsze wraz z upływem lat. Nigdy jednak nie płakał i nie szukał kryjówki, tylko stawiał się bez lęku i w milczeniu: to zachowanie zaskakiwało matkę i doprowadzało do furii ojca.

Wszystko to jednak zakończyło się pewnej deszczowej, letniej nocy, na kilka dni przed piętnastymi urodzinami chłopca. Tamtego wieczoru, po kolejnych razach od pijanego Bruce'a, John wrócił do swojego pokoju, spakował do małego plecaka tych kilka ubrań, które miał, i usiadł na łóżku. Objął kolana rękami i patrzył na brudną ścianę. Godzinami czekał i nasłuchiwał, aż w domu zaległa cisza i miał pewność, że rodzice zasnęli całkowicie odurzeni. Nie czując żadnych wyrzutów sumienia, wyszedł z pokoju i na palcach udał się do kuchni. Doskonale wiedział, gdzie matka trzyma swoje pieniądze na narkotyki. Po ich zabraniu na zawsze uciekł z „wiecznego piekła", którego nigdy nie potrafił nazywać domem.

Żeby jego plan się udał, musiał jak najszybciej opuścić to zacofane miasto, w którym żył. Tamtej deszczowej nocy znalazł na dworcu tylko jeden autobus jadący do miejsca, gdzie podobno żyją anioły. Gdy dotarł na miejsce, okazało się, że spotka tam jedynie demony.

Na początku przemierzał ulice we mgle, sypiając gdzie popadnie i szukając jedzenia w śmietnikach. Co zabawne, okazało się, że znalezione odpadki smakowały lepiej niż jakikolwiek posiłek, który otrzymał od rodziców.

Życie na ulicach LA było ciężkie. Mimo że John przez lata obserwował dokładnie, jak bardzo destrukcyjne potrafią być narkotyki i alkohol, to będąc bezdomnym piętnastolatkiem, nie potrafił uciec od toksycznego zewu tych substancji. Wkrótce chłopak odkrył również gangi, dziewczyny, imprezy, pieniądze oraz życie jednocześnie ekscytujące, niebezpieczne i przerażające na różne możliwe sposoby. Wówczas stanął twarzą w twarz ze swoim pierwszym wewnętrznym demonem – podatną na uzależnienia osobowością.

Właśnie ten wewnętrzny demon kazał mu się trzymać życia na krawędzi, karmił się nim jak pasożyt i wciągał go coraz głębiej pod wodę, a chłopak spadał na dno niczym kotwica. Przez trzy lata taka egzystencja stanowiła wszystko, co posiadał, jednak obłęd wyniszczał go od środka, pożerał jego mózg i odzierał z emocji. Musiał od niego uciec, zanim będzie za późno. W wieku osiemnastu lat John Louis Goodwin wstąpił do armii.

Podczas pierwszej tury służby otrzymał pseudonim Pan J. Po trzech kolejnych, kiedy zdobył dwa medale i kilka pochwał, John powrócił do Los Angeles, uznawszy, że wystarczy mu już wojskowego życia. Miał wówczas dwadzieścia pięć lat. Zauważył, że bez munduru kraj, za który walczył, zabijał i był gotów polec, traktował go jak trędowatego. Już drugi raz poczuł się niewidzialnym chłopcem. Już drugi raz poznał smak odtrącenia, silniejszy, niż mógł sobie wyobrazić. Nikt nie chciał go zatrudnić, ludzie patrzyli na niego jak na szumowinę, a rząd robił bardzo niewiele, żeby pomóc. Znalazł się w tej samej sytuacji co po przyjeździe do „Miasta Bez Aniołów". Tym razem jednak znał uliczny świat i wiedział, do kogo się zwrócić.

Ku jego zaskoczeniu, część dawnych znajomych zaszła bardzo wysoko w swoich organizacjach, które z kolei stały się o wiele potężniejsze. Kilka z nich połączyło siły, tworząc kartel. Odeszły już od handlu na ulicy i nabyły kilka własnych biznesów, między innymi kasyna w Kalifornii, Nevadzie, Luizjanie i New Jersey. To oni się z nim skontaktowali.

– Przydałby nam się ktoś taki jak ty. – Usłyszał. – Ktoś z taką wiedzą i takimi zdolnościami, jakie zdobyłeś przez te kilka lat.

John czuł się zdradzony przez rząd własnego kraju, co odegrało dużą rolę w procesie podejmowania decyzji o wstąpieniu do kartelu.

– Nikt nie jest w stanie zaoferować ci tego co my, jeśli tylko podejmiesz właściwą decyzję. Zdajesz sobie z tego sprawę?

– Jeśli przyjmę waszą propozycję, to tylko pod kilkoma warunkami. Pierwszy: zawsze pracuję sam, a nie jako członek grupy.

– Kontynuuj.

– Chcę prowadzić tak normalne życie, jak to tylko możliwe, zatem potrzebuję jakiejś przykrywki... legalnego biznesu, który przejdzie każdą kontrolę.

– To możemy bardzo łatwo zorganizować.

– Potrzebuję również nowej tożsamości. Moje obecne nazwisko mi nie pasuje.

– Oczywiście.

Dwa lata później Pan J poznał Cassandrę.

Czterdzieści osiem

Garcia podszedł bliżej, żeby móc przyjrzeć się głowie ofiary, jednak podobnie jak Hunter i doktor Slater nie był w stanie zobaczyć nic przez grubą i lepką warstwę krwi i włosów.

– Dziury w czaszce? – Ton wyrażał tyle samo sceptycyzmu co wyraz jego twarzy. – Wykonane czym? Małym wiertłem? – Zaczął wodzić wzrokiem po całym pomieszczeniu, jakby szukał tego narzędzia.

Robert pokręcił głową.

– Nie, nie wiertłem. Włosy by się w nie powkręcały przy większej prędkości. – Palcem wskazującym zataczał kółka. – Przy ranach powstałyby grube węzły podobne do dredów. A czegoś takiego nie ma.

Minęło kilka wypełnionych milczeniem chwil, po czym Carlos skrzywił się, jakby sam poczuł ból ofiary.

– Młotek i gwóźdź.

Tym razem jego partner pokiwał głową.

– Albo coś bardzo podobnego.

Susan wykonała identyczny ruch.

– To właśnie sprowadza nas do drugiego podobieństwa, jakie znalazłam pomiędzy tą zbrodnią a poprzednią. Jak pamiętacie, pierwszym było krzesło.

– Tortury – oznajmił Garcia.

– Właśnie. Tamta kobieta miała twarz ciętą kawałek po kawałku, a tej wybijał dziury w czaszce... jedną po drugiej.

Hunter stwierdził, że nadszedł czas, aby udzielić swojej rozmówczyni nieco więcej informacji.

– Jest jeszcze trzecie podobieństwo.

Odwróciła się do niego.

– Wideopołączenie. Jak za pierwszym razem, morderca pokazał całą tę makabryczną zbrodnię podczas rozmowy telefonicznej. Tym razem zadzwonił do męża ofiary.

– Jeszcze niczego nie potwierdziliśmy na sto procent, ponieważ musimy porozmawiać z panem Jenkinsonem – wtrącił drugi detektyw.

– A gdzie on jest?

– Zapewne w drodze tutaj, ale połączenie odebrał we Fresno.

– Fresno?

– Zgadza się. Jest doradcą biznesowym. Wyjechał służbowo.

– Znowu nastąpiła gra w zgadywanki?

Carlos przekrzywił nieco głowę.

– Podobno tak, a jeśli zasady były takie same, to po każdej błędnej odpowiedzi... – Kiwnął głową ku martwej kobiecie. – Wymierzał jej karę.

– Kolejne uderzenie twarzą o potłuczone szkło – powiedziała w zamyśleniu doktor Slater. – Kolejna dziura w czaszce wybita młotkiem.

– Kiedy gra dobiegła końca, mąż zadzwonił na policję.

– To by wyjaśniało, dlaczego wszyscy dotarliśmy tutaj tak szybko. Krew jest praktycznie ciepła. Stężenie pośmiertne nawet się nie zaczęło. Prawdopodobnie zginęła dwie godziny temu albo nawet mniej.

– Ile było potrzeba? Ile dziur w głowie musiało powstać, żeby zakończyć grę? – zapytał Garcia.

– Bardzo trudno ocenić. – Spojrzenie pani doktor, teraz przepełnione smutkiem, spoczęło na ofierze. – Różne czynniki mogły na to wpłynąć: średnica gwoździa, dokładne miejsce uderzenia, jak głęboko metal się wbił oraz czy uszkodził tkankę mózgu. Zależnie od celności mordercy oraz tego, jak bardzo chciał torturować ofiarę, mogło się to skończyć po jednym uderzeniu albo po dziesięciu. On wszystko kontrolował.

Hunter cofnął się o kilka kroków, gdy w końcu udało mu się odwrócić wzrok od martwej kobiety. Zauważył, że tak samo jak w przedpokoju, żaden przedmiot w tym pomieszczeniu nie wydawał się zniszczony lub nie na swoim miejscu. Zdążył już przyjrzeć się palcom, dłoniom i rękom Cassandry. Nie zauważył żadnych siniaków, zadrapań ani jakichkolwiek innych urazów wskazujących na samoobronę. Była dość wysoka, około sto siedemdziesiąt sześć, sto siedemdziesiąt dziewięć centymetrów, szczupła i umięśniona na tyle, że prawdopodobnie przynajmniej raz w tygodniu musiała robić trening siłowy. Jeśli nie zostałaby zaatakowana całkowicie z zaskoczenia albo spacyfikowana bronią, walczyłaby, i to dobrze, detektyw miał co do tego pewność. Mimo to nie było śladów walki ani w domu, ani na jej ciele.

– Znaleziono jej komórkę?

– Tak – odparła Susan. – Spróbujesz zgadnąć, gdzie się znajdowała?

– Mikrofalówka – rzucił Carlos.

Doktor Slater potwierdziła skinieniem głowy.

– Komputer, laptop, tablet?

– Jeszcze nie przeszukaliśmy całego domu, ale na blacie kuchennym leży laptop. – Wskazała kierunek palcem.

Spece z IT będą mieli czym się bawić, pomyślał Hunter.

Susan powróciła do badania ciała denatki.

– To nie ma żadnego sensu – oznajmiła, odciągając uwagę detektywa od jego myśli.

– Chodzi o pozorne odejście od *modus operandi*?

Kiwnęła głową, po czym zmarszczyła brwi, zastanawiając się nad jego pytaniem.

– Pozorne? Wydaje mi się, że przed chwilą wymieniłam cztery znaczące różnice.

– Wszystkie były poprawne. Mam jednak wrażenie, że o czymś tutaj zapominamy.

– O czym?

– Jeśli rzeczywiście rozmawiamy o tym samym mordercy, który zabił trzy dni temu, w takim razie jest to jego drugie przestępstwo. W tej chwili jego *modus operandi*, a nawet jego podpis nie są dokładnie jasne, ponieważ mamy tylko jedną sprawę jako porównanie.

Pani doktor zastanawiała się nad tym przez chwilę, po czym uniosła brew na znak zgody.

Detektyw podszedł do kominka i wziął do ręki oprawione w ramkę zdjęcie ślubne. Przedstawiało ofiarę i jej męża stojących razem na schodach przed kościołem. Hunter rozpoznał, że to katedra Matki Bożej Anielskiej w centrum Los Angeles. Uśmiechy na twarzach nowożeńców opowiadały swoją własną historię.

– To prawda, mamy obecnie sporo wskazówek, jaki jest *modus operandi* tego przestępcy. Mamy również dużo różnic. Nie da się jednak wykluczyć, że on może na razie po prostu eksperymentować.

Doktor Slater klęczała przed ofiarą, przyglądając się jej oczom. Po chwili dotarło do niej znaczenie słów detektywa.

– Chwileczkę. Jeśli te przypuszczenia są poprawne i morderca faktycznie tylko eksperymentuje, to wszyscy wiemy, co to oznacza, prawda? To się nie skończy na tej ofierze. On znowu zabije.

Żaden z mężczyzn nie odpowiedział.

Nie musieli.

Czterdzieści dziewięć

Gdy Pan J wjechał na autostradę w kierunku Bakersfield i Los Angeles, przyspieszył do stu dwudziestu kilometrów na godzinę, osiągając maksymalną dopuszczalną prędkość. W głowie dalej miał mętlik. Jakieś myśli powoli zaczynały się formować, ale zanim udało się je właściwie przetworzyć, zostawały rozrywane na drobne kawałeczki przez pojawiające się obrazy Cassandry torturowanej w ich własnym salonie, beznadziei wymalowanej w jej oczach oraz targanego konwulsjami ciała. Zagłuszał je dźwięk demonicznego głosu, którego nie zapomni do końca życia.

Mężczyzna westchnął ze smutkiem. Ten wysiłek wywołał falę dreszczy. Zaczął kasłać, jakby zaraz miał zwymiotować, jednak jego żołądek był całkowicie pusty.

Gdy torsje minęły, ponownie spojrzał na zegarek na desce rozdzielczej, a następnie na prędkościomierz. Jechał już od godziny, lecz nawet gdyby cały czas utrzymywał maksymalną prędkość, to podróż do domu zajęłaby mu przynajmniej kolejne dwie.

– Kurwa. *Kurwa. Kurwa!* – krzyczał na cały świat, uderzając pięścią w kierownicę.

Wiedział, że policja i technicy kryminalistyczni zdążyli już na pewno przyjechać na miejsce i w tej chwili przeszukują dom i zakłócają spokój jego zmarłej żony. Wiedział to, ponieważ sam do nich zadzwonił. To był pierwszy telefon, który wykonał przed opuszczeniem hotelu we Fresno. Drugi był do kontaktu w policji Los Angeles. Bardzo dobrze mu płacił, ale ta osoba dodatkowo miała u niego dług znacznie większy niż pieniądze. Zawdzięczała Panu J życie swojej żony i swojego dziecka.

***

– Halo! – Niski, ostry, pełen niechęci głos odezwał się w słuchawce po drugim sygnale.

– Brian? – spytał z grzeczności John. Potrafił wszędzie rozpoznać charakterystyczny ton swojego rozmówcy, ponadto zadzwonił pod ten sam numer co zawsze. Numer, o którym nie wiedział nikt inny. Którego używali tylko oni dwaj.

Nastąpiła długa przerwa, podczas której słychać było przyciszone odgłosy kroków, następnie otwierane i zamykane drzwi, a potem kolejne kroki.

– Pan J – odpowiedział mężczyzna po drugiej stronie, po czym głośno wypuścił powietrze z płuc. W jego głosie pojawiła się nerwowość. Do tej pory John nie dzwonił do niego w nocy. Nie dzwonił do niego, kiedy ten był w domu.

Brian Caldron nie był detektywem. Nie był również policjantem. Ledwo potrafił obsługiwać pistolet. Za to fenomenalnie znał się na komputerach, pracował jako czołowy analityk w policji Los Angeles i miał bardzo wysokie certyfikaty bezpieczeństwa, które zapewniały mu nielimitowany dostęp do większości krajowych i lokalnych baz danych. Dzięki temu potrafił świadczyć dla Pana J najbardziej kluczowe w dzisiejszych czasach usługi: przekazywał mu informacje.

– Przepraszam, że dzwonię, kiedy jesteś w domu, ale potrzebuję przysługi. – Gdy tylko te słowa opuściły jego usta, natychmiast ich pożałował. To nigdy nie były przysługi, tylko interesy. Samo słowo „przysługa" sugerowało słabość. Oznaczało, że teraz on będzie miał dług wobec Briana. Miał nadzieję, że jego rozmówca tego nie zauważył.

Istotnie, nie zauważył.

– Czy to nie może zaczekać do jutra?

– Nie.

Mężczyzna westchnął.

– Co zatem mogę dla ciebie zrobić?

– Niedawno zadzwoniono pod dziewięć-jeden-jeden, podejrzenie morderstwa.

Brian zanotował podyktowany adres.

– Po pierwsze, muszę się dowiedzieć, czy to prawdziwe zgłoszenie.

Z jakiegoś powodu Pan J cały czas trzymał się strzępka nadziei, że to wszystko to tylko jakiś chory żart.

– Dobra, a jeśli zgłoszenie się potwierdzi?

– W takim razie będę chciał, żebyś śledził tę sprawę dwadzieścia cztery godziny na dobę. Wszystko, dosłownie *wszystko*, co tylko znajdzie się w bazie, ja muszę niezwłocznie usłyszeć. – Krótka pauza. – Możesz się tego dowiedzieć z domu czy musisz jechać na komendę?

– Jeśli na teraz potrzebujesz tylko potwierdzenia, to zdobędę je stąd.

– OK, w takim razie daj znać, jak już to ustalisz.

Pan J ponownie sprawdził licznik. Nadal trzymał się dopuszczalnej prędkości.

Dryń, dryń. Tajny numer Briana pojawił się na dużym wyświetlaczu na desce rozdzielczej. Mężczyzna wcisnął guzik na kierownicy i odebrał połączenie.

– Cześć. Co dla mnie masz?

– Zgłoszenie było prawdziwe.

John poczuł niewidzialny sztylet wbijający mu się prosto w serce. Zaczął dusić kierownicę tak mocno, aż pobielały mu knykcie.

– Ofiarą jest kobieta, czterdzieści dwa lata – kontynuował rozmówca. – Nazywa się Cassandra Jenkinson.

– Jakieś wątpliwości odnośnie do jej tożsamości? – Jego nadzieje to już czysta fantazja.

– Nie, zdaniem ekipy na miejscu. Oficjalna identyfikacja to tylko formalność. Prawo jazdy denatki znaleziono w jej torebce.

Niewidzialny sztylet wniknął jeszcze głębiej. Mężczyzna czuł, jak rozcina mu wnętrzności.

– Znaleziono jej komórkę? – zapytał głosem tak zimnym i pozbawionym emocji jak zawsze.

– Komórkę? Tego dowiem się dopiero, jak raport zostanie wczytany do systemu. Prawdopodobnie z samego rana.

– Nieważne – stwierdził Pan J. I tak zdobędzie tę informację szybciej.

– Była żoną... – próbował kontynuować Brian, ale rozmówca mu przerwał.

– W porządku. To na razie wszystko, czego potrzebowałem. – Krótka pauza. – Jak już mówiłem wcześniej, masz śledzić bez przerwy tę sprawę. Taki sam sposób jak zawsze, e-maile niemożliwe do namierzenia. Jeśli zobaczysz coś ważnego, to dzwoń natychmiast pod ten numer. W razie czego będę się kontaktował.

Rozłączył się.

Jeszcze raz spojrzał na prędkościomierz. Sto dziesięć kilometrów na godzinę to za mało. Jego cadillac CTS-V rozpędzał się od zera do setki w trzy i siedem dziesiątych sekundy. Pod maską miał 6,2-litrowy silnik V8 z turbosprężarką, którego maksymalny limit wynosił trzysta dwadzieścia kilometrów na godzinę. Posiadał również najnowocześniejszy wykrywacz radarów, który potrafił wyczuć fotoradar albo policyjną suszarkę z półtora kilometra. Bez wątpienia to auto można nazwać supersedanem. Nadeszła pora, żeby wykorzystać całą tę moc.

Pięćdziesiąt

O drugiej w nocy Hunter, Garcia i doktor Slater kończyli już pracę na miejscu zbrodni. Zgodnie z protokołem ciało Cassandry Jenkinson musiało zostać sfotografowane pod każdym możliwym kątem w odniesieniu do miejsca i pozycji, w jakiej zostało znalezione, zanim można je było przetransportować do kostnicy. Gwałtowny deszcz, który zaczął padać, gdy zbliżali się do domu ofiary, trwał przez ponad godzinę, zmywając wszystkie potencjalne poszlaki, łącznie z odciskami butów, które morderca mógł zostawić. Dzięki swojej szybkości agent zdołał zabezpieczyć częściowy ślad opon na podjeździe, który znalazł wcześniej. Gdy ulewa się skończyła, uzyskał jego odcisk przy użyciu specjalnego arkusza gumy z przylepną warstwą żelatynową. Można ją skutecznie wykorzystać na praktycznie każdej powierzchni, nawet szorstkiej, zakrzywionej czy porowatej.

– Dopisało ci szczęście? – zapytał Garcia Nicholasa Holdena, który przez ostatnie dwie godziny szukał odcisków palców na drzwiach, oknach i wszelkich innych istotnych miejscach w środku domu.

– To zależy, jak definiujesz szczęście – odparł mężczyzna ze wzruszeniem ramion, po czym dalej pakował swoje przybory.

Detektyw uniósł brwi i czekał na dalsze informacje.

– Ile osób tutaj mieszka? – zapytał niemal retorycznie technik, ponieważ widział mnóstwo zdjęć we wszystkich pomieszczeniach.

– Ofiara i jej mąż.

– Nikt więcej? – W pytaniu słychać było zaskoczenie.

– Tak wynika z naszych informacji. – Carlos zastanawiał się przez chwilę i sprostował: – Mają jeszcze dwudziestoletniego syna, ale on się wyprowadził. Studiuje w Bostonie. Dlaczego pytasz?

Holden pokiwał głową, jakby to wiele wyjaśniało.

– Znalazłem trzy zestawy odcisków palców. Jeden należy do ofiary. Dwa pozostałe są bez wątpienia męskie. Jeden pojawia się niemal bez przerwy, w każdym pomieszczeniu: salonie, sypialniach, kuchni, łazienkach, przedpokoju... po prostu wszędzie. Drugi z nich nie występuje aż tak często, ale w dalszym ciągu wystarczająco, żeby nie mógł należeć do intruza.

Detektyw podrapał się po brodzie.

– Czyli mąż i syn.

Technik pokiwał głową. Zapinał właśnie torbę, kiedy obaj usłyszeli zamieszanie z zewnątrz. Zanim ktokolwiek zareagował, wysoki i dobrze zbudowany mężczyzna z ogoloną głową wepchnął się do salonu. Wyraz jego twarzy stanowił mieszaninę strachu i osłupienia. Dwóch wściekłych policjantów szło tuż za nim.

– Proszę pana, to jest miejsce zbrodni, które właśnie pan zanieczyszcza – powiedział jeden z nich, szybko łapiąc mężczyznę za rękę. – Proszę, żeby wyszedł pan na zewnątrz.

Przybysz wyrwał się z uchwytu funkcjonariusza.

– W porządku – oznajmił Hunter, który zwrócił się w stronę całej trójki i pokazał mundurowym, żeby zostawili wysokiego mężczyznę w spokoju. Nie musiał o nic pytać. Rozpoznał przybysza ze zdjęć obecnych w całym domu. – Już skończyliśmy, prawda? – Spojrzał pytająco na doktor Slater.

Pokiwała głową.

– Zebraliśmy już wszystkie próbki. Nie ma ryzyka zanieczyszczenia śladów.

Mundurowi spojrzeli po sobie, po czym wyszli na dwór.

– Gdzie ona jest? – zapytał niespokojnym tonem Pan J, jego oszalałe spojrzenie błądziło po pomieszczeniu.

Robert podszedł do niego i się przedstawił.

– Panie Jenkinson, nazywam się Robert Hunter, jestem detektywem policji...

– Gdzie moja żona? – przerwał mu John. Spojrzał za stojącego przed nim mężczyznę i zauważył samotne krzesło podsunięte blisko wschodniej ściany, a następnie kałużę krwi pod nim. Krwi należącej do jego ukochanej. Przez chwilę nie mógł oddychać.

– Jej ciało zostało przewiezione do biura koronera – oznajmił detektyw oficjalnym tonem.

Jenkinson nie prosił o wyjaśnienia, ponieważ nie musiał. Bardzo dobrze znał policyjny regulamin.

Jak w transie przeszedł koło Huntera, Garcii i doktor Slater i ruszył w kierunku krzesła. Wszyscy ludzie i cały otaczający go świat nagle zniknęli. Pojawiła się za to ona: siedziała na wprost niego, jej oczy przepełnione strachem i smutkiem, proszące, aby podał odpowiedź na najprostsze pytanie na świecie. Odpowiedź, którą powinien był znać.

Powoli wyciągnął do przodu prawą rękę, zupełnie jakby Cassandra naprawdę tam była. Jakby mógł dotknąć jej twarzy... pogłaskać ją po włosach... otrzeć jej łzy.

– Tak mi przykro. – Słowa same wydostały się z jego ust, a on nawet nie zwrócił na to uwagi.

Z szacunku nikt się nie odezwał, pozwalając mu na chwilę samotności.

Susan na migi pokazała swojemu zespołowi, żeby skierował się do wyjścia.

Pan J poczuł, jak żołądek mu się skręca, a kolana miękną i grożą załamaniem pod jego ciężarem. Aby się uspokoić, wziął głęboki oddech i zamknął oczy. Gdy otworzył je ponownie po kilku chwilach, Hunter zobaczył w nich coś, czego nie dostrzegł nikt inny w tym pomieszczeniu: ogromny gniew przemieszany z niezachwianą determinacją i skupieniem.

– Dobrze – powiedział w końcu, patrząc na detektywa. Jego ton był arktycznie lodowaty. – Zapewne chce mi pan zadać kilka pytań.

Pięćdziesiąt jeden

Będąc jeszcze w pokoju hotelowym, z twarzą ukrytą w dłoniach, Pan J myślał bardzo intensywnie nad tym, co dalej zrobić. Wolałby nie mieszać do całej tej sprawy policji i gdyby tylko znalazł jakiś sposób, tak z całą pewnością by uczynił. Jednak nawet mimo swoich znajomości i kontaktów wiedział, że nie da się tego zatuszować.

Następnie wpadł na pomysł, żeby udawać, iż nigdy nie odebrał tego przeklętego połączenia wideo. To by mu zapewniło tak bardzo potrzebną przewagę nad policją. Dałby radę wrócić do domu przed drugą w nocy. Jego auto miało wystarczająco dużo mocy, a wykrywacz radarów uchroniłby go przed zatrzymaniem. Wówczas bez obecności gliniarzy i techników kryminalistycznych mógłby badać miejsce zbrodni tak długo i starannie, jak tylko by chciał. Mógłby czołgać się po podłodze swojego salonu i szukać wszelkich możliwych śladów i nikt by mu nie przeszkadzał. Śladów, o których policja nigdy mu nie opowie, nawet jeśli w ogóle istniały. Ale, co najważniejsze, mógłby dotknąć Cassandry ten ostatni raz, zanim zabrano by ją z ich wspólnego domu. Padłby przed nią na kolana i błagał o wybaczenie. Wybaczenie, którego sam nigdy sobie nie udzieli. Wtedy i tylko wtedy, zadzwoniłby na policję i udawał, że właśnie wrócił z podróży służbowej i odkrył, że ktoś zamordował jego żonę w ich własnym domu. Jednak ten plan również zawaliłby się przy pierwszej przeszkodzie.

Jednym z powodów, dla których Pan J należał do najlepszych w swoim fachu, było zrozumienie, jak działa wymiar sprawiedliwości. Znał procedury tam obowiązujące, metody działania policji i ich sztuczki... Wiedział zatem, jak wyglądałby plan działania w takim przypadku: zamężna kobieta zostaje brutalnie skatowana i zamordowana w swoim salonie, nie ma żadnego oczywistego motywu, zatem na liście podejrzanych z numerem jeden pojawiłby się nie kto inny, tylko jej mąż. Wystarczy dodać do tego, że małżonek podobno znajdował się w czasie morderstwa w innym mieście, ale nie miał na to żadnego dowodu ani nikogo, kto mógłby potwierdzić jego wersję. Policja wzięłaby go zatem bardzo dokładnie pod lupę. Szybko zdobyliby nakazy sądowe, aby prześwietlić jego konta bankowe, historię wyszukiwań w internecie, billingi, salda kart kredytowych... i cokolwiek jeszcze by tylko chcieli. Jego stare e-maile i SMS-y zostałyby przeczytane. Rozmowy telefoniczne odsłuchane. Rachunki w banku, jego firma, jego podróże i wypady, przyjaciele, historia chorób, wszystko to zostałoby bardzo drobiazgowo sprawdzone, a każda informacja rozłożona na czynniki pierwsze. Jednak nawet gdyby miał świetne alibi, nie do podważenia – a mógłby takie zdobyć, gdyby tylko chciał – to i tak ten plan by zawiódł.

W przypadku sprawy o morderstwo jedną z pierwszych rzeczy, które śledczy ustalają, jest billing z telefonu ofiary. Kluczowe jest sprawdzenie, z kim rozmawiała i pisała, szczególnie w godzinach poprzedzających śmierć. Numer telefonu Pana J wyskoczyłby jako ostatni, z którym się kontaktowała, w dodatku praktycznie w czasie, gdy była mordowana. Nie miał żadnego sposobu na to, żeby to obejść. W tym miejscu mu się poszczęściło.

Morderca skorzystał z wideorozmowy zamiast ze zwykłego połączenia. Jego numer telefonu pozostanie w rejestrze, ale żadna z sieci komórkowych w USA nie ma prawa przechowywać wideopołączeń. Ani policja, ani FBI, CIA, NSA czy jakakolwiek inna instytucja nie zdobędzie choćby transkrypcji tej rozmowy, ponieważ takowa nie istniała. John doskonale o tym wiedział. Zatem to, co powiedział mordercy, pozostanie między nimi.

Po przeanalizowaniu wszystkich możliwości zdecydował, że najlepiej będzie powiedzieć prawdę. A przynajmniej do pewnego stopnia. Poza tym Brian Caldron mógł monitorować policyjne dochodzenia, podczas gdy on sam prowadził swoje.

Pięćdziesiąt dwa

Hunter spojrzał na zegar ścienny za Panem J. Była 2.03.

– Panie Jenkinson, nie musimy tego robić teraz – powiedział łagodnym tonem. – Możemy poczekać do rana. Jechał pan przez kilka godzin...

– Sądzi pan, że będę bardziej wypoczęty rano? – przerwał mu ponownie John. – Że uda mi się dzisiaj zasnąć?

Detektyw nic nie odpowiedział. W tej kwestii mężczyzna miał rację.

– Zakładam, że albo przesłuchaliście nagranie mojego zgłoszenia pod dziewięć-jeden-jeden, albo ktoś panom opowiedział, w jaki sposób dowiedziałem się, co się tutaj wydarzyło. Wiecie o rozmowie wideo.

Robert współczująco pokiwał głową.

– Zatem jeśli nie macie nic przeciwko, to chciałbym o tym opowiedzieć, póki wszystko jest świeże w mojej głowie – kontynuował Pan J, jego ton cały czas był spokojny i rytmiczny. – Sen, jeśli w ogóle nadejdzie, przyniesie ze sobą koszmary... wizje... obrazy... czy co tam jeszcze. Niektóre będą prawdziwym odzwierciedleniem tego, co się wydarzyło, inne tylko wytworami mojego umysłu. Takimi, które nie działy się naprawdę, których nie widziałem. Rzeczami, które powinienem był powiedzieć, ale tego nie zrobiłem. – Przerwał na chwilę, jakby te ostatnie słowa sprawiły mu zbyt wiele bólu. – Problem będzie taki, że mogę nie być w stanie odróżnić prawdziwych wydarzeń od moich urojeń. Wszystko może wydawać się tak rzeczywiste, jak osoby w tym pokoju. – Spojrzał po kolei na obu detektywów i doktor Slater. – Im dłużej czekamy, tym większe ryzyko, że prawda pomiesza mi się w głowie z fantazjami.

Nikt nie potrafił z całkowitą pewnością stwierdzić, jak zachowa się mózg osoby po przeżyciu tak traumatycznych wydarzeń, Hunter jednak był przekonany, że koszmary i wizje, o których wspominał Jenkinson, wkrótce nadejdą. Jako psycholog nie mógł zarzucić niczego temu rozumowaniu. Jednocześnie wszyscy w pomieszczeniu byli zaskoczeni i zaintrygowani tym, jak bardzo opanowany wydawał się mąż ofiary.

– Rozumiem – oznajmił detektyw, a następnie rozejrzał się po salonie. – Wolałby pan, żebyśmy porozmawiali w komisariacie?

– Dlaczego? Czy to konieczne?

Zaintrygowanie wszystkich obecnych jeszcze się wzmogło.

– Nie, zupełnie nie. Pomyślałem tylko, że może... – Nie dokończył, pozwolił sugestii zawisnąć w powietrzu.

– Pokój będzie mnie rozpraszał? – Pan J również się rozejrzał, ale zdecydował się nie odwracać i nie zerknął na krzesło i kałużę krwi. – Ma pan rację. – Spojrzał na jakiś punkt na podłodze przed sobą i jego opanowanie w końcu się rozpadło. – Chyba nie dam rady tego tutaj zrobić.

Robert ponownie dał mu chwilę.

John w końcu podniósł wzrok.

– Nie musimy jechać do centrum – zaproponował Hunter. – Możemy wybrać któryś z pobliskich posterunków albo nawet policyjnego vana na zewnątrz, jeśli pan woli.

Mężczyzna zastanawiał się przez chwilę, po czym zadał kolejne pytanie:

– Czy któryś z innych pokoi w domu został... naruszony?

Detektyw uniósł nieco brwi.

– Pan jest jedyną osobą, która może nam to powiedzieć na pewno, ale naszym zdaniem to jedyne pomieszczenie, z którego skorzystał morderca.

Pan J się zamyślił i pokiwał głową. Kilka chwil później odpowiedział:

– Możemy skorzystać z mojego gabinetu, jeśli nie ma pan nic przeciwko. – Wskazał kierunek ręką.

Hunter nie widział żadnych przeciwwskazań, wymienił więc z partnerem szybkie spojrzenie.

– W porządku – powiedział Garcia, poklepując kieszenie pod kombinezonem ochronnym. – Mam przy sobie notatnik, a w razie czego mogę wszystko nagrywać komórką, więc jesteśmy gotowi.

John ruszył przodem, wskazując policjantom drogę. Kiedy zobaczył zdjęcia na kominku, zatrzymał się nagle. Bezdenna otchłań, która wcześniej o mało go nie połknęła, pojawiła się ponownie z siłą i gwałtownością tornada. Gdy tak stał tuż przed fotografiami w ramkach, poczuł, jak opuszcza go dusza. Pytanie zadawane przez demoniczny głos zaryczało mu w uszach niczym huk gromu.

Twoja rocznica ślubu. Kiedy wypada?

Przez chwilę nikt się nie poruszył.

– Panie Jenkinson, czy wszystko w porządku? – zapytał Robert.

Brak odpowiedzi.

Wyglądało, że nad czymś rozmyśla.

– Panie Jenkinson?

– Muszę o coś zapytać. Muszę się czegoś dowiedzieć – odparł w końcu. Walczył z samym sobą, aby spojrzeć komuś z obecnych w oczy.

Pozostali cierpliwie czekali, aż skończy.

– Moja żona... wiem, że była rozebrana. – Nastąpiła kolejna przepełniona emocjami pauza. – Muszę wiedzieć. Czy ona została... – Zająknął się i nie dokończył zdania. Zamiast tego zaczął od nowa. – Czy ten psychol... – Nadal nie potrafił zmusić się do wypowiedzenia dalszych słów.

– Panie Jenkinson – zaczęła doktor Slater. Wystąpiła przed detektywów i zdjęła biały kaptur kombinezonu ochronnego. Blond włosy miała upięte w rozczochrany kok z tyłu głowy, to jednak nie umniejszało w żaden sposób jej urody. Wręcz przeciwnie, ten bałagan nadawał jej pewnego uroku.

Pan J skupił na niej swoją uwagę.

– Nazywam się doktor Susan Slater. – Cały czas mówiła cichym, spokojnym głosem. – Dowodzę zespołem techników, którzy zabezpieczali to miejsce zbrodni. Nadzorowałam dokładne badanie ciała pańskiej żony, zanim zostało przewiezione do biura koronera. Mogę panu powiedzieć, że nie ma absolutnie żadnych zewnętrznych oznak napaści seksualnej.

Mężczyzna przetrawił usłyszane informacje.

– Bez urazy, ale to nie daje mi stuprocentowej gwarancji, prawda? – Rzucił kobiecie spojrzenie tak ostre i twarde, że można by nim ciąć diamenty. – Muszę poczekać na wyniki sekcji, żeby mieć pewność, tak? Bo technicznie rzecz biorąc, ten psychol i tak mógł...

– Ten morderca nie jest seksualnym drapieżnikiem, panie Jenkinson – przerwał mu Hunter, głosem pewnym siebie i stanowczym. – On nie szuka seksualnego spełnienia.

– A jak może pan być tego taki pewny?

– Ponieważ spotkałem ich już setki – odrzekł rezolutnie Robert. – Nieskończone pragnienie rozkoszy jest podstawową siłą, jaka kieruje ich czynami. Sam akt nigdy nie jest subtelny. Nie jest ukryty. Zawsze występuje duża brutalność. To jedna z pierwszych rzeczy, jakie zauważamy po dotarciu na miejsce zbrodni. – Potoczył wzrokiem dookoła. – Tutaj nic takiego nie występuje. Biorąc pod uwagę fakt, że siedział sam z pańską żoną przez nie wiadomo ile czasu, nic nie powstrzymałoby go przed zaspokojeniem swoich pragnień seksualnych, gdyby rzeczywiście akurat tego szukał.

– Właśnie o tym mówię – skontrował John. – Dowiemy się tego, dopiero kiedy otrzymamy wyniki sekcji.

Detektyw nie chciał na tym etapie wyjawiać, że ustalili już nieseksualny schemat działania tego przestępcy, ponieważ niespełna sześćdziesiąt godzin wcześniej zamordował inną kobietę, która również nie interesowała go w aspekcie erotycznym.

– Panie Jenkinson. – Doktor Slater ponownie włączyła się do dyskusji. – Od ponad dwunastu lat pracuję jako technik kryminalistyczny i w tym czasie ani razu nie spotkałam się z przypadkiem napaści seksualnej, przy której nie byłyby widoczne żadne zewnętrzne oznaki. Żadne. Zawsze coś można znaleźć: siniaki, otarcia skórne, zadrapania, urazy... cokolwiek. Tutaj nic z tego nie występuje. Nawet najmniejszy ślad. Mogę panu zagwarantować, że pańska żona nie została w ten sposób skrzywdzona.

Mężczyzna odwrócił wzrok, potrzebował czasu, żeby przemyśleć dokładnie wszystkie słowa usłyszane od Huntera i pani doktor. Uniósł nieco brwi, co spowodowało, że drobne zmarszczki na jego czole się pogłębiły, tworząc serię fałd sięgającą połowy jego ogolonej głowy.

Z krótkiego sprawozdania, które przedstawił mu partner, Robert wiedział, że mąż ofiary ma czterdzieści osiem lat. W tej chwili wyglądał jednak na przynajmniej dwadzieścia pięć więcej. Miał głębokie worki i cienie pod oczami, z których wyzierało zmęczenie. Jego skóra, matowa i żółtawa, sprawiała wrażenie, jakby spędził połowę życia w zamkniętym pomieszczeniu, otoczony fluorescencyjnym światłem. Najgorsze ze wszystkiego było to, że od teraz każdy rok będzie go postarzał o co najmniej dwa. Detektyw widział setki razy, jak przydarzało się to małżonkom, rodzicom, dzieciom, rodzeństwu czy innym bliskim ofiar. Ludzie, którzy tracili ukochane osoby w wyjątkowo brutalnych okolicznościach, o wiele łatwiej gubili swoją drogę w życiu, a upływ czasu nigdy nie okazywał się dla nich łaskawy. Ktoś, kto z jakichkolwiek przyczyn stał się świadkiem takiej gwałtownej straty, zwykle cierpiał o wiele bardziej. Hunter jednak nie potrafił sobie nawet wyobrazić, jak straszliwe psychiczne i fizyczne zniszczenia mogą stać się udziałem osób takich jak pan Jenkinson. Takich jak Tanya Kaitlin. Ludzi, których *zmuszono* do oglądania okrutnej śmierci ukochanych. Robert miał całkowitą pewność, że te koszmarne obrazy będą ich prześladować w każdej sekundzie aż do końca życia.

Pan J w końcu spojrzał na Susan i detektywa. Ich słowa najwidoczniej odniosły wreszcie zamierzony efekt. Zanim poprowadził ich do swojego gabinetu, jego oczy się zaszkliły i zdołał wydusić z siebie tylko jedno proste słowo. Wszyscy jednak zrozumieli, jak wiele wyrażało.

– Dziękuję.

Pięćdziesiąt trzy

Domowy gabinet pana Jenkinsona był przynajmniej dwukrotnie większy od biura dwóch detektywów, znajdującego się na komendzie. A także o wiele mniej zagracony. W centralnym punkcie znajdowało się mahoniowe biurko – niewątpliwie antyk – ustawione niedaleko okna ze szprosami. Ciężkie i ciemne zasłony zostały zaciągnięte. Brązowawoczerwony fotel chesterfield stał przed biurkiem, lekko z lewej, natomiast dwa ręcznie tkane perskie dywany zajmowały niemal całą podłogę. Przy wschodniej ścianie stał bardzo duży regał, którego wszystkie półki wypełniały po brzegi książki w twardych i miękkich oprawach.

– Zaraz przyniosę drugie krzesło – powiedział John, kiedy tylko weszli do pomieszczenia.

– Nie ma takiej potrzeby – odparł Hunter. – Mogę postać, to naprawdę nie problem.

– Proszę, nalegam. To mi zajmie tylko dwie sekundy.

Gdy gospodarz opuścił pokój, Robert podszedł do regału i zaczął przeglądać zgromadzone woluminy. Większość z nich dotyczyła biznesu i finansów, znalazły się też pozycje poświęcone prawu, księgowości i architekturze. Garcia sprawdził przeciwległą ścianę, na której wisiały oprawione w ramki fotografie i różne nagrody.

– Proszę bardzo – oznajmił Pan J, wchodząc ponownie do środka. Postawił krzesło z wysokim oparciem koło fotela i w końcu zajął miejsce za biurkiem.

– Dziękuję – odparł Robert i usiadł.

Carlos wybrał chesterfielda.

– Postaramy się, aby ta rozmowa była możliwie jak najkrótsza – powiedział Garcia. Wyjął komórkę z kieszeni i zapytał: – Czy możemy nagrać tę rozmowę?

John pokiwał głową. Nadszedł czas na mistrzowskie przedstawienie.

Gdy detektyw wcisnął odpowiedni przycisk, Hunter rozpoczął:

– Panie Jenkinson, wiem, że opowiadanie o tym, czego pan doświadczył, będzie bardzo ciężkim przeżyciem, i przepraszam pana, że o to prosimy. Czy mimo wszystko może pan opisać możliwie jak najdokładniej to, co pamięta pan z tego wideopołączenia? Każdy szczegół może nam bardzo pomóc.

Mężczyzna spojrzał na swoje pomarszczone opalone dłonie ciasno złączone na biurku. Po kilku pełnych milczenia chwilach w końcu podniósł wzrok na obu detektywów. Przez kolejne dwadzieścia minut opowiadał wyłącznie o tym, o czym chciał opowiedzieć, zrobił to jednak niebywale szczegółowo. Policjanci przerywali mu bardzo sporadycznie, jedynie aby wyjaśnić nieliczne kwestie, poza tym pozwalali mu snuć opowieść we własnym tempie. Gdy Pan J dotarł do momentu, w którym morderca kazał mu podać datę ślubu, zatrzymał się i ponownie spojrzał na własne dłonie. Drżały. Zawstydzony zabrał je z blatu i położył na swoich kolanach, a następnie pogrążył się w całkowitym milczeniu.

Detektywi czekali.

Łamiącym się głosem mężczyzna zrelacjonował im, jak bardzo próbował sobie przypomnieć, ale mu się nie udało. Po prostu nie potrafił. Potem, nawet nie zdając sobie z tego sprawy, wyszeptał: *Przepraszam.*

Ani Robert, ani Carlos nic nie odrzekli. Obaj wiedzieli, że to ostatnie słowo nie było skierowane do nich, tylko do Cassandry. Poczucie winy już się zagnieździło i teraz rozprzestrzeniało po całym ciele zrozpaczonego męża. Psychiczne rany, jakie spowodowało oglądanie męczarni ukochanej, zostały zwielokrotnione przez to, że nie potrafił odpowiedzieć na to jedno przeklęte pytanie.

Właśnie wtedy Pan J uzmysłowił sobie, co takiego zrobił. Siódmy marca: to data urodzin jego syna. Dlatego właśnie ciągle o niej myślał podczas rozmowy telefonicznej.

PSTRYK.

Nagle, zupełnie jakby ktoś zdjął całun okrywający jego pamięć – właściwa data ślubu pojawiła mu się przed oczami.

Dziesiąty kwietnia.

On i Cassandra pobrali się dziesiątego kwietnia.

Zamknął oczy i odchylił głowę do tyłu, czuł się, jakby ktoś go dźgnął prosto w żołądek płonącym sztyletem.

Dlaczego? W milczeniu przeklinał siebie, swoją pamięć, swój mózg, całe swoje istnienie. *Dlaczego nie mogłem sobie przypomnieć wcześniej?*

Zakończył swoją opowieść, nie patrząc już żadnemu z detektywów w oczy. Nie wspomniał im o histerycznym śmiechu demona.

– Czy możemy zapytać, na jak długo wyjechał pan do Fresno? – spytał Hunter, gdy tylko Jenkinson skończył relację.

– Wyruszyłem w czwartek rano.

– A przed tą podróżą, kiedy ostatni raz był pan poza miastem?

Mężczyzna celowo zrobił pauzę i powiódł wzrokiem delikatnie w górę i na prawo. Wiedział, że policjanci będą mu się dokładnie przyglądać, przykładając szczególną uwagę do jego mimiki i ruchów oczu. Podręczniki psychologii behawioralnej uczyły, że jeśli osoba patrzy w górę i na lewo, to stara się uzyskać dostęp do części mózgu odpowiedzialnej za tworzenie obrazów, których tak naprawdę nigdy nie widziała. Jeśli natomiast spojrzy w górę i na prawo, wówczas stara się znaleźć w pamięci jakiś rzeczywisty obraz – taki, który naprawdę zobaczyła w przeszłości.

– Jakieś trzy i pół tygodnia temu – odparł szczerze, zmęczonym i zrezygnowanym tonem. – Musiałem polecieć do Chicago na kilka dni.

– Służbowo?

– Tak.

Hunter zanotował sobie te informacje.

– Czy ktoś poza panem i żoną ma klucze do tego domu?

– Nasz syn – odpowiedział mężczyzna z delikatnym wzruszeniem ramion.

– Nikt więcej? Na przykład sprzątaczka?

– Nie. Cassandra wszystko sprzątała sama, raz w tygodniu. Twierdziła, że to ją odpręża. Korzystamy z usług firmy czyszczącej baseny, ale oni nie mają kluczy.

– Czy pan, żona albo syn zgubiliście może ostatnio swój komplet? – dociekał detektyw.

– Nic mi o tym nie wiadomo. Ja swoich nigdy nie zgubiłem, wydaje mi się, że Cassandra też nie. Co do Patricka, nigdy mi o tym nie wspominał. Mogę go zapytać, jak do niego zadzwonię.

Robert pokiwał głową.

– Będziemy wdzięczni.

John nic nie odpowiedział, bo nie chciał wzbudzić podejrzeń policjantów swoją wiedzą na temat przesłuchań i prowadzenia śledztwa, ale pytania jednoznacznie sugerowały, że nie wykryli żadnych oznak włamania. Nie mieli pojęcia, w jaki sposób morderca dostał się do domu.

– Powiedział pan, że przestępca użył młotka i dłuta – zaczął Hunter, przechodząc w końcu dalej. – Jest pan pewny, że to było dłuto, a nie gwóźdź?

– To kamieniarskie dłuto z ostrym końcem. Nie gwóźdź. Jestem tego pewny – odparł zdecydowanie mężczyzna. – Co do młotka: zwyczajny z końcówką do wyciągania gwoździ.

– Czy to państwa sprzęty? Czy morderca mógł je znaleźć gdzieś w domu, na przykład w szufladzie?

Pan J ponownie pokręcił głową.

– Nie, żadne z narzędzi nie jest nasze. Musiał przynieść je ze sobą. – Spojrzał na obu detektywów. – Po tych pytaniach domyślam się, że nie zostały znalezione.

– To prawda – przyznał Robert. – Przeszukaliśmy dom i podwórko, ale nie trafiliśmy na ślad tych przedmiotów. Rano zamierzamy rozszerzyć obszar poszukiwań na sąsiednie ulice.

Wzrok, jakim obaj policjanci zostali obrzuceni, jasno wyrażał brak wiary.

– A co z telefonem Cassandry? Ten psychol zadzwonił do mnie z niego. Znaleźliście go?

– Tak, znajdował się w kuchni, w kuchence mikrofalowej – tym razem odpowiedział Garcia. – Niestety jest bezużyteczny, nawet eksperci informatyczni nic z niego nie wyciągną.

John zaczął udawać głupiego.

– A nie można skontaktować się z operatorem? Zapytać ich o kopię nagrania?

– Nie ma nagrania tej rozmowy.

– Dlaczego?

Hunter podał mu wyjaśnienie, które mężczyzna już znał.

– Znaleźliśmy czarny laptop marki Asus na kuchennym blacie – oznajmił Carlos. – Czy należał do pańskiej żony?

– Tak, zgadza się, to jej komputer.

– Mówił pan, że morderca miał na sobie maskę? – Detektyw wrócił do kwestii wideopołączenia.

Pan J pokiwał głową.

– Pieprzony tchórz. Miał dość jaj, żeby włamać się do mojego domu i zabić bezbronną kobietę. Dość jaj, żeby wszystko mi pokazać przez komórkę i udawać Boga. Ale nie dość, żeby pokazać swoją gębę.

Żyła na czole mężczyzny wyglądała, jakby zaraz miała eksplodować.

– Czy może pan opisać tę maskę?

Szczegóły pasowały idealnie do relacji Tanyi Kaitlin sprzed dwóch dni.

Garcia spojrzał na partnera, ale się nie odezwał.

– Morderca powiedział panu, że dzwonienie na policję to strata czasu?

– Tak, oznajmił, że patrol nie ma szans zdążyć na czas.

Ponowna szybka wymiana spojrzeń. Będą musieli sprawdzić historię fałszywych zgłoszeń w tej okolicy, ale obaj detektywi mieli całkowitą pewność, że przestępca zastosował identyczną strategię jak poprzednio.

Hunter uznał, że nadszedł czas, aby nawiązać z pytaniami do pierwszej ofiary.

– Czy pańska żona znała kobietę o nazwisku Karen Ward?

Oczy mężczyzny odrobinę się zwęziły, kiedy powtarzał sobie w myślach te dwa wyrazy.

– Nic mi to nie mówi. Ale Cassandra znała dużo osób, których ja nigdy nie spotkałem. Ludzi z siłowni, z organizacji charytatywnych, w których się udzielała, z grup wsparcia. Jej krąg przyjaciół był znacznie szerszy niż mój. – Popatrzył na detektywa poważnie. – Dlaczego pan pyta? Kim ona jest?

– Jeszcze tego nie wiemy – skłamał. – To nazwisko znajdowało się na kartce znalezionej na ulicy.

– Gdzie na ulicy? – dopytywał mężczyzna, kupując to kłamstwo. – Na moim trawniku? Na chodniku przed domem? Gdzie?

Robert musiał szybko myśleć.

– Dlatego zapytałem, kartka leżała na asfalcie, kawałek w górę drogi. To pewnie bez znaczenia, ale i tak sprawdzimy we wszystkich budynkach w okolicy.

Pan J nie potrafił stwierdzić, czy to prawda, czy nie, ale zapamiętał sobie to nazwisko. Będzie musiał spytać Briana, kim jest ta kobieta.

Detektyw prędko zmienił temat.

– Powiedział pan, że Cassandra chodziła do grup wsparcia?

– Kilka lat temu straciła matkę z powodu niezdiagnozowanej wcześniej choroby serca – wyjaśnił. – Takie grupy bardzo jej pomogły w tamtym czasie, ale ona również jest osobą, która lubi pomagać innym. – Zamilkł, uświadamiając sobie swój błąd. – *Była* osobą, która *lubiła* pomagać innym – poprawił się. – Dlatego od czasu do czasu brała udział w takich spotkaniach dla ludzi, którzy z powodu choroby stracili kogoś bliskiego. Chciała im w jakiś sposób ulżyć. Taką właśnie kobietą była.

– Ma pan może jakieś bardziej szczegółowe informacje na temat tych grup? Ich nazwy, miejsce, w których odbywały się zebrania albo cokolwiek innego?

– Niestety nie. Ale mogę zadzwonić do jej znajomych i się dowiedzieć.

– Bardzo by nam to pomogło – odparł Hunter, ale jednocześnie uznał, że zaraz zorganizuje zespół, który też się zajmie tą kwestią.

– Czy pańska żona korzystała z jakichś serwisów społecznościowych? – zainteresował się Garcia.

– A czy w obecnych czasach jest ktoś, kto tego nie robi?

– Tak, to prawda – przyznał detektyw. – Czy wspominała, żeby ktoś ją trollował albo wysyłał jej jakieś nieprzyzwoite wiadomości?

Pan J przyłożył dłoń do twarzy i zaczął masować palcami zmęczone oczy.

– Nie, nigdy. Ale korzystała z tych serwisów głównie po to, żeby utrzymywać kontakt ze starymi znajomymi z Santa Ana. Nie tak jak dzisiejsze dzieciaki: mój syn spędza większość swojego życia online.

– A czy pan ma konto na którymś portalu?

– Tak, mam. Moja firma również ma swoją stronę.

Hunter wiedział, że temat, który zamierza poruszyć, wyda się dość dziwaczny.

– To pytanie o datę ślubu...

John spojrzał mu w oczy. Detektyw widział potworny ból mężczyzny.

– Czy przypomina pan sobie, żeby ktoś zadał panu takie pytanie ostatnio? Albo w ciągu ostatniego roku? Może podczas wyjścia ze znajomymi, na kolacji, w pracy, przy drinku w barze... albo gdziekolwiek indziej?

Zapytany rzeczywiście uznał, że temat jest dziwaczny.

– Nie, nie przypominam sobie, żeby ktokolwiek zadał mi to pytanie od... – Pokręcił głową. – Od sam już nie wiem kiedy.

– A pamięta pan, kim była ta osoba, która kiedyś je zadała?

Spojrzenie mężczyzny powędrowało na chwilę gdzieś w dal, potem pojawił się w nim smutek.

– Cassandra. W ten sposób mi przypominała o rocznicy, ponieważ z roku na rok zacząłem o niej zapominać. Czekała do późna, tuż zanim poszliśmy spać, i mówiła coś subtelnego, w stylu: „Wiesz, jaki dzisiaj jest dzień?". Wtedy wiedziałem, że poważnie spieprzyłem i już jest za późno na jakiekolwiek wymówki. Kiedyś taki nie byłem – oznajmił, jakby poczuł potrzebę usprawiedliwienia się przed detektywami. – Zawsze o niej pamiętałem, kupowałem prezenty, kwiaty, zabierałem żonę na kolację... Nie wiem, co się stało. Nie wiem, jakim cudem zacząłem zapominać, nawet ona w końcu się poddała i przestała mi to wypominać. Chyba uznała, że to nie ma sensu.

Hunter czekał w milczeniu, aż mężczyzna skończy swoją podróż w głąb wspomnień.

– Czy zna pan jakąś osobę, która mogłaby chcieć skrzywdzić pańską żonę? – zapytał w końcu.

Pan J usiadł prosto i położył łokcie na poręczach krzesła. Następnie spojrzał na oprawione w ramkę zdjęcie stojące na biurku.

– Cassandra była najłagodniejszą osobą na świecie – odrzekł w końcu, głos niemal uwiązł mu w gardle. – Nie mówię tego tylko dlatego, że jestem jej mężem. Możecie spytać dowolną osobę, która ją znała. Troskliwa i kochająca kobieta. Uprzejma w stosunku do wszystkich. Pokorna. Wyrozumiała. Szczodra. Pomocna. Nie wiem, czy zezłościła kogokolwiek w całym swoim życiu.

– Może w takim razie zna pan kogoś, kto mógłby chcieć skrzywdzić ją, żeby... skrzywdzić pana?

Aktorstwo w wykonaniu Pana J stało na najwyższym poziomie. Do swoich kolejnych słów dodał odpowiednią warstwę szoku i niedowierzania.

– Skrzywdzić mnie? Za co? Jestem zwyczajnym doradcą biznesowym. Nie mam długów, nie uprawiam hazardu, nie chowam żadnej urazy w stosunku do kogokolwiek, nie wiem też nic o tym, żeby ktoś chował jakąś do mnie. Byliśmy zwyczajną rodziną wiodącą zwyczajne życie.

– Nigdy nie otrzymał pan żadnych gróźb jakiejkolwiek natury? – dopytywał Robert.

– Gróźb? – Kolejna zaskoczona mina, godna nominacji do Oscara.

– Tak. Wysłanych e-mailem, pocztą, SMS-em, przez telefon czy w jakikolwiek inny sposób.

– Nie. Nigdy.

– A pańska żona? Czy kiedykolwiek wspominała o tym, żeby ktoś ją straszył? Cokolwiek o... telefonach albo listach, które otrzymywała? Może mówiła coś o jakimś potencjalnym stalkerze?

Ponownie pytanie detektywa całkowicie go zaskoczyło. Tym razem w ogóle nie musiał udawać.

– O stalkerze? – Jego usta pozostały częściowo otwarte, tymczasem spojrzenie przeskakiwało od jednego policjanta do drugiego.

– Opowiadała o listach, które otrzymywała od kogoś, kto być może ją prześladował?

– Listach od stalkera? Nie. Nigdy. O czym w ogóle pan mówi, detektywie?

Robert spojrzał na partnera, który wstał bez słowa i ruszył w stronę drzwi.

Pan J czuł się szczerze zdumiony, patrzył na wychodzącego mężczyznę, a następnie znowu wlepił wzrok w swojego rozmówcę.

– Co się tutaj dzieje?

– Jest pan pewien, że żona nigdy nie wspominała o tym, że ktoś jej grozi? – dociekał Hunter. – O dziwnych listach?

– Groził? O dziwnych listach? Nie. Nigdy. – John był nieugięty. – Nie mam zielonego pojęcia, o czym pan mówi.

– A uważa pan, że by to zrobiła?

– Co zrobiła?

– Powiedziała o tym panu.

Mężczyzna uniósł brwi, a na jego czole ponownie pojawiły się zmarszczki.

– O tym, że ktoś ją prześladuje? O tym, że dostaje listy z pogróżkami czy coś w tym rodzaju?

– Tak. Czy myśli pan, że by o tym panu powiedziała?

– Oczywiście, na pewno by mi o tym powiedziała – odparł stanowczo. – Dlaczego niby miałaby tego nie zrobić?

W tym właśnie momencie Garcia wrócił do pokoju.

Pięćdziesiąt cztery

Pan J spojrzał na wchodzącego detektywa. Cały czas miał na twarzy wymalowane całkowite zaskoczenie. Od razu zauważył, że policjant niesie w prawej dłoni przezroczystą plastikową torbę na dowody.

– Torebka pańskiej żony została znaleziona przy kanapie w salonie – wyjaśnił Robert. – W środku znajdowało się to.

Drugi detektyw położył rzeczony przedmiot na biurku.

Zmieszanie mężczyzny trwało jeszcze przez chwilę, aż w końcu zdołał skierować swoją uwagę na kartkę przed sobą.

Czy kiedykolwiek czułaś się obserwowana, Cassandro?

John zamrugał kilka razy, jakby miał trudności z widzeniem. Potem przeczytał list jeszcze raz. I jeszcze raz. I jeszcze raz.

– Nie rozumiem – powiedział w końcu, jego głos brzmiał niemal jak wypowiedziany przez robota.

– Znaleźliśmy jeszcze kopertę z jej imieniem – dodał Carlos. – Żadnego podpisu ani znaczka. To oznacza, że nie została dostarczona pocztą czy kurierem. Ktoś ją wsunął pod drzwiami, wrzucił do skrzynki na listy, zostawił za wycieraczką samochodu albo gdzieś, gdzie pracowała.

– Czy jej imię na kopercie również było ułożone z wycinanki?

– Każda litera – potwierdził detektyw.

– Nigdy nie wspomniała panu o tym liście? – spytał drugi policjant.

Mężczyzna spojrzał na niego z mieszaniną frustracji i zażenowania. Przed sekundą oznajmił z niezachwianą pewnością, że żona podzieliłaby się z nim taką informacją.

– Nie – odparł w końcu. Jego przepełniony gniewem wzrok powrócił do kartki. – Może dostała to podczas mojego wyjazdu? Dzisiaj rano, wczoraj albo przedwczoraj?

– To możliwe – potwierdził Garcia. – Czy jednak nie zadzwoniłaby do pana?

John sprawiał wrażenie, jakby nie usłyszał tego pytania.

– Panie Jenkinson?

– Nie, nie zadzwoniłaby – odrzekł po namyśle. – Cassandra już taka była. W podróżach służbowych jestem przeważnie bardzo zabiegany, dlatego kontaktowała się ze mną tylko w wyjątkowych sytuacjach.

– Pańskim zdaniem ona nie uznała tego za taką właśnie sytuację?

– Niech pan da spokój. Proszę nie być naiwnym. Znajduje pan wiadomość, która wygląda jak żywcem wyjęta ze starego odcinka *Kojaka*. – Kiwnął głową w kierunku kartki. – Treść jest zrobiona z wycinanki z gazet, tekst to taki oklepany, pseudostraszny frazes, i co pan robi? Odpierdala panu ze strachu? Wierzy, że pańskie życie jest w niebezpieczeństwie?

Detektyw milczał.

– Mogę powiedzieć, że Cassandry na pewno by to nie przestraszyło. Potrzeba cholernie dużo więcej, żeby ją przerazić. – Zamilkł na chwilę, wydawało się, że szuka czegoś w pamięci. – Tak szczerze, to chyba nigdy nie widziałem, żeby się bała. Była bardzo silna psychicznie. Podejrzewam, że śmiała się z tej wiadomości. Uznała, że to durny żart, pewnie jak większość osób na jej miejscu. Nigdy nie zawracałaby mi głowy w czasie wyjazdu w interesach, żeby mi opowiedzieć o liściku, który wygląda jak zrobiony przez czterolatka.

– Muszę się z panem zgodzić – wtrącił się Robert. – Rzeczywiście, większość ludzi uznałaby to za kiepski kawał, dlatego chciałbym poprosić o zgodę na dokładne przeszukanie domu. W szczególności rzeczy pańskiej żony.

Pan J wiedział, że słowo „dokładny" oznacza, że policja już przeszukała dom i rzeczy jego żony. Po prostu nie zrobili tego dość skrupulatnie.

– W jakim celu?

– Chcemy znaleźć podobne wiadomości, które mogła dostać wcześniej.

– Co? – Spojrzał na obu detektywów, ale nic nie wyczytał z ich twarzy. – Uważa pan, że otrzymała więcej takich listów?

– Zgadza się – potwierdził Hunter.

Mężczyzna zaśmiał się nerwowo.

– A co pana skłania do tej tezy?

– Ta wiadomość, wbrew temu, co pan uważa, na pewno wystraszyła pańską żonę – oznajmił głosem stanowczym i zdecydowanym.

John zmarszczył brwi, zaintrygowany.

– Skąd taki pomysł?

– Ponieważ jej nie wyrzuciła. Nie znaleźliśmy jej w koszu na śmieci, wepchniętej do szuflady albo wrzuconej za kanapę. Znajdowała się w jej torebce, razem z kluczami i portmonetką. Gdyby uważała, że to tylko dowcip, to po co by ją zatrzymała? A tym bardziej czemu miałaby ją schować do torebki?

Pan J nie pomyślał o tym. Zapomniał już, gdzie policjanci znaleźli tę kartkę. Detektyw mówił sensownie. Znał swoją żonę najlepiej, wiedział, że nigdy nie przyłożyłaby do czegoś takiego wagi. Chyba że dostałaby takich listów wystarczająco dużo, żeby się wkurzyła albo zaczęła bać.

Nagle zrozumiał, czemu miała to przy sobie. Chciała mu to pokazać, poznać jego opinię i zapytać, czy należy się tym przejmować, czy nie.

Oczywiście, pomyślał. *To musiało być to. Czekała, aż wrócę z podróży służbowej, żeby dać mi tę kartkę do ręki i wszystko obgadać.*

Ta myśl była jak kolejny bolesny szpikulec czystego poczucia winy, który wbił mu się prosto w serce. Odruchowo zamknął oczy i zacisnął usta, jakby niewysłowiona fala cierpienia rozlała się po całym jego ciele.

– Panie Jenkinson? Dobrze się pan czuje? – zapytał szczerze zaniepokojony Hunter.

Otworzył powieki i na chwilę stracił zimną krew. Wściekłość w jego głosie rozgrzała cały pokój do czerwoności.

– Kiedy byłem poza miastem, jakiś psychopata torturował i zamordował moją żonę w moim własnym domu, w dodatku zapewne dręczył ją i prześladował takimi durnymi liścikami. – Dźgnął palcem torbę na dowody. – O czym nic nie wiedziałem. Jak bardzo „dobrze" pańskim zdaniem powinienem się teraz czuć?

– Przepraszam, panie Jenkinson – odpowiedział detektyw. Ze skruchą spuścił wzrok. – Nie chciałem, żeby tak to zabrzmiało.

– Proszę – zaczął mężczyzna, unosząc dłoń. Jego spokój powrócił, podobnie jak gra aktorska. – Jeśli nie macie panowie więcej pytań, czy mógłbym zostać sam?

Robert wymienił z partnerem zatroskane spojrzenia.

– Niestety nie możemy panu pozwolić zostać tutaj na noc. Nie dzisiaj.

Pan J spojrzał na niego. Doskonale zdawał sobie sprawę z tego, że nie będzie mógł spędzić tutaj nocy, ale musiał grać dalej swoją rolę nieświadomego obywatela.

– Jak to „nie możecie mi pozwolić"? To przecież mój dom.

– Rozumiemy to, panie Jenkinson. – Głos Huntera znów był spokojny i łagodny. – Obecnie mogę pana tylko najmocniej przeprosić, ale pański dom stał się również miejscem zbrodni. Dlatego musimy go odizolować, aż zarówno technicy, jak i reszta śledczych skończą wszystkie działania. Wrócimy tutaj z samego rana, żeby na świeżo wszystko jeszcze raz obejrzeć i sprawdzić, czy niczego nie przeoczyliśmy.

John utrzymał wściekły wyraz twarzy i milczał, udając, że rozważa usłyszane słowa.

– Obiecuję, że będziemy pracować tak szybko, jak to tylko możliwe. Przy odrobinie szczęścia będziemy mogli wpuścić jutro wieczorem ekipę oczyszczającą miejsca zbrodni. Gdy oni skończą, będzie pan mógł już spokojnie wrócić do swojego domu.

Nadal cisza.

– Bardzo mi przykro z tego powodu – oznajmił ponownie detektyw.

– Czy mogę chociaż zabrać kilka czystych rzeczy? – spytał mężczyzna, upewniwszy się, żeby w jego głosie słychać było nutkę gniewu.

– Oczywiście, proszę się nie spieszyć. Poczekamy na zewnątrz.

Pięćdziesiąt pięć

Nic tutaj nie gra, pomyślał Pan J, kiedy Hunter i Garcia wyszli.

Mimo że czuł się całkowicie wykończony i wyczerpany emocjonalnie, jego umysł dalej potrafił analizować fakty, a cztery najbardziej podstawowe kwestie dotyczące tego śledztwa zwyczajnie ze sobą nie grały.

Pierwsza: Znajdował się daleko stąd, gdy ktoś mordował jego żonę, co dla niego było bardzo wygodne. Druga: Nie znaleziono żadnych śladów włamania, zatem śledczy powinni wziąć pod uwagę możliwość, że sprawca miał klucz. Trzecia: Wideorozmowy, którą rzekomo prowadził, nie dało się w żaden sposób potwierdzić, nawet detektywi to przyznali. Czwarta: Wiadomość znaleziona w torebce Cassandry mogła zostać łatwo podrzucona, żeby stworzyć pozory istnienia stalkera i jednocześnie skierować śledztwo na inny tor.

Biorąc pod uwagę te cztery sprawy, Pan J powinien zostać wzięty przez śledczych w obroty jak kurczak na rożnie w knajpie dla grubasów, a tak się nie stało.

Gdy opuścił hotel, zastanawiał się, jakie pytania policja może mu zadawać. Przede wszystkim dotyczące potwierdzenia jego alibi. Następnie informacje o podróży służbowej do Fresno, jakie spotkania miał przeprowadzić, nazwiska, numery telefonów, adresy, terminarze... wszystko. Gdy poruszono kwestię jego ostatnich wyjazdów i tego, kto ma klucze od domu, zakładał, że jest już w drodze na rożen, ale nagle kierunek pytań niespodziewanie się zmienił. Żaden z detektywów nie wydawał się zbytnio zaciekawiony jego tajemniczymi interesami.

John uważał, że to jest problem numer jeden. Numer dwa: Cassandrę zamordowano bez żadnego wyraźnego motywu. Bez kradzieży. Bez napaści seksualnej. Dodał do siebie obie te kwestie i zakładał, że policja zrobiła dokładnie to samo. Wynik tego równania był prosty: zbrodnia z namiętności, jednak rozmowa w ogóle nie poszła w tym kierunku. Gliniarzy nie interesowało, czy mieli problemy małżeńskie, czy nie kłócili się ostatnio dużo albo czy nie podejrzewał żony o romans. Nie spytali również, czy on sam nie miał kogoś na boku albo czy żadne z nich nie rozważało rozwodu. Tak naprawdę w ogóle nie padło pytanie dotyczące stanu ich związku po dwudziestu jeden latach. Policję za to bardzo ciekawiła wideorozmowa, chcieli poznać wszystkie jej szczegóły.

Dlaczego? – zapytał sam siebie.

Jeśli podejrzewali, że wszystko to zmyślił, to może starali się przyłapać go na kłamstwie, zmusić, żeby zaczął podawać sprzeczne zeznania, jednak mimo wszystko...

Nagle oddech uwiązł mu w gardle, gdy zorientował się, jaki błąd popełnił.

Pięćdziesiąt sześć

O 8.30 Garcia był znowu w domu Jenkinsonów, razem z dwoma policjantami. Hunter przyszedł blisko dwie godziny później, jego partner akurat przyglądał się zdjęciom na kominku.

– Jak wam idzie? – zapytał. – Coś znaleźliście?

– *Nada*. Przejrzeliśmy całą sypialnię, szafę pani Jenkinson, każdą kieszeń, parę butów, wszystkie szuflady i pudełka. – Pokręcił głową. – Żadnego listu ani jakiejkolwiek wskazówki sugerującej, że ktoś ją prześladował.

Tak naprawdę Carlos się tego spodziewał. Po informacjach uzyskanych od męża ofiary obaj detektywi nie liczyli zbytnio na to, że zobaczą kolejną wiadomość od stalkera. Doszli do tego samego wniosku co John: kobieta schowała tę kartkę do torebki, żeby pokazać ją małżonkowi, gdy ten wróci z podróży. Albo w końcu się przestraszyła, albo kolejna wiadomość ją rozzłościła. Dla niej to był o jeden list za dużo. Nawet jeśli wcześniej otrzymywała podobne – a żaden z detektywów w to nie wątpił – zapewne zgodnie z opisem pana Jenkinsona uznała je za zwykły żart i wszystkie wyrzuciła.

Garcia sięgnął po kolejną fotografię. Pan J obejmował na niej żonę w pasie i wyglądało na to, że szeptał jej coś do ucha.

– Myślisz, że stąd sprawca zaczerpnął inspirację co do ostatniego pytania? – zapytał partnera, po czym odłożył zdjęcie na miejsce.

– Nie jestem pewny. Jeśli jednak dlatego zapytał o datę ślubu, to był w tym domu już wcześniej. To znaczy przed zamordowaniem Cassandry.

Drugi mężczyzna pokiwał głową.

– To samo pomyślałem, zanim przyszedłeś. Tak jak w przypadku Tanyi Kaitlin wiedział, że John nie da rady odpowiedzieć na finałowe pytanie. On nie liczy na łut szczęścia. – Ponownie spojrzał na fotografie. – Naiwnością byłoby sądzić, że wpadł na ten pomysł ot tak. – Pstryknął palcami.

– Zbyt wielkie ryzyko – zgodził się partner. – Tak naprawdę to jeszcze prostsze pytanie niż to, które zadał Tanyi.

Carlos wyobraził sobie, co by było, gdyby sam miał udzielić takich odpowiedzi. W przypadku daty ślubu nie zastanawiałby się nawet pół sekundy. Ale numer telefonu Anny...

Wówczas poczucie winy spadło na niego z siłą prawego sierpowego. Przez te wszystkie lata, kiedy byli razem, nie udało mu się zapamiętać jej numeru telefonu. Nagle poczuł wstyd. Nigdy nawet nie próbował go zapamiętać. Zawsze polegał na pamięci swojej komórki. Nie dotyczyło to jednak tylko jej: nie znał na pamięć żadnego numeru telefonu, także swojego partnera. Jedynie swój własny potrafił wyrecytować. Milczący i zawstydzony detektyw złożył sobie pewną obietnicę.

– Wydaje mi się, że chciał, abyśmy tak właśnie pomyśleli – powiedział Hunter, wyrywając kolegę z zadumy.

– Pomyśleli, że te zdjęcia naprowadziły go na pytanie o datę ślubu?

– Posłuchaj tego: morderca sądzi, że nie mamy pojęcia, iż jego pytania wcale nie są takie proste i losowe, a jedynie mają za takie uchodzić, prawda?

– Tak.

– No to teraz przez chwilę udawajmy, że nic o nim jeszcze nie wiemy. Dostajemy zgłoszenie, jak zawsze oglądamy miejsce zbrodni. Widzimy fotografie ślubne, ale nie przyciągają naszej uwagi, bo nie ma ku temu powodu. Rozmawiamy z panem Jenkinsonem, a on nam opowiada o tym telefonie i o zadanych mu pytaniach. Może wtedy łączymy jedno z drugim, ale nawet jeśli nie, to zawsze następuje ponowne sprawdzenie miejsca zbrodni. Nie wspominając już o zdjęciach zrobionych przez techników, które będziemy w kółko przeglądać.

Garcia załapał tok rozumowania przyjaciela.

– Zatem musielibyśmy być głupi lub ślepi, żeby naprawdę uznać, że pytanie padło pod wpływem chwili, zainspirowane kolekcją na kominku.

Drugi detektyw przyznał mu rację.

– To z kolei by spowodowało, że przynajmniej na jakiś czas stracilibyśmy z oczu najważniejsze odkrycie: fakt, że morderca z góry wiedział, że Jenkinson nie odpowie na to pytanie. Fakt, że tak jak już mówiłeś, był w tym domu wcześniej.

– Dokładnie. Uważam, że właśnie w ten sposób wybiera swoje ofiary.

– Bardzo możliwe – zgodził się Carlos. Już miał coś powiedzieć, kiedy zadzwoniła komórka jego partnera.

– Detektyw Hunter, wydział zabójstw.

To była doktor Carolyn Hove, szefowa zakładu medycyny sądowej w Los Angeles. Dopiero co zakończyła autopsję Cassandry Jenkinson.

Pięćdziesiąt siedem

Gdy Pan J opuścił już detektywów, zameldował się w tanim motelu w Porter Ranch, niedaleko swojego domu w Granada Hills. Zrobił to jednak wyłącznie na pokaz, gdyby policja chciała go sprawdzić. Tak naprawdę nie zobaczył nawet wnętrza wynajętego pokoju. Gdy tylko odebrał klucze od recepcjonisty śmierdzącego tłuszczem i grillowanym serem, wsiadł ponownie do swojego auta i pojechał do mieszkania w Torrance, w południowej części Los Angeles. O tym lokum nie wiedział absolutnie nikt, wynajął je kilka lat wcześniej pod przybranym nazwiskiem i zawsze płacił za czynsz w gotówce za cały rok z góry.

Musiał wykonać kilka telefonów, jednak zdawał sobie sprawę, że zanim ponownie nad miastem zaświeci słońce, ani on, ani nikt inny nie będzie w stanie zbyt wiele zrobić. Czuł się wykończony, jego mózg bez przerwy powtarzał, że należy spróbować zapaść w bardzo potrzebny, regeneracyjny sen, choćby na godzinę czy dwie, jednak nawet tyle nie udało mu się osiągnąć. Zgiełk w jego głowie na to nie pozwalał. Za każdym razem gdy tylko zamykał oczy, natychmiast zostawał bombardowany przez obrazy żony całej pokrytej krwią.

Będąc już w salonie, Pan J nalał sobie solidną porcję bourbona. Wystarczającą, żeby nieco zamazać kontury i przynajmniej trochę ukoić nerwy, ale zbyt małą, aby przytępić myśli. Ze szklanką w dłoni zgasił światło i usiadł na rozkładanej kanapie, skierowanej w stronę dużego okna na wschodniej ścianie. Widok może i nie oszałamiał, ale gdy słońce świeciło jasno, dało się zobaczyć fragment Redondo Beach i Oceanu Spokojnego, co samo w sobie działało kojąco.

Patrząc na światła wielkiego miasta, Pan J upił pierwszy łyk. Najpierw trzymał mocny alkohol w ustach, aby intensywny aromat dębu i karmelu wniknął do kubków smakowych. Gdy siła trunku zaczęła piec w język i policzki, mężczyzna pozwolił spłynąć mu w dół gardła. Zwykle od razu czuł, jak jego ciało rozgrzewa się od środka, ale wątpił, czy jeszcze kiedykolwiek tego zazna. Miał wrażenie, że jego dusza zamarzła, wypełniały go jedynie nienawiść i niezaspokojone pragnienie zemsty.

Ułożył się wygodnie na kanapie i cofnął myślami do momentu, gdy wszedł do swojego domu i natknął się na dwóch detektywów prowadzących śledztwo.

W swoim życiu John spotkał więcej policjantów, niż miał przyjaciół. Dla niego wszyscy byli identyczni, jak ziemniaki w worku, jednak jeden z tych dwóch świeżo poznanych mężczyzn miał w sobie coś intrygującego. W przeciwieństwie do wszystkich detektywów, którzy zdawali się balansować na krawędzi, tocząc skazaną na porażkę walkę z własnymi wewnętrznymi demonami, ten jeden sprawiał wrażenie, jakby znajdował się po zupełnie przeciwnej stronie spektrum. Coś było w jego spokojnych oczach, w jego postawie, w pewności siebie, z jaką się wypowiadał, co go wyróżniało. Pan J jeszcze nie wiedział, czy to dobry znak, czy wręcz przeciwnie.

Upił kolejny łyk, a następnie wyciągnął z kieszeni portfel, z którego wydobył wizytówkę policjanta.

Robert Hunter, Sekcja Specjalna wydziału zabójstw policji LA.

Będzie musiał poprosić Briana, żeby przesłał mu pełną teczkę dotyczącą detektywa Huntera.

Do czasu gdy skończył drugiego drinka, na czarnym niebie zaczęły pojawiać się fragmenty błękitu. Odstawił szklankę i spojrzał na zegarek. Nadszedł czas na pierwszy telefon.

Poszedł do jedynej sypialni w mieszkaniu i otworzył szafę, a następnie ukląkł przy pancernym sejfie z czytnikiem linii papilarnych, który znajdował się w miejscu, gdzie normalnie stały buty. Przyłożył kciuk do skanera i wstukał sześciocyfrowy kod. Drzwi otworzyły się z przytłumionym łupnięciem. Wziął do ręki jeden z nowiutkich telefonów na kartę, które w nim trzymał, potem wyjął go z opakowania i zadzwonił pod numer, który znał na pamięć. Należał do kogoś, kto pracował dla tego samego kartelu, na samym szczycie jego struktury. Pan J znał go jedynie pod pseudonimem Brzytwa.

Rozległy się dwa sygnały, zanim odebrał ktoś o gładkim głosie piosenkarza.

– Brzytwa, tu Pan J.

– Pan J? – powtórzył rozmówca. Słychać było, że jest zaintrygowany. Z całą pewnością nie spodziewał się telefonu od niego, a już na pewno nie o takiej porze. – Czy coś się stało? Napotkałeś jakieś problemy we Fresno?

– Nie, wszystko poszło jak po maśle. Żadnych komplikacji.

– Cieszy mnie to.

– Mam jednak inny problem.

– Zamieniam się w słuch.

– Muszę się wycofać na trochę – mówił stanowczo, ale spokojnie. – Nie mogę przyjmować żadnych zleceń w najbliższym czasie.

Nastąpiła krótka, pełna zastanowienia cisza.

– Jak długi ma być ten czas?

John spodziewał się takiego pytania.

– Na chwilę obecną: bezterminowo.

Tym razem cisza trwała zdecydowanie dłużej.

– O co tak naprawdę chodzi, Panie J? – Ton rozmówcy nie uległ zmianie. – Dzwonisz do mnie, żeby mi powiedzieć o odejściu na emeryturę? Wiesz najlepiej, że w tym zawodzie emerytura nadchodzi w bardzo brzydki i *ostateczny* sposób.

Mężczyzna milczał.

– Czy chodzi o Fresno? Stało się coś, czego mi nie powiedziałeś?

– Nie, Brzytwa, nie chodzi o Fresno.

– No to mów wreszcie, w czym rzecz. W tej chwili to brzmi, jakbyś miał zamiar zmienić strony, a doskonale wiesz, że my takich rzeczy łatwo nie przyjmujemy.

John długo się nad tym zastanawiał. Na świecie żyło bardzo niewielu ludzi, którym mógł całkowicie zaufać. W Kalifornii jedyną taką osobą był właśnie jego rozmówca. Wyjawił mu zatem dość, żeby uzasadnić swoją decyzję.

– Poczekaj chwilę – odparł głos w słuchawce, gdy smutna opowieść dobiegła końca. Tym razem brzmiało w nim bezbrzeżne zaskoczenie. – Czy ty... robisz sobie ze mnie jaja? O tej porze?

Jenkinson wyobraził sobie, jak mężczyzna potrząsa swoją ogoloną i lśniącą głową, jak zawsze zwykł robić, kiedy zorientował się, że ktoś drze z niego łacha. Powodem jego niedowierzania było to, że Pan J nigdy nie żartował.

– Oddałbym wszystko, żeby to był tylko kawał – odrzekł spokojnie, ale z ogromnym smutkiem.

Ponownie nastała długa cisza.

– Czyli chcesz mi powiedzieć, że nie dość, że ktoś się włamał do twojego domu i zamordował ci żonę, to jeszcze kazał ci to oglądać przez komórkę?

– Tak.

John praktycznie słyszał, jak trybiki w głowie rozmówcy zaczęły obracać się znacznie szybciej.

– No to jest po prostu pojebane. Inaczej nie da się tego określić. I mówisz w dodatku, że to nie była zemsta za jedno ze zleceń. Ten... zamaskowany palant nie dał rady cię jakoś wytropić?

– To nie zemsta – odrzekł zdecydowanie. – Nie wiem, kim jest ten facet, ale on również nie miał pojęcia, kim ja jestem. Ani dla kogo pracuję.

– Skąd ta pewność?

W tym momencie ponownie naszła go ta sama myśl, która pojawiła się kilka godzin wcześniej, po zakończonej rozmowie z detektywami.

Teraz już wiedział, jaki błąd popełnił, a także jaki błąd popełnili policjanci. Już wiedział, czemu przesłuchanie wydawało się takie dziwne. Czemu ani razu nie odniósł wrażenia, że podejrzewają go o morderstwo własnej żony, chociaż powinni to zrobić.

Detektywów zdradziło nie coś, co powiedzieli, a wręcz przeciwnie: coś, co przemilczeli. Pytanie, którego nie zadali.

Gdy już skończył opisywać maskę mordercy, jeden z nich powinien zapytać, czy spotka się z policyjnym rysownikiem, żeby sporządzić portret pamięciowy. To jedyne logiczne podsumowanie tego przesłuchania, jednak propozycja nie padła.

Dlaczego?

Nie uwierzyli mu?

Nie mieli powodu.

Pan J pamiętał, jakie spojrzenie detektyw Garcia rzucił swojemu partnerowi. Było subtelne, trwało zaledwie ułamek sekundy. Jego zmęczony umysł nie potrafił go wtedy zinterpretować. To właśnie *jego* błąd.

Ta wymiana spojrzeń nie świadczyła o powątpiewaniu, jak myślał wcześniej. Ona stanowiła potwierdzenie. Czyli opis maski zgadzał się z tym, co spodziewali się usłyszeć. To oznacza tylko jedno: wiedzieli już o niej. A skoro o niej wiedzieli, to wiedzieli również o mordercy. W takim razie oczywiste jest, że zabił już wcześniej.

– Zaufaj mi, wiem to. Nie chodziło o mnie ani o żadną z moich robót.

Pewność w jego głosie powstrzymała Brzytwę przed zadaniem kolejnych pytań. Postawił się na miejscu Pana J. Również miał żonę, a także dwie córki, które bardzo kochał. Nawet krótkie wyobrażenie sobie takiej sytuacji i śmierci ukochanej spowodowało, że zatrząsł się z gniewu.

– Ja... szczerze ci współczuję, przyjacielu.

John milczał.

Brzytwa wiedział już, że to nie zmiana stron ani ucieczka. Gdyby rzeczywiście spotkało go to co Pana J, zachowałby się identycznie jak on.

– Wiesz, jak go znaleźć?

– Jeszcze nie. Ale się dowiem.

– W to akurat nie wątpię. Rób, co tylko musisz... I, Panie J?

– Tak?

– Wiesz, że możesz na mnie liczyć, prawda? Jeśli czegoś będziesz potrzebował, czegokolwiek, to wystarczy, że zadzwonisz. Mam kontakty w całym tym pieprzonym kraju. Ten skurwiel za to zapłaci.

– Dziękuję.

John się rozłączył i zniszczył telefon.

Pięćdziesiąt osiem

Główny budynek Zakładu Medycyny Sądowej w Los Angeles mieścił się przy North Mission Road 1104. Gmach stanowił dzieło sztuki architektonicznej, stylistyką nawiązywał do renesansu. Wzdłuż ekstrawaganckich schodów stały stare latarnie, a fasadę pokrywała terakota z szarymi elementami. Dzięki temu ten dawny szpital, przemieniony w kostnicę, robił oszałamiające wrażenie.

Hunter i Garcia wspięli się po schodach prowadzących do głównego wejścia i podeszli do recepcji.

– Witam panów – powiedziała siedząca za ladą drobna kobieta. Miała głęboko osadzone oczy, szpiczasty nos i błyszczące białe zęby widoczne za uprzejmym uśmiechem.

– Dzień dobry, Audrey – przywitał się Robert.

– Cześć, Audrey. – Partner poszedł za jego przykładem.

– Doktor Hove czeka w sali autopsyjnej numer dwa. – Wskazała na podwójne drzwi znajdujące się po prawej stronie.

Detektywi przeszli przez nie i ruszyli w dół białym korytarzem z błyszczącym linoleum na podłodze. Czuli intensywny zapach środków antyseptycznych. Pusty wózek stał przy jednej ze ścian. Przeszli przez kolejne podwójne drzwi, po czym skręcili w lewo w mniejszy korytarz. Momentalnie poczuli zmianę w powietrzu: zamiast środków odkażających ich nosy zaatakowało coś znacznie gorszego. Smród, który zdawał się przyczepiać do gardła i powoli wypalać nozdrza.

Hunter natychmiast zasłonił twarz dłonią. Nieważne, ile razy bywał w tym miejscu, nie potrafił się przyzwyczaić do tej woni. Nie sądził, żeby kiedykolwiek mu się to udało.

W końcu skręcili w prawo i dotarli do wejścia do sali autopsyjnej numer dwa. Widzieli doktor Hove przez kwadratowe okna, zamontowane w drzwiach ze stali nierdzewnej. Siedziała na krześle, całkowicie pochłonięta czymś na ekranie monitora.

Robert zapukał trzykrotnie.

Kobieta spojrzała do góry, a gdy ich rozpoznała, odwróciła się i nacisnęła okrągły zielony guzik na ścianie. Drzwi otworzyły się, wydając świszczący dźwięk, niczym śluza próżniowa. Pani doktor zaprosiła ich gestem do środka.

Mężczyźni wkroczyli do dużego, nieprzyjemnie zimnego pomieszczenia. Ściany były nieskazitelnie białe. Podłogę, podobnie jak na korytarzach, pokrywało lśniąco czyste linoleum. Na podłodze przy zachodniej ścianie znajdowała się długa i szeroka kratka odpływowa, koło której stały dwa stoły sekcyjne ze stali nierdzewnej. Na końcu każdego z nich znajdowała się duża komora do mycia oraz myjka ciśnieniowa. Ciało Cassandry Jenkinson, przykryte do połowy jasnoniebieskim materiałem, leżało na blacie bliżej nich. Głowę miała gładko ogoloną. Jej włosy zabrano do laboratorium do dalszej analizy.

– Witajcie – rzuciła Carolyn do obu detektywów.

Była wysoka i szczupła. Miała zielone oczy o przeszywającym spojrzeniu, długie kasztanowe włosy związane w kucyk. Maska chirurgiczna wisiała jej luźno na szyi, odsłaniając pełne wargi, wydatne kości policzkowe i drobny, grecki nos. Jej głos brzmiał spokojnie i łagodnie, co przywodziło na myśl doświadczenie i wiedzę.

– Nie jest to mój ulubiony sposób na spędzanie sobotniego poranka – oznajmiła. – Ale nie zawsze można wybierać.

– Przykro mi. Podejrzewam, że każde z nas wolałoby teraz znajdować się gdzieś indziej.

– Nie musisz przepraszać, to przecież nie twoja wina. I tak miałam dzisiaj dyżur w grafiku. Gdyby nie ta sprawa, to trafiłaby się inna. Zaległości mamy na tydzień roboty.

Żaden z detektywów w to nie wątpił. Tutejsi koronerzy byli jednymi z najbardziej zapracowanych w tym kraju. Przeprowadzali od dwudziestu do czterdziestu autopsji każdego dnia, a i tak potrafiły się tworzyć kolejki.

– Dobra, pozwólcie, że pokażę wam, co ten potwór zrobił – powiedziała, po czym odwróciła się w stronę leżącego ciała.

Coś w jej głosie zaniepokoiło obu mężczyzn.

Pięćdziesiąt dziewięć

Doktor Hove odsłoniła całkowicie nagie ciało Cassandry Jenkinson. Cięcie w kształcie litery Y, obecnie zszyte grubą czarną nicią, biegło od obu ramion, przez cały tułów i kończyło się w dolnej części podbrzusza. Wykonano również trójkątne nacięcie na górnej części głowy, pozwalające uzyskać dostęp do mózgu.

Ciało na stole, z ogoloną głową, zapadniętymi oczami i nieco obwisłą skórą, zdawało się obce, jednak z jakiegoś powodu twarz ofiary sprawiała wrażenie o wiele bardziej spokojnej niż na miejscu zbrodni. Tak jakby była zadowolona, że jej koszmar się wreszcie skończył i nie musi już czuć bólu.

– Pozwólcie, że zacznę od podstaw – oznajmiła Carolyn i wręczyła każdemu z nich kopię raportu. – Jestem pewna, że zauważyliście to już *in situ*, poza śmiertelnymi ranami głowy i drobnym skaleczeniem w kąciku ust ofiara nie doznała już innych obrażeń, ani powstałych w samoobronie, ani w inny sposób. Paznokcie również miała czyste, nie znalazłam pod nimi żadnych fragmentów tkanek. Niestety, nie udało jej się zadrapać napastnika.

– Zatem naprawdę się nie broniła? – zapytał Garcia.

– Ani trochę. Wiecie, w jaki sposób morderca dostał się do jej domu?

– Jeszcze nie. Ale nie ma żadnych śladów włamania, istnieją zatem powody, aby wierzyć, że był już u niej wcześniej.

– Uważacie, że ofiara go znała?

Detektyw wzruszył ramionami.

– Pracujemy nad tym.

Doktor Hove pokiwała głową i zwróciła się do Huntera:

– Złożyłam pilną prośbę o badanie toksykologiczne, więc przy odrobinie szczęścia wyniki otrzymamy do jutra. Zgodnie z twoim raportem świadek twierdzi, że morderca wstrzyknął jej coś, co sparaliżowało prawie całe ciało, ale nie miało wpływu na mózg ani system nerwowy.

– Tak, to prawda – potwierdził detektyw.

Kobieta westchnęła.

– OK. No to tutaj zaczyna się całe zło. – Zwróciła ich uwagę na prawą stronę szyi ofiary.

Mężczyźni pochylili się, aby móc się lepiej przyjrzeć. Gdy ciało Cassandry zostało obmyte z zakrzepłej krwi, dało się zauważyć niewielki ślad po igle, tuż poniżej ucha.

– Aby morderca mógł osiągnąć zamierzony efekt, musiał zastosować czynnik blokujący przekaźniki nerwowo-mięśniowe i dobrać absolutnie idealną dawkę, inaczej sparaliżowałby również mięśnie odpowiedzialne za oddychanie i udusił ją w minutę.

Carlos przewrócił stronę w raporcie.

– A jak łatwo coś takiego dostać?

Kobieta zrobiła minę wyrażającą „A kto to wie?".

– Jakieś piętnaście lat temu, może trochę mniej, te środki byłoby niezwykle trudno zdobyć. Trzeba by mieć bardzo dobre kontakty albo samemu pracować na przykład w szpitalu. A dzisiaj? Dzięki internetowi i tysiącom nielegalnych aptek w sieci? Można sobie zamówić do domu zapakowane jako prezent. Żadnych pytań, żadnej dokumentacji transakcji.

– Super – skomentował detektyw, przestępując z nogi na nogę.

– Zapewne domyślaliście się już tego na miejscu zbrodni, ale teraz mogę potwierdzić, że kobieta nie została zgwałcona, podobnie jak pierwsza ofiara, co dowodzi, że motyw nie miał podłoża seksualnego. Czegokolwiek szuka morderca, nie jest tym rozkosz erotyczna.

Policjanci spojrzeli na kolejne strony wydruków.

– Kimkolwiek jednak jest sprawca, posiada bardzo duże zdolności i co najmniej podstawową wiedzę z zakresu neuroanatomii i urazów.

– Neuroanatomii? – zapytał Carlos.

– Już wyjaśniam. – Przesunęła się w lewo i wskazała na obrażenia na głowie denatki. – Jak już wspominałam, nie ma żadnych innych ran na jej ciele, poza tymi przebiciami czaszki.

Obaj mężczyźni ustawili się obok doktor Hove. Głowa Cassandry została gładko ogolona, więc nawet pomimo przebarwień skóry i pewnych zmian w konsystencji trzy małe otwory w kości były bardzo widoczne. Żaden z nich nie wyglądał na większy niż trzy milimetry średnicy.

– Te dziury spowodowały bardzo specyficzne pęknięcia czaszki.

– Złamanie wieloodłamkowe – skomentował Hunter, przyglądając się obrażeniom.

– Zgadza się – potwierdziła pani doktor.

– Jakie złamanie? – Garcia spojrzał na przyjaciela.

– Pani Hove wyjaśni to lepiej.

Detektyw spojrzał więc na nią.

– To jest w raporcie, ale mogę streścić.

– Tak będzie lepiej.

– W porządku – zaczęła. – Każda ludzka kość cechuje się pewną elastycznością, to samo dotyczy kości czaszki. W przypadku silnego urazu kość odkształca się na wzór uderzającego ciała. – Złączyła wyprostowane dłonie przed sobą i powoli wygięła palce do dołu, obrazując wklęśnięcie. – Dzieją się wówczas dwie rzeczy: na kości pojawiają się równoległe pęknięcia, a wewnątrz powstaje wgniecenie. Jeśli takie coś przydarzy się w środku czaszki, wówczas wgniecenie tworzy pęknięcie nazywane złamaniem wieloodłamkowym. Jak nazwa sugeruje, tworzy się pewna liczba odłamków, która przemieszcza się od czubka w dół. Górny odłamek się przesuwa, tworząc następny, który z kolei tworzy jeszcze jeden i tak dalej. Nadążasz?

Detektyw pokiwał głową.

– Zatem jeśli uderzenie jest wystarczająco mocne, te odłamki będą przesuwać się w dół, przez wnętrze czaszki, aż wbiją się głęboko w mózg, powodując wyłączenie jego funkcji i śmierć.

Garcia zacisnął zęby, jakby sam odczuwał ten ból.

– Tak też się stało po trzecim uderzeniu. – Wskazała ranę na środku czaszki ofiary. – Odłamki powstałe w wyniku tych obrażeń przebiły się przez zakręt przedśrodkowy, bruzdę środkową mózgu i dotarły do zakrętu zaśrodkowego. – Wzięła głęboki wdech, po czym spojrzała na detektywów. – Nie miała żadnych szans.

– A co z dwoma pierwszymi ciosami?

Hunter spuścił wzrok, jakby już znał odpowiedź.

– One też były wystarczająco silne, żeby wywołać ten efekt. Mimo że również dotarły do mózgu, nie zagłębiły się wystarczająco, żeby spowodować śmierć. – Ton głosu, którym doktor Hove wypowiedziała kolejne słowa, niemal zamroził powietrze w pomieszczeniu. – Gdyby nawet przeżyła, wywołałyby nieodwracalne zmiany w mózgu. – Zamilkła na chwilę i popatrzyła na twarz Cassandry. – Potrzeba było trzech uderzeń, żeby umarła, ale już po pierwszym życie, jakie znała, było skończone.

Sześćdziesiąt

Gdy tylko wrócili do swojego biura, Garcia natychmiast podszedł do biurka i odpalił komputer. Coś go zaczęło dręczyć w trakcie rozmowy z doktor Hove, nie mógł się zatem doczekać, żeby to sprawdzić.

Hunter zostawił swojego partnera w spokoju i wyszedł na zewnątrz zadzwonić do pana Jenkinsona. Tamten odebrał po pierwszym sygnale.

– Halo.

W jego głosie słychać było tyle zmęczenia i smutku, że detektyw mógł się założyć, iż mężczyzna nie przespał ani sekundy.

– Dzień dobry, z tej strony detektyw Robert Hunter z wydziału zabójstw. Poznaliśmy się w pańskim domu.

John milczał. Na jego zlecenie Brian Caldron przygotował bardzo dokładny życiorys detektywa. Właśnie skończył go czytać i musiał przyznać, że jest pod wrażeniem.

Robert był jedynakiem, jego rodzice należeli do klasy średniej i mieszkali razem w Compton, dość ubogiej dzielnicy w południowej części Los Angeles. Jego matka przegrała walkę z rakiem, kiedy miał zaledwie siedem lat. Ojciec nie ożenił się ponownie i musiał pracować na dwa etaty, żeby być w stanie samotnie wychować syna. Syna, który miał ogromny talent.

Od najmłodszych lat wiadomo było, że Hunter jest inny niż rówieśnicy. Wyciągał wnioski szybciej od pozostałych dzieci. Szkoła go nudziła i frustrowała. Rozwiązał wszystkie zadania z podręczników do szóstej klasy w niecałe dwa miesiące, więc żeby się czymś zająć, przerobił następnie materiał siódmej, ósmej i dziewiątej klasy. Po całym szeregu testów i egzaminów Robert dostał stypendium w szkole dla uzdolnionych. Jednak nawet tam zajęcia były dla niego zbyt proste. Czteroletni program liceum udało mu się przerobić w dwa lata i w wieku piętnastu lat ukończył szkołę z wyróżnieniem. Otrzymawszy rekomendacje od wszystkich nauczycieli, Hunter został przyjęty „na szczególnych warunkach" na Uniwersytet Stanforda. W wieku dziewiętnastu lat otrzymał dyplom z psychologii – *summa cum laude* – a w wieku dwudziestu trzech uzyskał tytuł doktora kryminalnej analizy behawioralnej i biopsychologii. Praca doktorska Huntera, zatytułowana *Zaawansowane badania psychologiczne nad działalnością kryminalną*, została lekturą obowiązkową na NCAVC*. W ciągu kilku kolejnych lat FBI kilkakrotnie próbowało zwerbować Roberta, najpierw jako eksperta profilującego, następnie jako agenta, ale z powodów niepodanych w raporcie od Briana detektyw uparcie, aczkolwiek uprzejmie odmawiał. Dyrektor NCAVC powiedział kiedyś, że Hunter to najlepszy profiler, jakiego FBI nigdy nie miało.

Po dołączeniu do policji Robert robił błyskawiczną karierę, awansując w jej strukturach z prędkością światła. Został najmłodszym detektywem w historii. Od tamtej pory jego kartoteka nie miała sobie równych. Udało mu się zamknąć prawie każdą sprawę, którą prowadził. Te, którym nie podołał, zostały doprowadzone tak blisko końca jak tylko to możliwe.

Obecnie dowodził jednostką SO wewnątrz wydziału zabójstw. W policji Los Angeles czasem nazywano ją Jednostką Świrów. Nie ze względu na pracujących w niej detektywów, ale z powodu przestępców, którymi się musieli zajmować. Większość policjantów dałaby sobie odciąć rękę, byle tylko nie dostać się do tego zespołu.

– Zastanawiałem się, czy mógłbym panu zadać szybkie pytanie przez telefon – powiedział Robert, uznając, że nie ma sensu prowadzić żadnych zbędnych pogaduszek.

– Oczywiście, pomogę, jak tylko potrafię. – Znowu nadszedł czas, żeby stać się nieświadomym niczego panem Jenkinsonem.

– Chciałbym zapytać, czy u pana w domu prowadzone były ostatnio jakieś roboty?

– Roboty?

---

* Ang. Narodowe Centrum ds. Analizy Przestępstw z Użyciem Przemocy (przypis tłumacza).

– Chodzi o jakiś remont, malowanie, szybkie naprawy, hydraulikę, montowanie czegoś, cokolwiek, przy czym ktoś obcy wchodziłby do pańskiego domu?

Zmęczony mózg Johna potrzebował kilku sekund, żeby zacząć pracować na pełnych obrotach. *Zdjęcia na kominku,* zrozumiał. *Morderca Cassandry nie wpadł na to pytanie ot tak, spontanicznie, on już wcześniej u nas był. Ponadto wiedział, że nie odpowiem na nie. Cała gra to tylko farsa.* Trybiki w jego głowie zaczęły obracać się znacznie szybciej. *Naprawy? Montowanie czegoś? Wizyty obcych w naszym domu? Myśl, do cholery, myśl!*

– Panie Jenkinson?

– Cassandra się tym zazwyczaj zajmowała – odparł w końcu. – Zawsze mi jednak mówiła o takich rzeczach, żebyśmy mogli planować domowy budżet i tak dalej. – Krótka pauza. – Niestety, niczego sobie nie przypominam, przepraszam.

– Nic się nie stało. Na razie tylko spekulujemy na podstawie strzępów danych, które mamy.

– Rozumiem i bardzo mi przykro, że nie mogę pomóc.

– Proszę się tym nie przejmować.

Robert wiedział, że mężczyzna jest nie tylko kompletnie wykończony, ale również w jego głowie panuje niesamowity chaos pełen emocji, wspomnień, obrazów i wszystkiego innego, nie mówiąc o wyniszczającym poczuciu winy, które na pewno już się w nim zagnieździło. W tej chwili przypomnienie sobie jakichś prostych spraw, takich jak wizyta montera, było niewyobrażalnie trudne.

– Jeśli na coś pan wpadnie, na cokolwiek, to proszę do mnie zadzwonić, niezależnie od pory.

– Oczywiście, detektywie. Jeśli uda mi się coś wygrzebać w pamięci, to natychmiast do pana zadzwonię.

Hunter nie wiedział, że Pan J kłamał.

Sześćdziesiąt jeden

Carlos właśnie skończył parzyć nowy dzbanek kawy, kiedy Hunter wszedł do pokoju. Zachęcający zapach silnej brazylijskiej mieszanki, której użył Garcia, całkowicie zawładnął pomieszczeniem, zatem detektyw nie dał rady się powstrzymać. Nie żeby naprawdę próbował. Podszedł do ekspresu i nalał sobie pełny kubek. Kiedy zaczął mieszać, jego partner się zaśmiał i usiadł przy swoim biurku ze skrzyżowanymi nogami.

– Czemu to robisz? – zapytał.

– Co takiego?

– Dlaczego mieszasz kawę? Pijesz czarną, bez cukru, śmietanki albo mleka. Nie masz czego w niej mieszać, więc po co to robisz?

– Lubię ten dźwięk. – Robert wzruszył ramionami i celowo zaczął uderzać łyżką o brzegi kubka.

– Ta, nie wątpię. To tak jakbyś wlał wodę do shakera, niczego więcej tam nie dodał, wstrząsał szaleńczo i wypił. To dalej będzie sama woda.

– Tak. Ale wtedy to będzie woda wstrząśnięta, nie zmieszana.

– O, niech cię cholera – parsknął Garcia. – Chyba nie zrobiłeś właśnie dowcipu o agencie 007? To było straszne.

– Ale się śmiałeś.

– To nie był śmiech.

– A właśnie, że tak.

– A właśnie, że nie... A tak swoją drogą, to udało ci się coś załatwić? – Detektyw nawiązał do rozmowy telefonicznej z Jenkinsonem.

– Nie – odpowiedział Hunter, stawiając kubek na biurku. – Nie przypomina sobie żadnych napraw robionych ostatnio w domu. Żadnych monterów również, ale to jego żona zajmowała się takimi sprawami.

– Tak, jak myśleliśmy.

Gdy rano opuścili miejsce zbrodni, jeszcze przed przyjazdem do kostnicy poprosili dział operacyjny o prześledzenie wszystkich wyciągów z karty kredytowej Cassandry z okresu ostatnich pięciu lat. Chcieli zrobić listę wszelkich firm remontowych i tym podobnych, z których usług mogła korzystać. Między innymi elektryków, hydraulików, ogrodników, czyścicieli rynien, a nawet dostawców, z którymi mogła rozmawiać w salonie – po zakupie nowej kanapy, dywanu czy czegokolwiek. Tak samo sprawdzono wyciągi Karen Ward. Porównano by później obie listy i poszukano podobieństw: gdyby obie kobiety korzystały z usług tej samej firmy albo nawet tego samego fachowca, wówczas mieliby punkt zaczepienia.

– Podczas tej rozmowy pomyślałem jeszcze o czymś – oznajmił, popijając powoli kawę. – Sprawdźmy też kartę Johna Jenkinsona. Być może żona zapłaciła kiedyś jego kartą i zapomniała mu powiedzieć. Jeśli nie kontroluje zbytnio swoich wyciągów, mógł to po prostu przeoczyć.

– Słusznie – zgodził się drugi detektyw i sięgnął po telefon.

Robert dopił kawę i spojrzał na zegarek.

– Muszę coś sprawdzić u techników w laboratorium. Mogę mieć do ciebie prośbę?

– Jasne. Powiedz mi tylko, czy ta sprawa w laboratorium, którą musisz zbadać, nie nazywa się czasem Susan Slater?

– Co?

– Nic takiego. No to co to za prośba?

Hunter pokręcił głową.

– Pamiętasz, jak wpadłeś na prawdopodobny sposób, w jaki morderca dowiedział się o tym, że Tanya Kaitlin nie pamięta numerów telefonów znajomych?

– Jasne, znalazłem to na profilu jednego z jej przyjaciół. Pete Harris zamieścił taką śmieszną tabelkę o odmóżdżaniu.

– Zastanawiam się, skoro wykorzystał media społecznościowe, żeby znaleźć informacje o pani Kaitlin, to dlaczego miałby nie powtórzyć swojego wyczynu w przypadku pana Jenkinsona?

– Też o tym pomyślałem. W porządku, wezmę się za ten temat.

Sześćdziesiąt dwa

Gdy tylko skończył rozmawiać z detektywem, Pan J zmusił swój wyczerpany umysł do szybszej pracy. Musiał przyznać, że do tej pory wierzył w wersję, iż morderca wpadł na pytanie o datę ślubu pod wpływem impulsu, kiedy przeglądał ich wspólne zdjęcia na kominku. Nie pomyślał o tym, że ten człowiek mógł już wcześniej być w jego domu. To miało sens. Miało nawet cholernie dużo sensu. Kiedy policjant wspomniał o możliwości, iż ktoś obcy wszedł do domu – na przykład jakiś fachowiec podczas naprawy czegoś – przypomniała mu się pewna sprawa.

Jakieś dwa miesiące wcześniej, kiedy wyjechał „w interesach", w domu pękła główna rura, powodując zalanie kuchni. Cassandra zadzwoniła po hydraulika, którego polecił ktoś z jej znajomych. John usłyszał od niej później, że to był bardzo zręczny i przyjazny człowiek. Nie dość, że udało mu się naprawić usterkę o wiele szybciej, niż zakładała, to jeszcze pomógł jej osuszyć kuchnię i poustawiać wszystko na miejscach. Opowiadała również, że przyjemnie się z nim rozmawiało. Bardzo rozgadany facet. Sprawił jej jeszcze bardzo miły komplement, mówiąc, iż jej mąż jest ogromnym szczęściarzem, mając taką żonę. Podczas takich pogaduszek wyciągnięcie od niej informacji o rocznicy ślubu nie byłoby problemem.

Postanowił, że na razie nie podzieli się tymi informacjami z detektywem, tylko zostawi je dla siebie. Chciał najpierw porozmawiać z tym hydraulikiem. Nawet jeśli policja w końcu dotrze do tej sprawy, a zapewne tak się stanie, to i tak będzie mógł łatwo usprawiedliwić swoje zapominalstwo obecnym stanem.

Cassandra zapłaciła fachowcowi w gotówce, pamiętał to dokładnie, jednak jak zawsze zachowała paragon jako gwarancję.

Znajdował się zapewne razem z innymi rachunkami w szufladzie w kuchni. Zanim jednak Pan J po niego pojedzie, musi jeszcze wykonać jeden telefon.

Sześćdziesiąt trzy

Gdy tylko Hunter wyszedł, Garcia zabrał się do szukania informacji w internecie. Miał jednocześnie otwarte dwie przeglądarki i kilka różnych stron internetowych. Starał się znaleźć coś, co łączyłoby obie ofiary: miejsca, do których mogły się udać w przeszłości, aktywności, którymi obie się interesowały, grupy, do których mogły należeć... cokolwiek.

Seryjni mordercy rzadko wybierają swoje cele losowo. Praktycznie zawsze istnieje coś, co przyciąga ich uwagę i prowokuje. To mogło być związane z wyglądem, zachowaniem, tonem głosu, wiarą... możliwości były niemalże nieskończone i przeważnie niejasne, ponieważ to wcale nie musiało mieć sensu dla kogokolwiek, poza samym mordercą. Dla całego świata dana rzecz mogła stanowić niezauważalną drobnostkę, jak na przykład sposób wycierania ust od prawej do lewej, a nie odwrotnie. Jednak zabójcę coś takiego mogło doprowadzić do furii. Wystarczająco silnej, aby odebrać komuś życie.

Garcia zdawał sobie sprawę, że szuka po omacku, ale na razie nie mieli nic więcej.

Spędził kolejne pół godziny, wpisując rozmaite kombinacje, ale za każdym razem trafiał w ślepą uliczkę. Wstał od komputera sfrustrowany. Potrzebował przerwy.

Napełnił ponownie kubek kawą i odstawił go na biurko. Wybrał się na krótką przechadzkę do toalety, a następnie zaczął krążyć po pokoju. Podobnie jak Robert, on też lubił spacerować, gdy myślał. Znęcał się nad podłogą przez dalszych kilka minut, aż wreszcie wrócił na krzesło.

Przestań działać schematycznie, powiedział sobie. *Przestań działać schematycznie, bądź jak ten przestępca.* Już po chwili wpadł na kilka dziwnych pomysłów.

– A co mi szkodzi. Przecież nie mam nic do stracenia.

Następne czterdzieści minut upłynęło mu na przeglądaniu licznych stron pełnych informacji, od których ilości aż drętwiał mu mózg. Jego oczy łzawiły, a gdzieś z tyłu głowy powoli zaczynał materializować się ból. Zdecydował się na kolejną przerwę i całkowitą zmianę podejścia. Gdy zamykał okno wyszukiwarki, zauważył coś na samym dole strony.

– Kurde! Co to było? – rzucił do siebie, mrugając powiekami.

Szybko wcisnął przycisk otwierający świeżo zamknięte okna. Gdy treść się pojawiła, zjechał na sam dół i powoli wszystko przeczytał.

– No chyba sobie jaja robisz.

Sześćdziesiąt cztery

Michael Williams – tak nazywał się hydraulik, którego Cassandra wezwała do pękniętej rury dwa miesiące wcześniej. Mimo że zapłaciła mu w gotówce, zamiast skorzystać z którejś z kart kredytowych, i tak poprosiła o rachunek. Zawsze była w tej kwestii bardzo skrupulatna, szczególnie gdy rachunek stanowił jednocześnie gwarancję.

Williams pracował w firmie o nazwie „Bez wycieków – hydraulika" w Sylmar, w San Fernando Valley. Panu J wystarczył jeden telefon, aby ustalić jego adres. Dotarł tam w nieco ponad godzinę.

Mężczyzna mieszkał w bungalowie stojącym mniej więcej w połowie długości ślepej uliczki, zaledwie kilka przecznic od siedziby firmy. Cała nieruchomość wyglądała, jakby przez lata nikt o nią nie dbał. Trawnik z przodu to zwykły bajzel: długa nieskoszona trawa, sterty liści opadłych z pobliskich drzew, a wszystko to dodatkowo udekorowane porozrzucanymi śmieciami. Budynek zaś był sfatygowany i wyraźnie wymagał napraw. Żywy, żółty kolor już kilka lat wcześniej przegrał walkę z kalifornijskim słońcem i zbladł, zmieniając się w pastelowokremowy, kojarzący się ze zsiadłym mlekiem. Frontowe drzwi z wprawionym w nie owalnym okienkiem z matowego szkła zostały poplamione ropą albo smarem. Na parapetach łuszczyła się farba, a drewno butwiało. Nie było podjazdu, na ulicy, bezpośrednio przed domem, stał zaparkowany czarny van Chevy Mark II. Po obu jego stronach widniały nazwa firmy, jej logo i numer telefonu.

John podszedł do wejścia, zapukał i cierpliwie czekał. Wyglądał zupełnie inaczej, niż jeszcze kilka godzin wcześniej. Założył czarną perukę zaczesaną w polakierowane fale. Przypominał w niej podstarzałą gwiazdę rocka z lat dziewięćdziesiątych. Policzki i podbródek poszerzyły mu się o blisko półtora centymetra, przez co twarz zrobiła się niezdrowo pyzata. Posiwiałą kozią bródkę miał gęstą, ale starannie utrzymaną. Kolor oczu zmienił na jasnoniebieski. Sztuczny nos sprawiał wrażenie, jakby go złamano co najmniej kilka razy.

Minęło jakieś pół minuty bez żadnej odpowiedzi. Pan J przysunął się bliżej i prawie przyłożył ucho do drzwi, ale nic nie usłyszał. Zapukał ponownie, tym razem mocniej. Kolejne pół minuty, po których zauważył jakiś ruch przez szybę.

– Czego się tak, kurwa, niecierpliwisz – odezwał się twardy, męski głos. – Już idę.

John cofnął się i strzelił palcami.

Wejście w końcu stanęło otworem. Ukazał się w nim mężczyzna noszący koszykarskie spodenki, stare adidasy i niebieski bezrękawnik, za mały na jego umięśnioną sylwetkę. Mocarne ramiona miał całkowicie odsłonięte. Obaj mężczyźni byli mniej więcej w tym samym wieku.

– Mogę w czymś pomóc? – zapytał, mierząc Pana J wzrokiem. Raczej nie miał dobrego nastroju.

Przez otwarte drzwi dało się wyczuć zapach gotowanego jedzenia. Coś pikantnego i tłustego.

– Pan Williams? Michael Williams?

Chwila wahania.

– A kto pyta?

Pan J wyciągnął niemalże idealną podróbkę legitymacji detektywa policji Los Angeles. Nawet ekspert musiałby się wysilić, żeby znaleźć różnicę.

– Nazywam się Craig Lewis, jestem z policji LA. – Jego głos również przeszedł całkowitą przemianę. Stał się wyższy o jakieś pół oktawy i pojawił się w nim typowy akcent charakterystyczny dla północnej Kalifornii.

Po usłyszeniu tych słów i zobaczeniu odznaki nastawienie mężczyzny nieco się zmieniło. John to zauważył.

– Czy mogę panu zadać kilka pytań?

Przez chwilę mięśniak wyglądał, jakby rozważał swój kolejny ruch.

– A na jaki temat?

– Lepiej będzie, jeśli porozmawiamy w środku – odparł John.

Obaj mierzyli się wzrokiem przez kilka sekund.

– W porządku – zgodził się Williams i przesunął się trochę na bok.

Pan J ruszył do przodu. Gdy miał już przekroczyć próg, gospodarz uniósł prawą nogę i wyprowadził frontalne kopnięcie, prosto w brzuch. Było tak potężne, że poderwało drugiego mężczyznę i odepchnęło go na jakieś dwa metry. Po tym jak John runął na zaniedbany trawnik, usłyszał trzaśnięcie drzwi.

– Skurwy... – wyrzęził, próbując wciągnąć powietrze. Kopniak wybił mu cały tlen z płuc. Starał się wstać, jednak ból zmusił go do kolejnych kilku sekund odpoczynku. Przyłożył prawą dłoń do żołądka i zacisnął powieki. Wreszcie. Udało mu się wtłoczyć życie w kończyny. – Ty skurwielu. – Wstał i pobiegł do domu.

Zamknięte.

– Grrr... – warknął, przepełniony frustracją. Cofnął się i wykorzystując całą swoją siłę, natarł barkiem na drzwi. Zatrzęsły się, ale nie puściły. – Szlag!

Zrobił kolejny krok wstecz i wyprowadził potężne kopnięcie prawą nogą w miejsce tuż poniżej klamki. Znowu się zatrzęsły, ale nic poza tym. Ponowił próbę. Nic. I jeszcze raz. Już prawie. Zebrał się w sobie i zaatakował czwarty raz. Jeśli tym razem się nie uda, będzie musiał wyciągnąć pistolet.

ŁUP!

Drewno w końcu ustąpiło, framuga popękała, drzazgi zawirowały w powietrzu.

Powoli wszedł do środka, dobywając swojego sig sauera P226 legion. Broń miała już przykręcony tłumik.

Wkroczył do skąpo umeblowanego salonu.

Pusto.

Spojrzał w lewo, potem w prawo.

Dalej nic.

– Michael! – zawołał wściekle.

Bez odpowiedzi.

– Michael! Wychodź, porozmawiamy.

Cisza.

Po drugiej stronie pomieszczenia znajdowały się zamknięte drzwi. *Kuchnia*, pomyślał. Po prawej był korytarz prowadzący do dalszej części domu. Tam również nikogo nie widział.

Pan J zdecydował, że lepiej sprawdzić najpierw kuchnię. Gdyby wybrał korytarz, odsłoniłby plecy ewentualnemu napastnikowi czyhającemu za drzwiami. A to nigdy nie jest dobry pomysł. Przeszedł przez pokój i ustawił się plecami do ściany. Właśnie miał nacisnąć klamkę, gdy usłyszał warkot silnika motocykla. Nie dobiegał z przodu domu, tylko z tyłu. Zza kuchni.

– Skurwiel. – Chwycił klamkę.

Zamknięte.

Nie zamierzał tracić czasu na kolejne wyważanie. Zamiast tego cofnął się o krok i wycelował pistoletem w zamek. Ledwie słyszalne „puff" i droga stanęła otworem.

Kolejne pomieszczenie było malutkie i śmierdziało w nim, jakby gospodarz całymi dniami smażył słoninę na gęsim tłuszczu. Williams nie zamknął za sobą tylnych drzwi, zatem gdy John do nich dobiegł, miał dobry widok na motocykl znikający za ogrodzeniem. Posłał w tamtym kierunku dwie kule, ale się spóźnił. Trafił w płot.

Pan J natychmiast zawrócił i ruszył biegiem przez dom. Dotarł do salonu i już zamierzał wrócić do auta, kiedy jego mózg poradził sobie z gniewem i ponownie zaczął poprawnie pracować.

Co mi przyjdzie z próby dogonienia go teraz, pomyślał. *On jest na motorze, będzie mógł się zmieścić we wszelkich małych uliczkach. W tej chwili pewnie jest już ze trzy, cztery albo i pięć przecznic stąd, w dowolnym kierunku. Jazda na ślepo po okolicy w poszukiwaniu go to dość durny plan.* Rozejrzał się dookoła. *Największą szansę na dopadnięcie go mogę znaleźć tutaj. Coś na pewno go zdradzi.*

Podszedł do wejścia i spojrzał na zewnątrz, czy ktokolwiek zauważył, co tu się wydarzyło. Cała ulica zdawała się równie opustoszała jak wcześniej. Spokojnie zamknął drzwi i rozpoczął przeszukanie domu Michaela Williamsa.

Sześćdziesiąt pięć

Garcia właśnie skończył rozmawiać z wydziałem ds. walki z cyber-przestępczością, gdy Hunter wkroczył do biura.

– Chodź, musisz to zobaczyć.

Ton partnera wzbudził w Robercie ciekawość, zatem od razu podszedł do jego biurka.

– Muszę przyznać, że zrobiłem duży błąd. Spędziłem mnóstwo czasu na przeglądaniu profili społecznościowych Cassandry i Johna Jenkinsonów, czytałem ich posty, oglądałem zdjęcia, sprawdzałem wszystko.

– Gdzie tutaj błąd?

– Tak samo zrobiłem wcześniej. Sprawdziłem wszystko na stronach Tanyi Kaitlin i Karen Ward, pamiętasz? Nic jednak nie znalazłem. Przełom nastąpił dopiero, kiedy wszedłem na profil ich przyjaciela, Pete'a Harrisa. Przypomniałem sobie coś o naszej drugiej ofierze: miała syna, Patricka, dwudziestolatka studiującego w Bostonie. Dla tego pokolenia media społecznościowe są jak tlen, nie potrafią bez nich żyć.

– Więc sprawdziłeś jego stronę.

– Jego strony – poprawił go Garcia.

– Ma więcej niż jedną?

– Niezupełnie, ale jest członkiem kilku różnych grup, a każda z nich ma swoją. Zatem cały poranek spędziłem na przeglądaniu ich, czytaniu postów, odpowiedzi i wszystkiego, co tylko wpadło mi w oczy, aż w końcu trafiłem na to. – Włączył przeglądarkę i zjechał na dół aż do interesującego go fragmentu. – Przeczytaj sobie – rzucił, stukając palcem w monitor.

Hunter pochylił się nad ramieniem kolegi.

– Wystarczy, że dojdziesz do czwartego komentarza, żebyś zrozumiał, o co mi chodzi.

Wątek został założony przez jednego z członków grupy, nie przez Patricka, ale kobietę o imieniu Isabel.

Isabel: *O, mój ojciec wpadł w niezłe 💩 u mojej matki po wczorajszej nocy. 💀 Będzie spał na kanapie przez miesiąc.*

Pierwsza odpowiedziała użytkowniczka Martha:

Dlaczego? Co się stało? ☹ Powiedz, powiedz, powiedz. ☺

Isabel: *Zapomniał o ich rocznicy ślubu. Przyszedł po pracy z pustymi rękami: żadnych 💐, 🍫, 🍷 nawet nie kupił gównianej kartki z życzeniami na stacji benzynowej. Nic nie powiedział. Mama była ☹, ale też nic nie powiedziała. Dzisiaj rano, przy śniadaniu, była milcząca, więc tata spytał: „Wszystko w porządku, kochanie?". Wtedy właśnie gówno wpadło w wentylator – no i powiem ci, że dalej się kręci, lol.*

Martha: *O, to niedobrze. Bardzo niedobrze. ☹ Mój tata jest fantastyczny, jeśli o to chodzi. Dwadzieścia trzy lata razem i ani razu nie zapomniał.*

Kolejny komentarz napisał Patrick:

Doskonale wiem, o czym mówisz, Isabel. Mój tata też już nie pamięta o ich rocznicach. Od kilku lat. Mama mu przypominała, ale nie robiła awantury. W końcu dała sobie spokój. Skoro sam nie pamiętał, to po co się wysilać?

Robert spojrzał na partnera.

– Znowu miałeś rację – powiedział Garcia. – Morderca już wcześniej wiedział, że pan Jenkinson nie odpowie na to pytanie.

Sześćdziesiąt sześć

Żebra bolały, jakby zostały połamane. Nie spodziewał się tego kopniaka w brzuch od Michaela Williamsa. Jego mięśnie nie były może całkowicie rozluźnione, ale również nieprzygotowane na atak, cios dotarł więc z pełną siłą.

– Powinieneś to przewidzieć, J – wyszeptał do siebie, otwierając kolejną szufladę w sypialni. – Coś ty sobie, kurwa, myślał? Przychodzisz bez zapowiedzi, udajesz gliniarza i zakładasz, że po prostu cię zaprosi na pączki i szklankę mleka? – Podniósł koszulę, żeby zobaczyć obrażenia. Siniak już zaczął się pojawiać.

John przejrzał już każdą szufladę, każdy karton i każdą szparę, jakie tylko znalazł w salonie. Jak na razie nie natrafił na żadną wskazówkę, dokąd mężczyzna mógł uciec, ale to jeszcze nie koniec poszukiwań. W pudełku wsadzonym pod stary kredens odkrył paragony, rachunki i kilka dokumentów dotyczących przedsiębiorstwa „Bez wycieków – hydraulika". Firma działała od dwóch i pół roku i należała do samego Michaela Williamsa. Wyglądało również na to, że jest jej jedynym pracownikiem.

Gdy już się upewnił, że sprawdził absolutnie wszystko w salonie, przeniósł poszukiwania do sypialni. Podobnie jak poprzednie pomieszczenie, to również było małe, znajdowało się w nim niewiele mebli i dominował zapach zastałego potu i smażonego jedzenia.

Na pierwszy ogień poszła komoda z szufladami ustawiona przy wschodniej ścianie. Pan J zdążył się już zorientować, że Williams to bardzo dobrze zorganizowany człowiek: każdy przedmiot miał swoje ściśle wyznaczone miejsce. Jednak zawartość sypialni napełniła go przekonaniem, że ten facet ma zaburzenia obsesyjno--kompulsywne. Każde ubranie w szufladach zostało perfekcyjnie złożone, zapewniając maksymalne wykorzystanie przestrzeni. Tylko że obsesja na tym się nie kończyła. Wszystkie rzeczy zostały posegregowane w zależności od rodzaju i koloru.

John rozłożył ciuchy, przetrząsnął każdą kieszeń. Nic nie znalazł, nawet kawałka papieru.

Następnie zajrzał do niewielkiej szafy na ubrania. Były w niej szary garnitur, prawdopodobnie kupiony w sklepie charytatywnym, dwie białe koszule zapinane na guziki, prążkowany krawat, para roboczego obuwia i czarne buty, które swoje najlepsze lata miały już za sobą.

Dokładnie obejrzał wszystkie te rzeczy, zanim zerknął pod szafę i na samą jej górę.

Po prawej stronie łóżka, bliżej drzwi, znajdowała się szafka nocna. Dzięki niej wreszcie zrobiło się ciekawiej. Pan J znalazł tam berettę 96 A1: pistolet kaliber 40 milimetrów. A obok dwa pudełka pełnopłaszczowych nabojów 180 grain.

– Raczej nie odszukam tutaj nigdzie pozwolenia na ten sprzęt – powiedział do siebie, a następnie wyciągnął magazynek na dwanaście nabojów. Żadnego nie brakowało. Przystawił broń do nosa: nie wyczuwał zapachu prochu, jedynie smar.

Schował pistolet za pasek i opadł na kolana, żeby rozejrzeć się pod łóżkiem. Poza starą szarą walizką było całkowicie pusto. Sięgnął po nią i przysunął do siebie po podłodze.

Wykonana z poliwęglanu, miała podwójny suwak zabezpieczony przez mechanizm z trzycyfrową kombinacją. Wydawała się bardzo lekka, jakby pusta. Jednak po co Michael miałby ją zamykać?

John sięgnął po scyzoryk. Przeważnie zamknięcia w walizkach to jedynie odstraszacze zamiast prawdziwej ochrony. Wystarczy tylko podważyć czubkiem noża i całość się rozpada. Potrzebował zaledwie trzech sekund, żeby się z nim uporać.

Rozsunął suwaki i otworzył walizkę. Zmarszczył brwi. W środku znajdowała się torba: wojskowy krój, zrobiona z grubego płótna. Suwak zabezpieczała wysokiej jakości kłódka. Pan J nie miał szans, żeby poradzić sobie z nią za pomocą scyzoryka, jednak sam zamek i torbę mógł już rozpruć bez wysiłku.

– Dobra – powiedział do siebie. – Mam już dosyć tej zabawy. – Wbił nóż między ząbki zamka i szarpnął, po czym zajrzał do środka.

– Skurwysyn.

Sześćdziesiąt siedem

Zainspirowany tym, co Garcia znalazł w mediach społecznościowych, Hunter wpadł na pewien pomysł. Usiadł przy komputerze i uruchomił przeglądarkę, po czym sięgnął po telefon na biurku i wybrał numer.

– Dennis Baxter, wydział do walki z cyberprzestępczością – odpowiedział po trzecim sygnale zmęczony głos.

– Cześć, z tej strony Robert z wydziału SO.

Drugi mężczyzna zakasłał, żeby oczyścić gardło. Wiedział, że kiedy dzwonili z SO, to albo coś poważnego się działo, albo lada chwila się zacznie.

– Cześć, co słychać?

– Powiedz mi, czy policja w LA ma jakieś lipne konto na którejś stronie społecznościowej? Coś, z czego mogę skorzystać, zamiast tworzyć samemu całą masę własnych profili?

Carlos uniósł brwi, po czym wychylił się na krześle, żeby zajrzeć przyjacielowi przez ramię.

– Chodzi ci o fałszywe *osobiste* konto? – dopytał Baxter. – Nie firmowe. Takie, z którego mógłbyś powysyłać zaproszenia do znajomych, pisać komentarze, dołączać do rozmów i tak dalej?

– Właśnie. Mamy takie coś?

– Jasne, mamy ich kilka. Dlaczego pytasz? Potrzebujesz jakiegoś?

– Na wczoraj.

– Spoko, nie ma problemu. Na Facebooku?

– Wszystko, co tylko masz. Facebook, Twitter, Instagram i cokolwiek jeszcze teraz jest popularne.

– OK. Chcesz, żeby każde z nich miało podpięty ten sam e-mail? Żeby było wiarygodnie?

– Niekoniecznie. Tak naprawdę to chcę tylko móc poprzeglądać różne strony, ale z tego, co wiem, w tym celu muszę mieć własny profil.

– Zgadza się. Chcesz mi powiedzieć, że nie masz swojego prywatnego konta na Facebooku albo Twitterze?

– Nie mam żadnego na jakimkolwiek portalu.

– Jaskiniowiec z ciebie – zaśmiał się Dennis. – Dobra, zależy ci na konkretnej płci albo wyglądzie? Mogę ci założyć dowolny profil: superlaski, typowego kujona, naiwnej dziewczynki, ostrego skurwiela, starucha, młodzieńca, białego, czarnego – co tylko chcesz. W tym temacie świadczę usługi jak sam Pan Bóg.

Hunter chwilę się zastanawiał.

– Możesz mi zrobić dwa różne? Kobietę i mężczyznę. O przeciętnym wyglądzie.

– Jasne. Daj mi kilka minut, to wyślę ci dane e-mailem.

– Co kombinujesz? – zapytał Garcia, gdy jego partner się rozłączył.

– Jeszcze nie jestem pewny. Wygląda na to, że nasz morderca spędza sporo czasu na takich stronach. Prawdopodobnie w ten sposób dowiaduje się wszystkiego o życiu swoich ofiar. Jeśli faktycznie tak właśnie działa, to muszę zacząć robić to samo.

Telefon na jego biurku zadzwonił dwukrotnie, zanim detektyw go odebrał.

– Wysłałem ci e-maila z danymi twoich nowych tożsamości internetowych.

Robert otworzył pocztę i uniósł brwi.

– Lolitasuperostra@gruntmail.com i Twardydudziarz@gruntmail.com. – Nieźle. Pomysłowo.

– Czekaj, aż zobaczysz, jakie fotki ustawiłem. Hasła do logowania są w treści wiadomości.

– Dzięki, Dennis.

– Nie ma sprawy. Daj znać, jakbyś jeszcze czegoś potrzebował.

– OK, tak zrobię.

Rozłączył się i zalogował na swoje nowe profile na kilku portalach jednocześnie.

– No dobra. Czas trochę pogrzebać – powiedział do siebie.

Sześćdziesiąt osiem

Kapitan Blake bez pukania otworzyła drzwi do ich pokoju, po czym weszła do środka. Obaj mężczyźni siedzieli wówczas przy swoich biurkach.

– Dobra, co dla mnie macie? – zaczęła poirytowanym tonem. Jej spojrzenie przeskakiwało od jednego detektywa do drugiego. – Lepiej, żebyście trafili już na coś ważnego, bo od kiedy znaleźliśmy drugą ofiarę – Cassandrę Jenkinson – te czubki z mediów zwietrzyły krew. A jeśli chodzi o cokolwiek, co może się okazać sprawą seryjnego mordercy, wszyscy stają się wściekłymi wampirami. W dodatku ich głód znacznie się wzmaga.

Hunterowi bardzo spodobało się takie porównanie.

– Jeszcze się nie wydało, że nasz przestępca pokazuje swoje zbrodnie za pomocą połączeń wideo, ale wiemy, że to tylko kwestia czasu – ciągnęła. – Od wczorajszego wieczoru telefony w naszym biurze prasowym się urywają. Wszyscy czekają na jakieś oświadczenie.

Obaj detektywi zdawali sobie sprawę, że ta chwila nadejdzie.

– Czy jakieś zostało już wygłoszone? – spytał Garcia.

– Co? – Zmierzyła go wzrokiem. – Żartujesz sobie, Carlos? Niby jak, do cholery, mielibyśmy to zrobić, skoro tylko wasza dwójka tak naprawdę wie, o co tutaj chodzi?

Mężczyzna usiadł wygodnie na krześle i złączył dłonie nad brzuchem.

– Myślałem, że wciskanie kitu to specjalność naszego biura prasowego.

– O, czyli teraz sobie pożartujemy, tak? – W oczach Barbary zapłonął ogień. – Świetnie, to idealny moment.

– Co chciałaby pani wiedzieć, pani kapitan? – spytał Hunter uspokajającym tonem, ściągając na siebie jej uwagę.

– *Wszystko* – odparła, po czym spojrzała na zegarek. – Mam spotkanie z komendantem głównym za dwie godziny. Na pewno będzie chciał zostać dokładnie poinformowany. Chyba że pójdziesz tam za mnie?

– Raczej nie, pani kapitan.

– Tak właśnie myślałam. – Zamknęła oczy i wzięła głęboki wdech. – Ostatnim razem kiedy tu byłam, mieliśmy jedną ofiarę i skłanialiśmy się ku teorii o stalkerze. Czy to dalej aktualna wersja?

– Lepiej będzie, jeśli pani wygodnie usiądzie – zaproponował Garcia.

Kobieta wzięła składane krzesło oparte o metalową szafę koło drzwi. Gdy już zajęła miejsce, obaj detektywi na zmianę opowiedzieli jej dokładnie wszystko, co ostatnio się wydarzyło, łącznie z ich internetowymi poszukiwaniami sprzed chwili.

– Zaraz, zaraz – przerwała Barbara, unosząc palec wskazujący. Zrobiła to, gdy Hunter objaśnił wyniki sekcji zwłok Cassandry Jenkinson. Szczegółowo opisywał dziwaczny sposób, w który kobieta została zamordowana. – Tutaj jest napisane, cytuję: „Przy silnym uderzeniu kość odkształca się na podobieństwo uderzającego obiektu". – Przeczytała fragment raportu z sekcji, który wcześniej jej wręczyli. – Rozumiem, że chodzi tu o każdy obiekt?

– Zgadza się.

– Zatem żeby wywołać złamanie wieloodłamkowe, morderca nie musiał używać ostrego dłuta?

– W ogóle nie musiał używać dłuta. Młotek w zupełności by wystarczył.

– Dlaczego w takim razie się nim nie posłużył?

– Ponieważ w przypadku młotka i jakiegokolwiek innego tępego narzędzia dużo trudniej jest kontrolować i wymierzyć potrzebną siłę. W dodatku nie ma gwarancji, że uda się osiągnąć zamierzony efekt.

– Jaki efekt, śmierć? Jestem pewna, że przywalenie młotkiem w głowę załatwi sprawę, bez problemu.

– Nie o samo zabicie ofiary tutaj chodzi – oznajmił detektyw, po czym rozparł się na krześle. – Tylko o krew.

Przełożona nie zadała żadnego pytania. Po prostu spojrzała na niego i pokręciła delikatnie głową.

– Zapomina pani o jednej rzeczy, pani kapitan.

– O jakiej?

– Ten morderca za pomocą wideorozmowy nadaje wszystko na żywo, więc jakkolwiek by na to spojrzeć, robi pewne show. Bez znaczenia jest, czy ogląda to jedna osoba czy milion. Dla niego to i tak jest show. Gra, którą prowadzi, wymaga dwóch rzeczy, żeby wyglądała dokładnie tak, jak on chce. – Uniósł palec wskazujący prawej dłoni. – Pierwszą jest to, żeby osoba, do której dzwoni, spanikowała, to działa na jego korzyść i dodatkowo tym właśnie się karmi. W ten sposób staje się silniejszy. Gdyby użył samego młotka, byłoby mu znacznie trudniej osiągnąć cel, jeśli w ogóle by się udało.

– Twoim zdaniem mąż Cassandry by nie spanikował, gdyby zobaczył, jak jego żona dostaje młotem w głowę?

– Oczywiście, że by spanikował, w ten sposób mordercy mogłoby się nie udać spełnić drugiego wymagania.

– Czyli?

– On musi się dobrze „bawić". – Detektyw narysował w powietrzu cudzysłów. – Ponadto zależy mu na tym, żeby ofiara wytrzymała przynajmniej dwie błędne odpowiedzi, to go właśnie nakręca. Dla niego tortury i mordowanie to za mało. Potrzebuje więcej, ponieważ jego sadyzm wykracza dalej. Osoba oglądająca musi poczuć całkowitą desperację, musi odchodzić od zmysłów. Musi czuć się winna.

Barbara zaczęła się nad tym zastanawiać.

Hunter przyszedł jej z pomocą.

– Ta jego gierka wydaje się bardzo prosta, zwyczajne odpowiadanie na pytania, jednak tak naprawdę została dokładnie przemyślana. Metodycznie zaplanowana, żeby wytrącić z równowagi drugiego uczestnika.

Tym razem to pani kapitan rozsiadła się wygodnie na krześle.

– Musisz dać mi nieco więcej, jeśli mam chociażby spróbować nadążyć za tym surrealistycznym rozumowaniem. O czym ty, do cholery, w ogóle mówisz?

– W porządku – zgodził się detektyw, a następnie wstał i zbliżył się do tablicy na ścianie. – W grze mordercy są ukryte proste, ale bardzo skuteczne elementy psychologiczne.

– Na przykład jakie?

– Jak tylko zniewoli ofiarę, dzwoni do osoby, z której zrobi uczestnika rozgrywki. Kogoś bardzo bliskiego, z niezwykle mocną więzią emocjonalną: przyjaciółki, męża. – Wskazał kolejno na zdjęcia Tanyi Kaitlin i Johna Jenkinsona. – Pierwsza psychologiczna sztuczka: używa telefonu ofiary do nawiązania połączenia, przez co powstaje element zaskoczenia.

Oczy pani kapitan się zwęziły, gdy zaczęła rozważać usłyszane słowa.

– Wybrana osoba odbiera telefon, myśląc, że porozmawia z przyjaciółką lub z żoną. Z ich relacji wynika, że to wrażenie dodatkowo potęguje fakt, gdy w kamerze najpierw widzą zbliżenie twarzy ofiary. Głównie oczu, ale potem obraz odjeżdża...

– Zaskoczenie – zgodziła się Barbara.

– Kiedy widać coraz więcej, dochodzą dwa kolejne elementy: zdziwienie i szok.

Odczekał chwilę, aż zobaczył w oczach przełożonej zrozumienie. Po czym kontynuował:

– Wówczas następuje wyjaśnienie tej sytuacji oraz zasad panujących w tej chorej grze. W tym momencie pojawiają się jeszcze dwa kolejne psychologiczne elementy. Zwątpienie, ponieważ po usłyszeniu czegoś takiego osoba sobie myśli: „To jest na serio? Czy śni mi się całe to gówno?". A w końcu strach. Jeśli to jednak jest na serio, to życie przyjaciółki lub małżonki właśnie leży w twoich rękach...

Kapitan Blake założyła nogę na nogę. W jej spojrzeniu widać było, że zaczęła rozumieć tok myślenia detektywa.

– Zatem zanim jeszcze gra się zacznie, w ciągu dwóch minut umysł jej uczestnika zostaje zbombardowany całą gamą wytrącających z równowagi uczuć: zaskoczenie, zdziwienie, szok, zwątpienie i strach. Gdy ta osoba dalej się zastanawia, czy to w ogóle jest prawda, czy sen, a może tylko jakiś koszmarny żart, pada pierwsze pytanie. Coś banalnego, na co trudno jest źle odpowiedzieć.

Hunter wskazał zapisane na tablicy zdania: „Ilu masz znajomych na Facebooku?" i „Gdzie urodziła się Cassandra?".

– Ten pierwszy etap został bardzo dobrze przemyślany i zasadniczo ma dwa cele: powiększa jeszcze kombinację niedowierzania i zwątpienia, ponieważ uczestnicy nie mogą uwierzyć, że gra jest prawdziwa, skoro pytania są tak proste. Zaczynają myśleć, że to jednak kawał. Po drugie, daje im to fałszywe poczucie bezpieczeństwa. „No bo skoro to takie proste, to dawaj, jedziemy z tą grą". – Zrobił dramatyczną pauzę. – To poczucie bezpieczeństwa rośnie, ponieważ są już w połowie drogi do wygranej. Pamięta pani zasady? Dwie poprawne odpowiedzi i po wszystkim. Przyjaciółka jest wolna. Żona jest wolna. I właśnie w tym miejscu morderca pokazuje, jak bardzo jest sprytny.

Barbara odgarnęła kosmyk włosów z twarzy.

– Udało mu się już zaburzyć proces myślowy tej osoby, bez jej wiedzy, w dodatku dał jej fałszywe poczucie bezpieczeństwa, ale asa cały czas trzyma w rękawie.

– Asa?

– Nigdy nie mówi, jakie dokładnie są konsekwencje pomyłki – włączył się Garcia.

Robert wskazał na niego palcem, zupełnie jakby mężczyzna udzielił odpowiedzi na największe, egzystencjalne pytanie.

– Uczestnicy nie mają pojęcia, co naprawdę się stanie, jeśli popełnią błąd. Po pierwszym sukcesie wydaje im się, że gra jest śmiesznie prosta, zatem morderca atakuje drugim pytaniem. – Detektyw ponownie wskazał na tablicę. – O coś, co wyszukał. O coś, na co powinni odpowiedzieć źle. Ale tylko powinni.

– Co masz na myśli przez „tylko powinni"?

– Proszę o tym pomyśleć. On nie zdecydował w ciągu jednej nocy, że kogoś zabije. On to planował od jakiegoś czasu. W dodatku jest bardzo cierpliwy. Rozpoczyna od znalezienia ofiary, następnie dręczy ją wiadomościami, a o ile wiemy, trwa to miesiącami. Później wybiera przeciwnika do swojej gry, kogoś blisko związanego z ofiarą. W końcu przeprowadza poszukiwania tematów do pytań. Cały myk polega na tym, że one mają *wydawać* się proste, a w rzeczywistości *być* trudne.

Przełożona pokiwała głową.

– Jeśli mamy rację co do tego, że morderca wyszukuje informacje do swoich pytań na portalach społecznościowych – a sądzę, że mamy – to te posty zostały opublikowane miesiące temu – ciągnął Hunter. – Nawet jeśli jednak się mylimy i on nie czerpie swojej wiedzy z tych stron, to jak pani myśli, ile czasu upływa od chwili, kiedy wymyśli to pytanie, do momentu kiedy faktycznie je zada?

Barbara podrapała się w czoło, rozważając tę kwestię.

– Dni, tygodnie, miesiące...? – zasugerował detektyw. – W tym czasie obie osoby mogły z łatwością poznać poprawną odpowiedź.

Ponownie dał kobiecie kilka chwil na przemyślenia.

– Z samego rana w dzień morderstwa Tanya Kaitlin mogła z jakiegoś powodu zdecydować, że nauczy się numeru swojej przyjaciółki na pamięć. John Jenkinson mógł powziąć postanowienie, że znowu stanie się romantycznym mężem i w tym roku będzie pamiętał o rocznicy, kupi kwiaty, zabierze żonę w jakąś podróż... czy cokolwiek innego. Przestępca nie miał żadnej pewności, że nie dadzą rady odpowiedzieć poprawnie. Mógł co najwyżej wybrać pytanie, na którym powinni polec.

Pani kapitan milczała.

– Zatem zwiększył swoje szanse, stosując jeszcze jeden sprytny trik – wtrącił się Garcia. – W obu przypadkach w drugim etapie wymagane były albo numery, albo daty. Badania dowodzą, że ciągi cyfr, daty albo wzory są najtrudniejsze do zapamiętania.

Przełożona nie protestowała. Dla niej również numery telefonów zawsze stanowiły trudność. A pamiętanie wzorów? O, na pewno nie.

– Zatem reasumując: przestępca atakuje drugim pytaniem momentalnie po tym, jak dał im fałszywe poczucie bezpieczeństwa. Obie osoby powiedziały nam, że ich pierwszą reakcją nie było szukanie tych informacji w swoim umyśle, tylko same zaczęły dopytywać: „Co? O co chodzi? Chwileczkę...". I tak dalej.

– Duży błąd – włączył się Hunter. – Zanim w ogóle pomyślały nad odpowiedzią, minęły już trzy albo cztery z pięciu dopuszczalnych sekund. A one to wiedziały, ponieważ morderca odliczał czas, potęgując presję. Teraz dochodzi kolejny element. On sprawia, że nawet jeśli informacje są tutaj – postukał się palcem w skroń – i tak można je pokręcić.

– Panika – oznajmiła Barbara.

– Prawie, ale jeszcze nie – zaprzeczył Robert. – Na razie mamy zdenerwowanie, niepokój, może trochę strachu. Zatem zanim przestępca doliczy do zera, wyrzucają z siebie błędną odpowiedź. Albo nie znają poprawnej – Tanya Kaitlin, albo pod wpływem zdenerwowania mieszają daty – John Jenkinson. – Detektyw podszedł do tablicy. – Wtedy morderca zagrywa swojego asa z rękawa: karę za błąd. – Kiwnął głową w stronę przełożonej. – Teraz właśnie nadchodzi panika. Dlatego też użył dłuta zamiast samego młotka.

– Gdyby uderzył za słabo, to nabiłby po prostu ofierze guza – powiedziała kapitan Blake. Zagadka w końcu się wyjaśniła. – Bez wieloodłamkowego złamania. Z kolei zbyt mocne uderzenie mogłoby pozbawić ją albo życia, albo przytomności.

– Zgadza się. Żadna z tych opcji mu nie odpowiadała, ponieważ pierwszym uderzeniem chciał osiągnąć dwa cele. Po pierwsze: Cassandra musiała poczuć ból, ale zachować świadomość. Po drugie: jej mąż musiał wpaść w panikę. A jak łatwiej ją wywołać, niż pokazać mu, jak ukochana krwawi?

Barbara zamknęła oczy i pokręciła głową.

– Lekkie uderzenie obuchem nie spowodowałoby rozcięcia na głowie – kontynuował Robert. – Potrzebowałby więcej siły, a wówczas mógłby nie dać rady tego kontrolować.

– Gdy tylko krew popłynęła po twarzy ofiary, już było po grze – wtrącił kolejny raz Garcia. – Nawet gdyby odpowiedź cisnęłaby mu się na usta, to i tak by jej nie podał, ponieważ nadszedł ostatni psychologiczny element, najbardziej destrukcyjny ze wszystkich.

Pani kapitan myślała, że ostatnim elementem jest panika. Zmarszczyła brwi i spojrzała na obu mężczyzn.

– Poczucie winy – wyjaśnił Hunter. – John Jenkinson w tamtym momencie miał pewność, że to żaden żart. Miał również pewność, że powodem, dla którego jego żona krwawi, cierpi i coraz bardziej zbliża się do śmierci, jest... on sam. To wszystko działo się dlatego, że on nie pamiętał daty ich ślubu. Gdy odliczanie ponownie się rozpoczęło, jego mózg został już przerobiony na papkę. W ciągu niecałych pięciu minut zaznał zaskoczenia, zmieszania, szoku, zwątpienia, paniki, przeraźliwego strachu, a na koniec rozrywającego duszę poczucia winy. Wystarczy dodać, że ogląda właśnie tortury swojej żony w ich własnym domu i nie jest w stanie w żaden sposób jej obronić. Żadne daty ani numery nie będą miały w tym momencie dla niego sensu. Ten plan nie jest niezawodny, ale za to bardzo sprytny, ponieważ znacząco przechyla szalę zwycięstwa na stronę mordercy.

– A poczucie winy nigdy nie minie – skomentowała Barbara.

Za potwierdzenie jej słów posłużyło milczenie obu detektywów.

Sześćdziesiąt dziewięć

– Wow! Wyglądasz olśniewająco – oznajmił detektyw Webb, gdy Gwen Barnes otworzyła mu drzwi.

Miała na sobie sukienkę koktajlową do kolan, białą w pionowe paski, która ukazywała wysportowane nogi i ramiona. Jej kopertowa torebka udekorowana kryształkami pasowała do wieczorowych sandałów na koturnie. Włosy lśniły w późnopopołudniowych promieniach słońca.

– Bardzo dziękuję – odparła z uśmiechem, który był równie zachęcający, co tajemniczy. – Ty także wyglądasz bardzo dobrze.

Doktor Barnes tego nie wiedziała, ale detektyw tak naprawdę miał na sobie swoje zwyczajne ubranie do pracy: ciemny garnitur, białą koszulę i krawat w paski. Czarne buty lśniły i były bardzo wygodne.

Kobieta spojrzała na zegarek. Równo 18.00.

– Przyszedłeś... idealnie o czasie. Jestem pod wrażeniem.

– Staram się zawsze być punktualny, o ile to tylko możliwe. W mojej pracy to niestety dość trudne. Wiele rzeczy nie dzieje się zgodnie z harmonogramem, jeśli wiesz, co mam na myśli.

Uśmiechnęła się szerzej.

– Wyobrażam sobie.

– Jak się czujesz? – Zerknął przez jej ramię na wnętrze domu. – Wszystko w porządku? Udało ci się trochę przespać?

Zgodnie z obietnicą Webb zadzwonił do niej rano, żeby sprawdzić, czy wszystko gra. Odpowiedziała, że pomijając praktycznie całkowicie bezsenną noc, czuła się dobrze.

Pokręciła głową.

– Niestety, zero snu, stąd też mocny makijaż pod oczami, ale... – odwróciła się w tym samym kierunku co policjant – poza tym jest OK. Dziękuję.

Spojrzenie jej oczu, gdy wymawiała ostatnie słowa, podsunęło detektywowi pomysł, iż być może kobieta zaczęła się zastanawiać, czy na pewno jej bransoletka została zabrana z wnętrza jej domu. Uznał, że na razie lepiej zostawić ten temat.

Uśmiechnął się ponownie, z nadzieją, że ją trochę pocieszy.

– Wiem, że umówiliśmy się na kawę, ale może wolałabyś wybrać się na kolację?

– Sama właśnie miałam to zasugerować. Ale pod jednym warunkiem.

– Jakim?

– Zabierzesz mnie w miejsce, gdzie zwykle ty i inni detektywi jadacie w ciągu dnia.

– Słucham?

– No wiesz, gdzie zwykle chodzicie coś przekąsić w pracy?

– Zwykle to ja ledwo mam czas oddychać, a co dopiero myśleć o jedzeniu.

– Rozumiem, ale chyba coś jednak jadasz, prawda?

– Taaaak.

– Zatem masz pewnie kilka ulubionych miejsc?

Webb kilkakrotnie przechylił głowę z boku na bok, zgadzając się.

– Super, chciałabym, żebyś zabrał mnie właśnie do jednego z nich.

– Nie, nie, *naprawdę* nie chciałabyś tam pójść.

– Wręcz przeciwnie. Poważnie.

Mężczyzna obrzucił ją uważnym spojrzeniem.

– Ale ty jesteś bardzo ładnie ubrana, a te miejsca to prawdziwe nory, uwierz mi.

– Mogę się przebrać, to żaden problem. – Zaczęła się już odwracać.

– Nie, zaczekaj. – Zatrzymał ją i popatrzył jej w oczy. – Naprawdę chcesz, żebym zabrał cię właśnie w takie miejsce?

– Tak.

Detektyw zaśmiał się pod nosem.

– Dobrze, tylko nie mów potem, że nie ostrzegałem.

Nieco ponad pół godziny później zaparkował swoje auto na Hollywood Boulevard przed maleńką pizzerią o nazwie Pizza u Joego.

– Jesteśmy na miejscu – oznajmił.

Doktor Barnes spojrzała na szyld i się uśmiechnęła.

– Mówiłem, że miejsca, do których chodzimy, to nory.

– A jedzenie jest dobre?

– Jest fantastyczne. Najlepsze calzone na całym Hollywood Boulevard. Po prostu to nie lokal, do którego ktokolwiek idzie na randkę.

– Powiedziałeś calzone?

Krótka pauza.

– Tak. Lubisz je?

– Uwielbiam.

Detektyw promieniał.

– No to w takim razie przygotuj się psychicznie – powiedział z dumą w głosie. – To odmieni twoje życie.

Gwen nie miała pewności, czy to było doświadczenie odmieniające życie, ale z całą pewnością mogła powiedzieć, że odmieniło jej nawyki. Special Grandma Pie, które zamówili, okazało się najlepszym calzone, jakie jadła, w dodatku od lat tyle się nie śmiała. Nie spodziewała się, że detektyw Webb jest tak ciekawym mężczyzną.

Gdy skończyła ostatni kawałek, spojrzała na niego i się uśmiechnęła.

– Co? – spytał, zerkając na nią spod oka. – Mam ser na brodzie? – Wziął do ręki serwetkę i przyłożył ją do twarzy.

– Nie, nie o to chodzi.

– O. – Odłożył serwetkę.

– Ja po prostu... Bałam się, że będzie nam się trudno rozmawiało.

Julian uznał, że to bardzo dziwne stwierdzenie.

– Nie jestem pewien, czy nadążam.

– Chodzi mi o to, że z powodu naszych zawodów żadne z nas tak naprawdę nie może rozmawiać o pracy, prawda? Tobie nie wolno opowiadać mi czegokolwiek o prowadzonych śledztwach, a mnie o moich pacjentach.

Webb upił łyk napoju Dr Pepper, zanim się zgodził.

– Spędzam większą część każdego dnia na pracy, łącznie z weekendami. Podejrzewam, że u ciebie to wygląda podobnie.

– Tak, delikatnie mówiąc.

– Dlatego też obawiałam się, że skoro odpadnie nam temat tego, co robimy całymi dniami, rozmowa szybko umrze. Jednak wyprowadziłeś mnie z błędu. – Zaczęła się bawić puszką piwa korzennego. – Jak do tej pory to najmilsze spotkanie od bardzo dawna. – Ponownie pojawił się zachęcający uśmiech. Tym razem jednak nie towarzyszyła mu tajemniczość.

Mężczyzna uniósł swój napój, proponując toast.

– Dla mnie również. Wypijmy za to.

Brzęknęły puszki, po czym nastąpiła chwila krępującego milczenia.

– Mam pewien pomysł – oznajmiła Gwen. – Wiem, że nie możesz pić, bo prowadzisz. Co ty na to, żebyśmy pojechali do mnie, zostawisz auto, wezwiemy taksówkę i pojedziemy zabawić się jak dorośli: przy tequili.

Webb przyglądał się jej przez chwilę. Musiał przyznać, że coraz bardziej mu się podobała.

– Brzmi wspaniale. Jednak zapominasz, że będę musiał jeszcze pojechać do domu, jak wrócimy z tego miejsca, do którego chcesz nas zabrać taksówką.

Spojrzenie, jakie mu rzuciła, zakończyło dyskusję.

– OK, w porządku. – Uśmiechnął się do niej.

– Może wejdziesz do środka? – zaproponowała, kiedy jakieś czterdzieści minut później zatrzymał się pod jej domem. – Czekając na taksówkę, możemy wypić po kieliszku wina.

– Dobry pomysł.

Gdy podeszli pod drzwi wejściowe, usłyszeli dzwonek telefonu w kieszeni detektywa.

– Sekundkę – powiedział, po czym przyłożył komórkę do ucha. – Detektyw Webb. – Gdy słuchał swojego rozmówcy, wyraz twarzy mu się zmienił. – Kiedy? – Znowu słuchał przez jakiś czas, na koniec wciągnął głęboko powietrze. – Skurwy... – Spojrzał na Gwen i zamilkł w pół słowa. – OK, OK. Jestem w drodze. – Rozłączył się i schował telefon do kieszeni.

– Bardzo cię przepraszam, ale...

Przez chwilę wyglądała na złą, ale doktor Barnes wiedziała lepiej od innych, co dokładnie oznacza taki telefon.

– W porządku, Julianie. Rozumiem. – Podeszła do niego i delikatnie pocałowała go w usta. – Może zrobimy tak, że wpadniesz, jak tylko skończysz. – Mrugnęła. – Będę trzymała wino i tequilę w lodówce.

– Umowa stoi. – Uśmiechnął się szeroko i pocałował ją, tym razem znacznie dłużej.

– Będę czekać.

Gdy detektyw zniknął, Gwen otworzyła drzwi swojego domu i weszła do salonu. Nawet gdyby chciała, nie potrafiłaby zmazać ze swoich ust uśmiechu.

Nie umawiała się z nikim od blisko dwóch lat i już prawie zapomniała, jak bardzo ekscytujące to może być. Jak człowiek może się czuć po jednym pocałunku. A teraz czuła się bardzo szczęśliwa. Tak szczęśliwa, że cała historia z bransoletką i wiadomością wyleciała jej z głowy. Tak szczęśliwa, że nie zapaliła światła, tylko oparła się o drzwi, zamknęła oczy i smakowała chwilę. Tak szczęśliwa, że nie zauważyła mrocznego cienia stojącego tuż za jej oknem i wpatrującego się w nią.

Siedemdziesiąt

Erica Barnes włożyła torebkę popcornu do mikrofalówki, ustawiła czas na dwie i pół minuty i wcisnęła przycisk „start". Gdy czekała, aż kukurydza zacznie strzelać, nalała sobie duży kieliszek wina.

Popcorn i czerwone wino: w ten właśnie sposób radziła sobie z niedzielną depresją. Nie, żeby naprawdę miała problem – nie mogła powiedzieć, że nie lubi swojej pracy, ludzie z firmy byli... znośni, to najbardziej pasujące słowo. Nie obawiała się również poniedziałkowych poranków. Wczesne wstawanie zawsze szło jej sprawnie i nigdy nie zaczynała tygodnia od zrzędzenia. Po prostu coś w niedzielnych popołudniach zawsze ją nieco przygnębiało.

Dodatkowo w niedzielę odbywały się *pokerowe wieczory*, kiedy to Trevor – jej chłopak od dwóch lat, z którym mieszkała w niewielkim mieszkanku – zwykle przegrywał sto pięćdziesiąt dolarów (maksymalną dopuszczalną pulę) na rzecz swoich przyjaciół. Oczywiście zdarzało mu się czasem nieco wygrać, ale do tego akurat dochodziło rzadko – delikatnie mówiąc.

Jednak w tym konkretnym wieczorze było coś, co ekscytowało Ericę. Jej siostra, Gwen Barnes, tego właśnie dnia wybierała się na randkę. Ta myśl przywiodła uśmiech na jej wargi. Gwen od dawna z nikim się nie umawiała i zdaniem Eriki był już najwyższy czas, żeby wróciła do gry.

Rozmawiały krótko tego dnia i siostra powiedziała wtedy, że kogoś poznała... kogoś, kto wydawał się dobrym facetem. Mówiła również, że planowali się wybrać razem na kawę wieczorem. Natychmiast zasypała ją pytaniami: „Kto to jest? Jak się poznaliście? Gdzie się poznaliście?". Gwen zgrabnie wykręciła się od odpowiedzi, twierdząc, że jest już spóźniona na jakieś spotkanie i zadzwoni ponownie po randce.

Usłyszała, że pierwsze ziarenka zaczęły już pękać po trzydziestu trzech sekundach. Odstawiła kieliszek na blat i pochyliła się nad mikrofalówką. Instrukcja na opakowaniu jasno wskazywała na dwie i pół minuty, ale Erica, podobnie jak większość ludzi, wolała słuchać dokładnie odstępów pomiędzy kolejnymi strzałami. Gdy stawały się dłuższe niż dwie sekundy, należało przerwać podgrzewanie.

Wsypała popcorn do dużej miski, wzięła wino i udała się do salonu. Włączyła telewizor i rozsiadła się na kanapie.

– No dobra – zaczęła rozmowę ze swoją przekąską – znajdźmy teraz coś ciekawego do oglądania.

Zanim przełączyła kanał, sięgnęła po komórkę, zrobiła zdjęcie miski i kieliszka i wrzuciła je na swój profil na portalu społecznościowym. Gdy już uporała się z tym zadaniem, zamieniła telefon na pilota do telewizora.

Klik – *Rerun on an old show*. Klik – *Rerun on an old show*. Klik – *Rerun on an old show*.

– Jaja sobie robicie?

Klik – *The real wives of somewhere*. Klik – *The real husbands of somewhere*. Klik – *Big Brother*.

– Niemożliwe, ten syf dalej leci? Ktoś to jeszcze ogląda?

Klik – właśnie zaczynała się jakaś romantyczna komedia.

– No cóż, to chyba musi wystarczyć.

Erica położyła pilota koło siebie, wzięła łyk wina, a następnie całą garść małych przyjaciół, z którymi przed chwilą rozmawiała. Właśnie udało jej się wygodnie usadowić z miską popcornu na kolanach, kiedy zadzwonił telefon.

– Normalka – wyszeptała do siebie, sięgając po niego.

Wideopołączenie od jej siostry.

To dziwne, pomyślała. Rzadko rozmawiały ze sobą w ten sposób. Spojrzała na zegarek: 22.12. Wcisnęła zieloną słuchawkę.

– Cześć, siostrzyczko – powiedziała, gdy obraz powoli zaczął się materializować na wyświetlaczu. – Krótka ta randka. Wszystko poszło dobrze?

Na razie widziała tylko oczy swojej rozmówczyni.

– Siostra, jesteś za blisko komórki. Co ty robisz? Oślepłaś

nagle? Odsuń się kawałek. – Poczęstowała się kolejną garścią prażonej kukurydzy.

– Cześć, Erico.

Głos, który usłyszała, brzmiał przerażająco nisko i zdawał się jakoś spowolniony. Zmarszczyła brwi.

– Jesteś za blisko, głos się dziwnie zniekształca. Odsuń się, kobieto, co ty wyprawiasz?

Wówczas zauważyła, jak bardzo czerwone były oczy Gwen. Wyglądały, jakby płakała.

– Wszystko w porządku? – Jej ton zrobił się śmiertelnie poważny. – Co się dzieje?

Druga kobieta zamrugała, ale dalej milczała.

– Gwen, co jest, do cholery? Trochę mnie przerażasz. Odezwiesz się w końcu?

Obraz zaczął się oddalać, ale, o dziwo, przestał, zanim ukazała się cała twarz rozmówczyni. Erica znowu zmarszczyła brwi. Nie widziała uszu swojej siostry. Tak naprawdę nie widziała nic, co leżało za kącikami oczu. Teraz miała całkowitą pewność, że jej siostra płakała.

– Co się, kurwa, dzieje? Dlaczego płakałaś? I dlaczego dźwięk jest spieprzony?

...

– Siostrzyczko, odezwij się w końcu.

– Z dźwiękiem wszystko jest w porządku – odezwał się ponownie zniekształcony głos. Brzmiał jak demon z horroru klasy B. – A twoja siostra nie odpowiada, ponieważ jej zabroniłem. Jeśli się odezwie, to umrze.

Gwen miała dziwne poczucie humoru. Erica zdawała sobie z tego doskonale sprawę, ale to coś innego. Była psychiatrą, nigdy nie zabawiałaby się czyimiś emocjami w taki sposób.

– Co? – Jej głos zadrżał. – Kto mówi?

– Ja jestem nikim. Ale *ty* możesz być kimś. Możesz zostać bohaterką i uratować jej życie. Wystarczy, że podasz mi dwie poprawne odpowiedzi, i wszystko się skończy.

Kobieta potrząsnęła głową.

– Co? Jakie odpowiedzi? O czym ty mówisz?

– Zobaczysz.

– A właśnie, że nie – odpowiedziała gniewnie Erica. – Dzwonię na policję.

– Naprawdę ci się wydaje, że policja dotrze tutaj, zanim ją pokroję?

Nagle na ekranie pojawiła się dłoń w rękawiczce. Trzymała nóż kuchenny, zaledwie milimetry od lewego oka Gwen.

– Zacznę od wydłubania jej oczu – ciągnął demon. – Potem utnę nos. – Nóż przesunął się w jego stronę. – Następnie rozetnę usta aż do uszu i tak ją zostawię, aby gliniarze ją znaleźli. Co ty na to?

Oczy doktor Barnes przepełniała bezbrzeżna panika, gdy próbowała skoncentrować wzrok na czubku ostrego narzędzia. Otworzyła usta do krzyku, ale strach ją uciszył.

– O mój Boże! – Serce podeszło Erice do gardła. Łzy napłynęły jej do oczu. – Gwen!

– Lepiej słuchaj mnie uważnie, bo nie będę powtarzał. Gotowa? – Bez czekania na odpowiedź demon wyjaśnił zasady gry. – To wszystko. Proste, prawda? Musisz jedynie poprawnie odpowiadać. Zaczynamy?

Kobieta tak bardzo się trzęsła, że musiała chwycić telefon obiema dłońmi.

– No to jedziemy. Pierwsze pytanie. – Aby zwiększyć napięcie, demon zrobił długą przerwę. Gdy ponownie się odezwał, jego słowa brzmiały bardzo powoli i rozwlekle. – Jaki post ostatnio opublikowałaś na swoim profilu społecznościowym?

Erica odruchowo odsunęła się kawałek. Nie wierzyła własnym uszom.

– Co? Mój ostatni post? O co chodzi? Mówisz poważnie?

Usta Gwen zaczęły drżeć.

– Tak – odparł demon. – Mówię bardzo poważnie. Codziennie uaktualniasz swój profil kilkukrotnie o takie bezsensowne informacje, które nikogo nie interesują, czyż nie?

Kobieta wyglądała na zdezorientowaną.

– Zatem chciałbym wiedzieć, o czym był twój ostatni, całkowicie niepotrzebny post. Napisałaś go pięć minut temu, pamiętasz?

Dodałaś nawet zdjęcie. – Nastąpiła kolejna pauza, tym razem znacznie krótsza. – Masz pięć sekund.

Erica zamrugała. Potem znowu. I trzeci raz. To wszystko nie miało żadnego sensu.

– Cztery... trzy...

– Hmm... Wrzuciłam zdjęcie popcornu i wina, napisałam, że właśnie się przygotowuję do oglądania telewizji w niedzielny wieczór.

Demon przerwał odliczanie.

Cisza.

Kobieta czekała.

Nadal cisza.

Zaczęła wątpić w swoją odpowiedź.

– Pomyliłam się?

– Ha, ha, ha, ha, ha. – Śmiech był tak gardłowy, że Erica poczuła, jak krew jej zastyga w żyłach. – Nie. – W końcu potwierdził. – Oczywiście, że nie. Sama zwątpiłaś na chwilę, prawda?

Kobieta odczuła taką ulgę, że o mało się nie zmoczyła.

Na ekranie widać było, że Gwen przeniosła swoje przerażone spojrzenie na prawo. Kilka łez popłynęło jej z oczu, jednak jej siostra czuła się tak skołowana i zagubiona, że nie zauważyła pewnej bardzo dziwnej rzeczy. Łzy nie spłynęły w dół, po policzkach, tylko w bok.

– Drugie pytanie. Odpowiesz poprawnie i wszystko to się skończy. Ty i twoja siostra wygracie. Odpowiesz źle i... – Demon nie dokończył zdania.

Erica wciągnęła z trudem powietrze.

– Kiedy wypada rocznica śmierci twojej matki?

– Co? – Strach po prostu eksplodował w jej wnętrzu. – Mojej matki?

Tym razem mężczyzna nie wyjaśnił. Nie powtórzył pytania. Po prostu zaczął odliczać.

– Pięć... cztery...

Teraz już nie tylko usta doktor Barnes się trzęsły – rozniosło się to na całą twarz. Po chwili zaczęła gwałtownie szlochać.

Każdego roku w rocznicę śmierci ich matki Gwen szła na cmentarz z kwiatami. Erica próbowała do niej dołączyć za pierwszym razem. Miała wówczas trzynaście lat, jej siostra czternaście.

Nie udało jej się. Przy wejściu do Home of Peace Memorial Park na Whittier Boulevard młodsza z dziewczynek zamarła jak sparaliżowana.

– Chodź, idziemy do środka – powiedziała Gwen.

Siostra nie dała rady się odezwać. Mogła jedynie kręcić głową.

– No rusz się. – Złapała Ericę za rękę i próbowała ją za sobą pociągnąć, ale dziewczyna stała sztywno niczym posąg. Jej mięśnie stężały, zaczęła się trząść, twarz miała lepką i spoconą. Po chwili zaczęła wpadać w hiperwentylację.

– Co ci się stało? – spytała Gwen.

Siostra dalej nie mogła wydusić słowa. Rozglądała się panicznie dookoła, nie będąc w stanie skupić na niczym wzroku. Wyglądało, jakby miała zaraz dostać drgawek.

Erica nie przeszła wtedy przez bramę. Czekała po drugiej stronie ulicy, aż starsza siostra złoży kwiaty na grobie matki i zmówi kilka modlitw. Znacznie później dowiedziały się, że pogrzeb tak bliskiej osoby stał się dla dziewczynki na tyle traumatycznym przeżyciem, że wywołał w niej chorobę zwaną koimetrofobią – lęk przed cmentarzami. Pamiętała swoją mamę, ale wszystko, co wiązało się z jej śmiercią, zostało wyparte ze świadomości.

– Trzy...

Oddech kobiety stał się ciężki.

– Dwa...

Próbowała myśleć.

– Jeden...

Nic.

– Koniec czasu.

– Nie... proszę... ja nie znam odpowiedzi... jestem chora...

– Powiedziałem ci, jakie są zasady – przerwał jej demon. – Nie odpowiesz, siostra zostanie ukarana.

– Nie... proszę...

– I pamiętaj: odwrócisz wzrok, znowu dostanie karę. Musisz patrzeć cały czas. No, a teraz się zabawmy.

W końcu obraz na wyświetlaczu odjechał i kobieta mogła zobaczyć więcej niż krawędź oczu Gwen...

Ten widok napełnił jej serce przerażeniem i paniką.

Siedemdziesiąt jeden

Gdy Hunter zaparkował przed sześciopiętrowym budynkiem na Huntington Park, spojrzał na zegarek – dochodziła 23.00. Oparł głowę na zagłówku i spojrzał na starzejący się obiekt. W którymś z okien na drugim piętrze stał starszy mężczyzna, paląc jednego papierosa za drugim. Po co trzecim machu kasłał kilka razy i spluwał na chodnik na dole. Na czwartym piętrze Margaret Dixon – bardzo miła pani tuż po pięćdziesiątce – spoglądała przez okno mieszkania 416 ze łzami w oczach. Każdej nocy, bez wyjątku, długimi godzinami patrzyła na ulicę w dole, czekając, aż jej mąż wróci z nocnej zmiany. Kilka lat wcześniej Philip Dixon doznał wypadku w pracy. Zmarł tej samej nocy.

Odległy dźwięk syreny oderwał go od obserwacji budynku. Zaczął się zastanawiać, czy powrót do domu był teraz najlepszym pomysłem. Jeśli sen w ogóle nadejdzie, to dopiero we wczesnych godzinach porannych. Jego umysł nadal był mocno rozbudzony, nie miał więc ochoty ani na przewracanie się z boku na bok na łóżku, ani na przemierzanie mieszkania w bezcelowym marszu.

Rozważał wycieczkę do Santa Monica albo Venice Beach, gdy zupełnie inny pomysł wpadł mu nagle do głowy. Dumał nad nim przez kilka chwil.

– A co mi tam. Dlaczego nie? – Spojrzał na swoje odbicie w lusterku wstecznym i wzruszył ramionami. Sięgnął po telefon.

– Halo? – odpowiedział kobiecy głos.

– Cześć, czy to Tracy?

– Tak, przy telefonie.

– Z tej strony Robert. Robert Hunter. – Podejrzewał, że będzie musiał podać więcej szczegółów niż tylko nazwisko, ale przyjemnie się zdziwił.

– O, tajemniczy detektyw. Co za niespodzianka.

Wziął to za dobry znak.

– Dzwonię nie w porę? – Instynktownie drugi raz spojrzał na zegarek.

– Nie, nic z tych rzeczy, właśnie miałam... nic nie robić, tak naprawdę.

Uśmiechnął się.

– Ciekawe, ja tak samo. Wiem, że już późno, w dodatku niedzielny wieczór nie jest najlepszy na wychodzenie i pewnie masz wykłady rano, ale może chciałabyś wyskoczyć gdzieś na kawę?

– Masz na myśli jakieś miejsce... które nie jest biblioteką UCLA?

– Tak byłoby lepiej.

Usłyszał jej śmiech, po którym nastąpiła krótka pauza.

– Wiesz co, mam lepszy pomysł – odparła w końcu. – Może pójdziemy gdzieś, gdzie podają coś mocniejszego od kawy? Jest jeden świetny bar niedaleko mnie. Ile ci zajmie dojechanie do West Hollywood?

– O tej porze... jakąś godzinę.

– No to widzimy się tam za godzinę?

– Bardzo chętnie.

Siedemdziesiąt dwa

– O mój Boże, Gwen, co się dzieje? – krzyknęła łamiącym się od emocji głosem Erica. – Nie rozumiem...

Obraz na jej telefonie przestał się oddalać, mimo że widziała obecnie o wiele więcej, jej wrażliwy umysł zmagał się z rzeczywistością, próbując coś z tego pojąć.

Wyglądało na to, że jej siostra leżała na jakiejś drewnianej powierzchni. Trudno to dokładnie ocenić, ponieważ w poziomie nie było widać dalej niż jej ramiona. W pionie obraz kończył się poniżej piersi kobiety – całkowicie odsłoniętych. To właśnie pierwsza rzecz, przez którą nie mogła zrozumieć sytuacji. Wszystko wskazywało na to, że telefon, którym demon filmował, nie znajdował się przed Gwen, tylko nad nią. Zupełnie jakby wisiał pod sufitem. Jednak cała scena wydawała się nierealna z zupełnie innego powodu: twarz jej siostry znajdowała się pomiędzy dwoma żelaznymi ząbkowanymi szczękami. To dlatego obraz na początku nie pokazywał niczego, co znajdowało się dalej niż kąciki oczu kobiety. Mężczyzna nie chciał ujawniać swojego morderczego urządzenia.

– Czy wiesz, co to jest? – zapytał głos, odnosząc się do dziwacznego przyrządu.

Erica nie odpowiedziała, nie zamrugała, nie drgnęła. W całym swoim życiu, nawet wówczas gdy jej mięśnie zesztywniały przed wejściem na cmentarz, nie zaznała tak ogromnego strachu. Czuła się teraz tak, jakby jej mózg został odłączony od reszty ciała.

– To jest moje własne dzieło. Nazwałem je... *zgniataczem czaszek*. Dobra nazwa, nie? – Zaśmiał się tym samym obrzydliwym, gardłowym śmiechem. – Myślę, że można to porównać do imadła przemysłowych rozmiarów... tylko że jest jeszcze lepsze.

– Proszę... proszę... proszę...

Tym razem pełne rozpaczy błagania wyszły z ust samej Gwen. Łkała tak gwałtownie, że całe jej ciało się trzęsło.

– Dlaczego mi to robisz? Dlaczego?

– Ciiiiiiiii... – Palec w rękawiczce znalazł się na jej wargach. – Nie wolno ci mówić, pamiętasz?

Doktor Barnes oddychała z trudem. Mogła to robić wyłącznie przez usta, ponieważ nos miała całkowicie zatkany.

– Podobno ludzka czaszka może wytrzymać nacisk do jednej tony, wiedziałaś o tym? – Demon ponownie zwrócił się do Eriki.

– Proszę... nie rób tego. – Łzy i strach podwyższyły jej głos o niemal całą oktawę.

– Muszę jednak przyznać, że znalazłem tę informację w internecie, więc to może być gówno warte – kontynuował, nie zważając na błagania, po czym zrobił dramatyczną pauzę. – Za to powiem ci, co z całą pewnością nie jest gówno warte: każdy obrót tą dźwignią zwiększa nacisk na czaszkę o jakieś dwieście dwadzieścia pięć kilogramów. Czy to nie jest piękne? Wyobrażasz sobie, co te zębate szczęki mogą zrobić z ludzką twarzą?

Gdy Gwen usłyszała te słowa, poczuła eksplozję paniki, która błyskawicznie dotarła do każdego atomu jej ciała. Kobieta nie miała pojęcia, że tak potężne uczucie może w ogóle istnieć. Zebrała wszystkie siły, jakie tylko jej pozostały, i spróbowała wyrwać głowę z imadła, ale demon przygwoździł jej czoło do podłoża swoją niebywale mocną ręką.

– To będzie... bardzo... bolało.

– Nieeeeeeeeeeeeee! – Wrzask, który wydostał się z gardła ofiary, tonął we łzach i ślinie.

Erica oglądała to wszystko na wpół sparaliżowana. Zdawało się, że nawet nie oddycha.

– Zabawmy się teraz. – Demon sięgnął po dźwignię zgniatacza czaszek i zrobił nią pełen obrót.

Żelazne szczęki, będące już w kontakcie z głową kobiety, zaczęły się zamykać. Gdy natarły z siłą ponad dwustu kilogramów nacisku, zębate krawędzie rozdarły skórę. Niewyobrażalny ból unieruchomił jej oczy, powiększone do takich rozmiarów, jakby zaraz miały wystrzelić z oczodołów. Krzyk zamarł jej w gardle, gdy całe powietrze z niej uleciało. Jej szeroko otwarte usta zdawały się zablokowane, dolna warga dziwnie drgała. Cała reszta ciała zaczęła się szaleńczo szarpać i wyginać, niczym wąż, próbując uciec od niebezpieczeństwa.

– Iiiiiiiiiiiii... wracamy do gry. – Gdyby głos nie został cyfrowo przerobiony, mężczyzna brzmiałby jak prowadzący teleturniej.

Pozbawiony tlenu mózg zmusił Ericę do kolejnego wdechu. Gdy wciągnęła głęboko powietrze, o mało nie zemdlała.

– Rocznica śmierci twojej matki. Kiedy wypada? – zapytał ponownie, nie tracąc czasu.

Kobieta ledwie mogła zobaczyć ekran telefonu, wszystko zamazywały łzy. Spróbowała je wytrzeć ręką, ale nic to nie dało.

– Pięć...

– Ja... nie... wiem... – Rozdzierający serce szloch nie pozwalał jej na wymawianie pełnych zdań.

– Cztery...

– Ty... nie... rozumiesz...

– Trzy...

– Ja... jestem... chora...

– Dwa...

– To... blokuje... pamięć...

– Jeden...

– Oh, Gwen...

– Koniec czasu.

Dłoń demona ponownie złapała dźwignię.

– Nieeeee!

Kolejny pełen obrót.

Szczęki zaczęły się zaciskać. Tym razem, gdy tylko ruszyły, Erica usłyszała dziwny strzał. Zupełnie jak niecałe dziesięć minut wcześniej, gdy popcorn podgrzewał się w mikrofalówce. Główna różnica polegała na tym, że po nim nastąpił dźwięk, jakby coś zostało zgniecione.

Dziesiątki naczyń krwionośnych pękło pod białkami oczu Gwen, które momentalnie zmieniły kolor i stały się czerwone. Jej twarz straciła kształt w wyniku zmiażdżenia obu kości policzkowych.

Kolejny przytłumiony strzał.

Kości szczęki kobiety wyskoczyły z zawiasów, co wykrzywiło straszliwie usta, teraz pełne krwi.

– O mój Boże... – Erica nie mogła dłużej na to patrzeć, zamknęła oczy, po czym jej ciało wygięło się gwałtownie do przodu i zwymiotowała na stolik.

Na małym ekranie ciało doktor Barnes przestało już się miotać. Jej całkowicie przekrwione oczy drgnęły ostatni raz, a następnie życie z niej uleciało.

Już koniec. Nie było już Gwen.

– Przykro mi, Erico. Ty przegrałaś. Ja wygrałem.

Kobieta podniosła głowę. Żółć skapnęła jej z brody na podłogę, pomiędzy gołe stopy. Powoli ponownie spojrzała na komórkę. Twarz jej siostry stała się niemożliwa do rozpoznania, zmiażdżona pomiędzy dwiema potężnymi, metalowymi szczękami.

– Dlaczego? – Pytanie to wydostało się mimochodem, pomiędzy szlochami.

Demon nie odpowiedział, ale kamera zaczęła się znowu przemieszczać. Nagle pojawiła się najbardziej obrzydliwa twarz, jaką kiedykolwiek widziała. Mimowolnie odsunęła głowę do tyłu, ze strachu.

To nie była twarz. Tylko maska.

Z jakiegoś powodu, którego zapewne nigdy nie uda się wyjaśnić, jej mózg przeszedł w tryb automatyczny i Erica zareagowała w sposób, którego morderca nigdy by nie przewidział.

Siedemdziesiąt trzy

Gdy tylko Pan J dotarł do swojego samochodu, zadzwonił do Cal-drona.

– Brian, chcę, żebyś coś dla mnie sprawdził.

Po drugiej stronie nastąpiła dłuższa pauza.

– Kto mówi? Skąd masz ten numer?

Wówczas John przypomniał sobie, że nadal mówi z ciężkim, północnokalifornijskim akcentem, w dodatku o pół oktawy wyżej niż normalnie.

– To ja, Pan J. Nikt inny nie ma tego numeru, wiesz o tym.

– Aaa... przepraszam, przez chwilę brzmiałeś jak zupełnie inna osoba.

Żeby nie tracić czasu na zbędne wyjaśnienia, po prostu opowiedział mu o wszystkim, co znalazł w sypialni Michaela Williamsa. Dodatkowo przesłał mu zdjęcie poszukiwanego hydraulika, które zabrał z jego domu.

– Potrzebuję tego na już, rozumiesz, Brian?

– Tak. – Jego głos był pełen wahania. – Zrobię, co w mojej mocy.

Johnowi nie spodobała się ta odpowiedź.

– Co to znaczy?

– To znaczy, że zdobywanie danych o tej konkretnej sprawie może być problematyczne.

– Dlaczego?

– Ponieważ śledztwo prowadzi jednostka SO wydziału zabójstw. Nie spotkałem się nigdy z nimi, ale wszyscy wiedzą, że ci goście nie ufają absolutnie nikomu.

– Co w związku z tym?

– No cóż, ja jestem specem od IT, działam w cyberprzestrzeni. Mogę załatwić ci niemal każdą informację, o ile ona w tej właśnie przestrzeni istnieje. A problem z jednostką SO polega na tym, że *oni nie ufają nikomu.* Dopóki nie zamkną sprawy, jakieś dziewięćdziesiąt pięć procent rzeczy nie trafia do sieci. Cokolwiek znajdą, każdy ślad, protokół z przesłuchania, wszelkie dedukcje i hipotezy są wyłącznie na papierze, zamknięte w ich biurze albo jeszcze gorzej: tylko w ich głowach. Ci goście nie są jak normalni detektywi. Oni nawet nie są jak normalni ludzie.

Pan J przesunął kilka razy dłonią po ustach i brodzie.

– Dopóki ich śledztwo jest otwarte, w sieci znajdują się wyłącznie dokumenty wrzucone przez inne wydziały – kontynuował Brian – wyniki badań z laboratorium, raport z sekcji zwłok i tak dalej, rozumiesz, co mam na myśli?

– Tak.

– Jeśli szukają czegoś w internecie na swoich komputerach, dostaną wyniki jakiegoś badania albo ktoś im wyśle jakieś zdjęcie, to wtedy mogę to wszystko zebrać i dać tobie. Ale cokolwiek sami wydedukują z tych materiałów, pozostaje tylko u nich i do tego nie dam rady się dobrać.

Pomimo złych wieści mężczyzna się uśmiechnął. Detektyw Hunter wciąż go zaskakiwał.

– No dobra, w takim razie masz coś dla mnie?

– Tak. Ta Karen Ward, którą chciałeś sprawdzić, została zamordowana w środową noc, cztery dni temu.

Kolejna ofiara, pomyślał John. *Dlatego zapytał, czy ją znam – czy Cassandra ją znała. Próbował znaleźć coś, co by je łączyło.*

– Jak? Jaka była przyczyna zgonu?

– Przebicie płata skroniowego przez lewy oczodół.

– Co?

– Została dźgnięta w oko kawałkiem szkła tak długim, że dotarł do mózgu. Twarz miała całkowicie okaleczoną, zupełnie jakby przeleciała głową naprzód przez kilka zamkniętych okien. Przed chwilą wysłałem ci e-mailem oficjalny raport z sekcji, razem ze zdjęciami i dokumentacją o pani Ward. Ostrzegam, te fotografie są szokujące.

– OK. Coś jeszcze?

– Dzisiaj rozpoczęli sprawdzanie wyciągów Cassandry Jenkinson, jej męża i Karen.

Pan J myślał o tym przez chwilę. *Detektyw Hunter szuka tej wizyty domowej. Każdego sprzedawcy, który pojawił się w moim domu albo u pierwszej ofiary. Każde nazwisko, jakie znajdzie na jednej karcie, porówna z drugą. Sprytnie. Na jego nieszczęście Cassandra zapłaciła Williamsowi w gotówce.*

– Dobrze, Brian, będę potrzebował wyników tych poszukiwań. Cokolwiek znajdą, ja też chcę to mieć. Jasne?

– Oczywiście, będę to monitorował.

John zanotował coś sobie.

– To teraz zacznij od tego Michaela Williamsa. Zrób wszystko, co tylko trzeba, żeby znaleźć tego sukinsyna.

Rozmowa się zakończyła.

Telefon Pana J nie zadzwonił aż do 21.52.

Siedemdziesiąt cztery

Dojazd z Huntington Park do West Hollywood zajął Hunterowi pięćdziesiąt trzy minuty. Gdy zatrzymał się przed lokalem, o którym opowiadała mu Tracy – Next Door Lounge – zauważył ją na światłach, właśnie miała przejść na drugą stronę.

Wyglądała jeszcze atrakcyjniej, niż detektyw zapamiętał. Jasnorude włosy miała rozpuszczone, opadały w pięknych falach poniżej ramion. Grzywkę ponownie podwinęła i uniosła, tworząc dwa bardzo kształtne loki w stylu pin-up. Włożyła czarne dżinsy, biały T-shirt pod krótką skórzaną kurtkę, czarne buty Mary Jane i te same staromodne okulary w oprawkach w kształcie kocich oczu. Delikatny makijaż sprawiał, że wyglądała jak modelka pin-up.

– Przyszłaś tu na piechotę? – zapytał Robert, kiedy spotkali się przy drzwiach wejściowych.

– Mówiłam, mieszkam niedaleko stąd. – Wskazała palcem na zachód. – Jakieś piętnaście minut spacerkiem.

– To ładna okolica – skomentował.

– Potrafi taka być.

– Wejdziemy? – spytał, otwierając przed nią drzwi.

Wnętrze baru wyglądało jak z filmu o czasach prohibicji. Miało w sobie szyk i coś zakazanego, oraz tajemnicę lat dwudziestych, ze swymi błyszczącymi podłogami, skórzanymi fotelami chesterfield i małą sceną, na której stał staromodny fortepian, żeby rozmaici artyści mogli grać klasyczne kawałki jazzowe i ragtime. Nawet w powietrzu dało się wyczuć delikatny zapach, który kojarzył się z przeszłością.

W ten niedzielny wieczór nie było zbyt tłoczno, co bardzo odpowiadało Hunterowi.

– Wolisz usiąść przy barze czy przy stoliku?

– Obojętnie. Ty wybierz.

– W takim razie stolik – oznajmił pewnie, po czym wskazał dwa wysokie czarne fotele stojące przy ceglanej ścianie. Gdy usiedli, podeszła kelnerka i położyła dwie karty menu.

– Jesteś fanem whisky, czyż nie?

– Szkockiej, single malt. Ale wiesz co? Dzisiaj chyba mam ochotę na coś innego.

– Naprawdę?

– Tak. Może wezmę koktajl? Czemu nie.

Tracy odpowiedziała mu uśmiechem, który trudno było rozszyfrować.

– Jesteś zatem w dobrych rękach. Tutaj robią naprawdę świetne drinki. – Zrobiła przerwę i przeszyła Huntera poważnym spojrzeniem. – Ale zanim cokolwiek zamówimy. – Wyjęła mu kartę z ręki. – Zanim zadzwoni twój telefon i będziesz musiał stąd wybiec, jak zwykle, potrzebuję odpowiedzi.

Detektyw rozparł się w fotelu, skrzyżował nogi i położył dłonie na kolanach.

– Jakich odpowiedzi?

– Nie udawaj głupiego. To nie pasuje do ciebie – odparła, potrząsając głową.

– Chodzi ci o to, skąd wiedziałem, że wykładasz psychologię?

– Zgadza się. Skąd to wiedziałeś? I jakim cudem rozgryzłeś to tak szybko? Jak już mówiłam ostatnim razem, nie wyczytałeś tego z książek, które miałam wtedy przy sobie, bo żadna z nich nie była na ten temat. A więc?

– Wydaje mi się, że już odpowiedziałem na te pytania, czyż nie?

– Ha, ha – zaśmiała się. – Powiedziałeś wtedy: „To zwykła obserwacja".

Pokiwał głową.

– Tak, zgadza się.

– W takim razie słucham. Co takiego zaobserwowałeś? Bardzo proszę, możesz śmiało posłużyć się konkretami.

Robert patrzył na nią przez chwilę, zanim zaczął mówić.

– W porządku. Widziałem cię kilka razy wcześniej na UCLA.

– Tak, ja również cię zauważyłam. Zawsze w nocy. Zawsze w całodobowej czytelni. Jednak mimo wszystko nie udało mi się domyślić, że pracujesz jako detektyw w policji LA. I pozwól, że dodam, iż nigdy nie miałam przy sobie żadnych książek o psychologii. Przygotowuję swoje wykłady po południu albo wcześnie wieczorem, nigdy tak późno w nocy. I nie robię tego w bibliotece, tylko w domu. Zatem jestem pewna, że to nie literatura mnie wydała.

– Nie *twoja* literatura.

Tracy wyglądała na zaskoczoną.

– Chyba nie rozumiem.

– W czytelni zawsze siadasz sama, podczas gdy przy pozostałych stolikach studenci siedzą w grupach. W publicznych bibliotekach siedzenie samotnie jest normalne, w uniwersyteckiej już nie.

– UCLA to ogromna uczelnia, studiuje tu ponad czterdzieści tysięcy osób. Ponadto ty również siadasz sam.

– To prawda. I tutaj właśnie wkracza druga obserwacja.

Kobieta była zaintrygowana.

– Przyznam, że za pierwszym razem jak cię zobaczyłem, myślałem, że jesteś studentką. Jednak kilka minut później grupka trzech czy czterech młodych ludzi przeszła koło twojego stolika, powiedziała „cześć" i poszła dalej. Nie spytali, czy chcesz do nich dołączyć ani czy oni mogą dołączyć do ciebie. To oznacza, że cię znali, ale nie jako koleżankę.

Tracy zaczęła rozumieć jego tok myślenia.

– Tej nocy, gdy się spotkaliśmy przy automacie do kawy, wydarzyło się coś podobnego – ciągnął Hunter. – Ale tym razem jedna studentka pokazała ci coś w swoim podręczniku. Spojrzałaś na to, uśmiechnęłaś się i pokiwałaś głową. To było nauczycielskie potwierdzenie, jakbyś chciała powiedzieć „tak, zgadza się".

Kobieta poczuła się, jakby ktoś rzucił światło na jakiś mroczny sekret.

– A książka, którą mi pokazała, traktowała o psychologii.

– Psychologii sądowej – doprecyzował Robert.

Uśmiechnęła się.

– Rzeczywiście, to moja specjalność. Dlatego właśnie tak mnie zaintrygowały twoje umiejętności obserwacji i dedukcji. – Przerwała i spojrzała na niego w szczególny sposób. – Dzięki, że wreszcie mi to wyjaśniłeś.

– Już jestem wolny? – spytał, wyciągając rękę. – Możemy coś zamówić?

Oddała mu kartę drinków.

– Tak, myślę, że to dobry pomysł.

Detektyw nie odszedł zbyt daleko od swoich upodobań i zamówił koktajl na bazie szkockiej whisky. Jego towarzyszka wybrała drink z rumem.

– Myślę, że w takim razie teraz ja powinnam się do czegoś przyznać – oznajmiła Tracy, gdy kelnerka odeszła od ich stolika. – Sprawdziłam cię trochę.

– Tak?

– Byłam zaintrygowana. Chciałam się przynajmniej dowiedzieć, w jakim wydziale pracujesz.

– I jak tego dokonałaś?

Wzruszyła ramionami.

– Mam kilku przyjaciół na wysokich stołkach w policji.

Robert się zaśmiał.

– Jednostka ds. Przestępstw Szczególnie Okrutnych. – Powiedziała to w taki sposób, że nie do końca dało się określić, czy to pytanie, czy stwierdzenie. Zatem mężczyzna nie odpowiedział.

– Musisz kiedyś przyjść i porozmawiać z moimi uczniami.

– Nie jestem nauczycielem.

– Nie musisz być.

Kelnerka przyniosła ich drinki i przez kolejne piętnaście minut rozmawiali i śmiali się z różnych rzeczy niezwiązanych z pracą. Już mieli zamówić drugą kolejkę, kiedy telefon Roberta zadzwonił.

Tracy patrzyła na niego ogłupiała, nie potrafiła powstrzymać pełnego niedowierzania uśmiechu. To niemożliwe, żeby kolejny raz tak się kończyło ich spotkanie.

Detektyw odebrał i przez chwilę słuchał w milczeniu.

– Już jadę – rzucił do słuchawki i napotkał jej spojrzenie. Wyrażało znacznie więcej, niż mogłyby słowa.

– Bardzo przepraszam – powiedział, wstając.

Ona również się podniosła i pocałowała go w usta.

– Zadzwoń do mnie, dobrze?

Siedemdziesiąt pięć

Garcia właśnie dojechał pod wskazany adres, gdy zobaczył auto Huntera na horyzoncie. Poczekał, aż partner zaparkuje, a następnie spotkali się przy taśmie policyjnej.

– Ten koleś próbuje pobić jakiś rekord czy co? – powiedział zamiast przywitania i podniósł żółtą taśmę, żeby przyjaciel mógł pod nią przejść. – Trzy ofiary w pięć dni?

Złość detektywa nie była skierowana na same działania mordercy. Bardziej na to, że oni nie potrafili w żaden sposób się do niego zbliżyć. Robert doskonale to rozumiał, ponieważ czuł to samo. Policja ledwie znalazła jakiekolwiek ślady warte zbadania, tymczasem przestępca dokonywał zbrodni z prędkością światła.

Nagle Carlos się zatrzymał i zmarszczył brwi, patrząc na kolegę.

– Co? – zapytał Robert.

– Czy ty masz czerwoną szminkę na ustach?

– Co? – powtórzył Hunter, a następnie wytarł wargi wierzchem dłoni. Został na niej czerwony ślad.

– To jest szminka. – Detektyw rzucił mu znaczący uśmiech. – Byłeś na randce? – Zaskoczenie w jego głosie było prawdziwe. – Nic mi nie mówiłeś.

– To nie do końca randka. – Sięgnął po chusteczkę i wyczyścił usta, a następnie szybko zmienił temat. – Dobra, co wiemy o najświeższej ofierze?

– Nazywała się Gwen Barnes – przeczytał z telefonu komórkowego. – *Doktor* Gwen Barnes. Trzydzieści osiem lat. Urodzona i wychowana w Los Angeles, w Hawthorne.

– Mężatka?

– Rozwódka. Bezdzietna. Były mąż, Kevin Malloy, mieszka w Pomona. Nie wiemy o nim na razie zbyt wiele.

– Jak długo byli razem?

– Hmmm... – Garcia przesuwał tekst w poszukiwaniu informacji. – Cztery i pół roku. Rozwiedli się niewiele ponad dwa lata temu. Prowadziła niedużą praktykę psychoterapeutyczną w centrum, na West Ninth Street.

– Od jak dawna tutaj mieszkała?

– Praktycznie od czasu rozwodu. – Detektyw skrzywił się i wzruszył ramionami. – To tyle. Obecnie nic więcej o niej nie wiemy. Dział operacyjny nie zdążył jeszcze dobrze poszukać. Do jutra po południu będziemy mieli bardziej szczegółowe dane.

– Do kogo morderca zadzwonił?

– Do jej siostry. Nazywa się Erica Barnes.

– Też mieszka w LA?

– Nie, ale niedaleko. W Carson.

– Wy jesteście z jednostki SO? – zapytał stojący obok sierżant. Miał trochę poniżej sto osiemdziesiąt centymetrów wzrostu, kościste barki i chude ręce. Ciemne włosy obciął krótko i starannie. Oczy, również ciemne, miały kształt migdałów.

– Tak, to my – odpowiedział Garcia i pokazał odznakę.

Hunter poszedł w jego ślady.

– Ja jestem sierżant Prado z jednostki Wilshire. – Mówił z lekkim akcentem z Puerto Rico.

Wymienili uściski dłoni i ruszyli razem w kierunku parterowego domu o zielonym froncie, usytuowanego na końcu ulicy.

– Dwaj moi ludzie dotarli tutaj jako pierwsi – oznajmił mężczyzna i wskazał na młodych bladych policjantów stojących przy radiowozie. – Powiem wam, że to nie jest najspokojniejsza okolica, mamy tutaj co nieco brutalnych morderstw, ale ktoś załatwił tę biedną kobietę w sposób, jakiego jeszcze w życiu nie widziałem. Zakładam, że słyszeliście o tym szalonym telefonie pod dziewięć-jeden-jeden? Morderca zadzwonił do siostry ofiary i kazał jej oglądać wszystko na telefonie. To chyba nawet dla was jest zbyt chore, nie?

Gdy dotarli do werandy, zza zakrętu w górze ulicy wyjechały dwa samochody telewizyjne.

– Szakale już są – rzucił sierżant, kiwając głową w stronę pojazdów.

Brian Caldron nie kłamał, kiedy powiedział Panu J, że detektywi jednostki SO nie ufają nikomu, jeśli chodzi o ich dochodzenia. Media płaciły ludziom w policji za informacje. A płaciły dobrze. To główny powód, dla którego wszystko trzymali na papierze i nie umieszczali w systemie przed zamknięciem sprawy. Nic tak nie podnosiło sprzedaży lub oglądalności, jak informacje o seryjnych mordercach, nawet kryminalne historie dotyczące celebrytów z Hollywood. Jednak po odnalezieniu trzeciej ofiary utrzymanie śledztwa w tajemnicy stało się po prostu niemożliwe, mimo najszczerszych chęci. Teraz to była już tylko kwestia czasu. Najlepsze, na co mogli liczyć, to kontrolowanie tego tematu w mediach. Biuro prasowe policji zapewne niebawem wygłosi oświadczenie. Najważniejsze obecnie było utrzymanie szczegółów sprawy w tajemnicy.

– Poza tobą i pierwszą dwójką policjantów kto jeszcze wszedł na miejsce zbrodni? – zapytał Hunter.

– Technicy. Nikt więcej.

– A kto jeszcze wie o telefonie pod dziewięć-jeden-jeden?

– Nikt, poza mną. Szczegóły nie zostały podane dalej przez dyspozytora.

Robert zmierzył sierżanta poważnym spojrzeniem, ale zanim zdążył coś powiedzieć, Prado pokiwał głową i uniósł dłonie.

– Tak, tak, detektywie, ani słowa do prasy. Znam procedurę. To nie jest mój pierwszy raz.

Podeszli do drzwi wejściowych, technik podał im pakunki, w których znajdowały się kombinezony ochronne. Obaj mężczyźni ubrali się w całkowitym milczeniu, podpisali protokół i weszli do środka.

Siedemdziesiąt sześć

Gdy drzwi zamknęły się za nimi, doktor Susan Slater, stojąca na drugim końcu salonu, odwróciła się w ich stronę. Kawałek za nią fotograf – ten sam co na dwóch poprzednich miejscach zbrodni – robił czemuś zdjęcia. Detektywi nie widzieli, co to było. Dwóch kolejnych techników zbierało odciski palców po przeciwnych stronach pomieszczenia.

– Panowie – powiedziała na powitanie Susan, pochylając delikatnie głowę. Mówiła cicho i z przygnębieniem. – Podejdźcie bliżej. – Przywołała ich ruchem dłoni, następnie dała znak fotografowi, żeby zrobił sobie przerwę.

Podobnie jak wcześniej, nic nie wydawało się poprzestawiane ani zdemolowane. Jeśli doszło do szarpaniny między mordercą a ofiarą, w pomieszczeniu nic na to nie wskazywało.

– Tym razem nie potrzebował krzesła – oznajmiła kobieta, a następnie przesunęła się w lewo, żeby obaj mężczyźni mogli zobaczyć fotografowany wcześniej obiekt.

Zamarli.

Ofiara leżała na stole, naga, rozkrzyżowana. Ręce miała szeroko rozłożone, przywiązane w nadgarstkach. Nylonowa linka została do czegoś przymocowana pod stołem. Nogi również były rozprostowane i związane kolejnym kawałkiem liny w kostkach. To wszystko jednak przyćmiewało groteskowe okaleczenie twarzy i czaszki kobiety.

Nie potrzebowali wyników sekcji, żeby stwierdzić, iż kilka kości zostało zmiażdżonych. Oczy, cały czas szeroko otwarte i pełne przerażenia, nabiegły krwią. Były nienaturalnie wytrzeszczone, co z kolei oznaczało złamania w kościach policzkowych i oczodołowych. Żuchwa pękła w co najmniej trzech miejscach, przez co dziąsła zostały odsłonięte, a usta strasznie wykrzywione. Skóra na policzkach wraz z uszami została praktycznie zerwana, zostawiając okropną masę zaschniętej krwi i mięsa. Boki czaszki wklęsły, zupełnie jakby ktoś bardzo mocno uderzył ją z obu stron młotkiem.

– Miałeś rację, Robercie – przerwała ciszę Susan. – Morderca ponownie zmienił parę szczegółów tego, co pierwotnie uznawaliśmy za jego *modus operandi*.

Hunter i Garcia dołączyli do niej po lewej stronie stołu.

– Przynajmniej kilka z jego podpisów stało się teraz jasnych – ciągnęła. – Lubi rozbierać swoje ofiary i zawsze roztapia ich telefony w mikrofalówce.

– Tym razem też nie doszło do napaści seksualnej? – spytał Garcia.

– Jeszcze tego nie sprawdziłam. Krótko tutaj jesteśmy, poza tym będę musiała rozwiązać jej nogi. Czekałam na was, bo wiem, że wolicie obejrzeć zwłoki *in situ*. Nie widzę jednak żadnych siniaków na jej udach czy kroczu. – Wskazała omawiane miejsca. – Nie widać również żadnych zadrapań, duże szanse, że w ten sposób jej nie skrzywdził.

– To po co on je rozbiera? – Pytanie padło z ust fotografa stojącego po drugiej stronie stołu.

Spojrzenia wszystkich obecnych skierowały się na niego.

– Robert, Carlos, to jest Curtis Norton. Pewnie pamiętacie go z naszych poprzednich spotkań. Dołączył do mojego zespołu kilka miesięcy temu. Przeniósł się z Anaheim.

– Wybaczcie, że się wtrącam – powiedział nieco onieśmielony Norton. Miał około stu osiemdziesięciu centymetrów wzrostu, był barczysty, o kwadratowej szczęce i grubych brwiach, przez które wyglądał, jakby ciągle chodził smutny. – Jestem po prostu ciekawy. W Anaheim nie mieliśmy do czynienia z takimi sprawami. Ale jeśli morderca nie napastuje ofiar seksualnie, to dlaczego je rozbiera?

– Upokarza je – wyjaśnił Hunter, który przesunął się i studiował teraz dokładnie obrażenia głowy martwej kobiety. – Tę metodę wykorzystywano często w obozach koncentracyjnych w czasie drugiej wojny światowej. Obecnie nadal jest stosowana. To sprawia, że ofiara czuje się jeszcze bardziej bezradna. Bardziej bezbronna. Bardziej przerażona.

– Trudno mi sobie wyobrazić, żeby mogły czuć się jeszcze bardziej przerażone – skomentował fotograf.

– Sadyzm tego przestępcy jest równie wielki w aspekcie psychicznym, jak fizycznym. On nie tylko torturuje i zabija te kobiety. On miesza im w głowach. Karmi się ich strachem. Bawi się ich emocjami. Właśnie dlatego wcześniej dręczy je wiadomościami. Ale na tym nie koniec, wiemy, że chce również zabawić się kosztem bliskich ofiar.

– Ludzi, do których dzwoni – rzuciła doktor Slater.

Detektyw potwierdził w milczeniu, po czym zaczął przyglądać się powierzchni stołu.

Przez chwilę wydawało się, że Norton coś jeszcze powie albo o coś zapyta, ale w końcu po prostu się odsunął, żeby zrobić policjantom więcej miejsca.

– To jakieś szaleństwo – oznajmił Garcia, badając rany kobiety. – Co on jej zrobił? Wsadził głowę w imadło?

– To bardzo prawdopodobne – zgodziła się Susan. – Pęknięcia kości twarzy – wskazała na oczodoły, szczękę i policzki – nie mogły zostać spowodowane jakimś przedmiotem, ręką ani również poprzez uderzenie jej głową o jakąś twardą powierzchnię. Takim metodom towarzyszyłyby również rozcięcia, których tutaj nie widać. One zostały wywołane poprzez dodawanie setek kilogramów nacisku na jej czaszkę, aż w końcu doszło do złamań. Dlatego właśnie mamy takie obrażenia po bokach twarzy. Skóra została praktycznie zdarta. Szczęki, czy cokolwiek to było, prawdopodobnie miały zęby.

– Na stole nie ma zadrapań – skomentował Robert. – Żadnych śladów dookoła jej głowy. Zwyczajne, komercyjne imadło, które można kupić w dowolnym sklepie z narzędziami, zostawiłoby jakieś rysy, odciski... cokolwiek na powierzchni stołu, ale tutaj nic nie ma. Czegokolwiek użył, albo zrobił to sam, albo ktoś wykonał to na jego zamówienie.

Kątem oka detektyw zobaczył, że fotograf podrapał się w kark i odwrócił wzrok.

Nagle drzwi frontowe się otworzyły i do środka wszedł jakiś mężczyzna po czterdziestce. Ku zaskoczeniu wszystkich, nie miał na sobie obowiązkowego kombinezonu ochronnego. To oznaczało, że nie należał do ekipy doktor Slater. Jego krótkie włosy były nieuczesane. Oczami błądził po całym pomieszczeniu, aż w końcu natrafił na zwłoki na stole. Wszyscy widzieli na jego twarzy bezgraniczne osłupienie.

Hunter od razu się domyślił, że to ktoś, kto znał ofiarę. Nie miał natomiast pojęcia, jakim cudem przedostał się przez kordon policji na zewnątrz. Szybko ruszył w jego kierunku, blokując mu zarówno drogę, jak widok.

– Proszę pana, to jest miejsce zbrodni, nie może pan tu przebywać.

Mężczyzna nie zważał na jego słowa, odchylił się tylko, próbując spojrzeć mu ponad ramieniem. Robert również się przesunął.

– Czy słyszał pan, co powiedziałem? Kim pan jest?

Nieznajomy sięgnął po coś, co miał przypięte do paska: odznakę detektywa policji LA.

– Jestem detektyw Julian Webb z jednostki w Rampart.

W Los Angeles pracowało ponad dziesięć tysięcy policjantów i przeszło trzy tysiące pracowników cywilnych. To trzecia co do wielkości formacja w USA, tuż za policją w Nowym Jorku i Chicago. Dodatkowo z policją Los Angeles było powiązanych jeszcze ponad czterdzieści pięć różnych jednostek i agencji bezpieczeństwa publicznego, każda z nich miała własną hierarchię: funkcjonariuszy, detektywów, sierżantów i kapitanów. Wszystkie te formacje działały na obszarze 1590 kilometrów kwadratowych i pilnowały bezpieczeństwa przeszło trzech i pół miliona ludzi. Nic zatem dziwnego, że ani Hunter, ani Garcia nie spotkali się nigdy wcześniej z detektywem Webbem.

Policjanci z jednostki SO zmarszczyli brwi. Rampart obejmowało obszar Echo Park, Pico-Union i Westlake. Gwen Barnes mieszkała w Mid-City, które podlegało pod jurysdykcję komendy w Wilshire.

– Mid-City leży daleko od twojego terenu, detektywie. Jakim cudem dotarłeś tutaj tak szybko? Znałeś ofiarę?

Mężczyzna cały czas próbował spojrzeć mu ponad ramieniem. Hunter złapał z nim kontakt wzrokowy.

– Detektywie?

– Gwen i ja byliśmy dzisiaj na randce – odpowiedział w końcu. – Musiałem przerwać spotkanie, bo mnie wezwali, ale obiecałem jej, że wpadnę, jak już wszystko załatwię. To dlatego tutaj jestem. – Przeniósł spojrzenie na Carlosa, a następnie na doktor Slater. – To niemożliwe. Odwiozłem ją niecałe trzy godziny temu. Odprowadziłem pod same drzwi. Jak to się mogło stać? Powinienem jej posłuchać. Powinienem był jej uwierzyć.

Ostatnie słowa wprawiły wszystkich w osłupienie.

– Co pan ma na myśli? – spytał Robert.

Cisza.

– Detektywie? – Głos Huntera stał się rozkazujący. – Co pan ma na myśli, mówiąc: „Powinienem był jej posłuchać, powinienem był jej uwierzyć"?

Mężczyzna ponownie popatrzył mu w oczy.

– Wiadomość... bransoletka...

Nagle, zanim ktokolwiek zaczął dalej wypytywać Webba, wszyscy usłyszeli głośny kobiecy krzyk, który przybierał histeryczne tony. Dochodził z zewnątrz.

Robert natychmiast zrozumiał, co się dzieje.

– To siostra ofiary. – Ręką dał przyjacielowi sygnał, żeby zajął się nowo przybyłym detektywem, a sam ruszył biegiem w stronę wyjścia.

Siedemdziesiąt siedem

– Erica? – zawołał Hunter, ściągając kaptur kombinezonu ochronnego. – Erica Barnes?

Na trawniku przed domem właśnie toczyła się walka pomiędzy kobietą po trzydziestce i dwoma ciągnącymi ją policjantami. Jej długie ciemne włosy zostały spięte w potargany kok na czubku głowy. Brązowe oczy miała pełne łez, a niewielki, lekko zadarty nos zaczerwieniony od płaczu. Gdy usłyszała swoje nazwisko, wyrwała rękę z uścisku jednego z mundurowych i spojrzała na detektywa. Na jej twarzy widział mieszaninę desperacji i niesłychanego cierpienia.

– Puśćcie mnie! – krzyknęła na trzymających ją mężczyzn, starając się uwolnić również drugą rękę. – To moja siostra. – Jej głos przepełniał ból.

Robert dobiegł do nich w mgnieniu oka.

– Przepraszam – powiedział nieco zażenowany sierżant Prado. – Nie wiem, jak udało jej się przedostać przez taśmę policyjną.

– Nic się nie stało. – Hunter położył mu rękę na ramieniu i zdecydowanie, ale jednocześnie taktownie, odsunął go od kobiety. – Ja się tym zajmę.

Mężczyzna ją puścił. Drugi policjant poszedł za jego przykładem.

– Jesteś pewny?

– Oczywiście. – Głos detektywa jeszcze nigdy nie brzmiał tak zdecydowanie.

– Moja siostra... gdzie jest moja siostra? – załkała Erica, próbując dostrzec coś za stojącym przed nią mężczyzną.

Położył jej ręce na barkach i delikatnie przytrzymał.

– Nazywam się Robert Hunter, jestem detektywem policji Los Angeles – powiedział cicho i spokojnie.

Kobieta wywinęła się z jego uścisku i spróbowała się przepchnąć obok.

– Gwen... gdzie ona jest?

Zastąpił jej ponownie drogę i spojrzał prosto w oczy. Delikatnie, ale bardzo znacząco pokręcił głową.

– Bardzo mi przykro.

– Nie... nie... nie... nie...

Z każdym kolejnym słowem uderzała go pięścią w pierś. Hunter trzymał ręce zwieszone wzdłuż boków, nie próbował się bronić, zamiast tego pozwolił jej wyładować emocje na sobie. Gdy zabrakło jej sił, objął ją i przytulił jej głowę do swojego ramienia, następnie obrócił się razem z nią, żeby nie musiała patrzeć na dom siostry. Z początku próbowała się wyrwać, ale po chwili po prostu zatonęła w jego uścisku.

– To nie może być prawda. Nie może. – Wybuchnęła kolejną falą łez.

Robert przytulał ją przez pełną minutę.

– Erica? Czy mogę mówić pani po imieniu?

Odsunęła się od niego i zaczęła wycierać mokry nos dłonią.

Rozpiął kombinezon i wyciągnął z kieszeni paczkę chusteczek, które zawsze przy sobie nosił.

– Proszę.

Zawahała się przez moment, ale potem wzięła chusteczkę i wydmuchała nos.

– Dziękuję.

Mężczyzna wręczył jej całą paczkę.

– Proszę je zatrzymać. Mam zapas w samochodzie.

Pani Barnes wyglądała na zagubioną, nie potrafiła skupić na niczym wzroku.

– Może pójdziemy gdzieś usiąść? – Robert kiwnął głową w kierunku drogi.

Poprowadził ją w stronę swojego samochodu. Kiedy mijali jednego z policjantów, poprosił go o przyniesienie szklanki wody z cukrem.

Usiedli w buicku detektywa i milczeli przez kilka długich minut. Erica nie mogła przestać trząść się i płakać. Detektyw cierpliwie czekał. Wiedział doskonale, że nie zdoła powiedzieć niczego, co uśmierzyłoby jej ból. Czasami cisza to najlepsza forma konwersacji.

Mundurowy w końcu przyszedł z wodą.

– Proszę, napij się. Poczujesz się lepiej, obiecuję.

Wypiła prawie pełną szklankę w zaledwie kilku dużych łykach.

– Nie rozumiem – zaczęła, spoglądając na Huntera. Jej głos w dalszym ciągu kipiał od emocji, ale już w nieco mniejszym stopniu. – Jakim cudem ten telefon mógł być prawdziwy? Ten potwór rzeczywiście istnieje?

– Czy mogłabyś mi opowiedzieć, co się stało? Opisać tego potwora?

Dopiła wodę.

– Nie wiem. Nie wiem, co powiedzieć. Nie mam pojęcia, co jest prawdą, a co fikcją.

Mężczyzna milczał, pozwolił jej narzucić tempo.

– Byłam w domu, sama. Robiłam sobie popcorn...

Przez kolejne dwadzieścia minut przekazała mu wszystko, co podsunęła jej pamięć. Gdy doszła do momentu pytań i swojej fobii cmentarnej, ponownie owładnęła nią panika.

Robert poprosił policjanta o napełnienie szklanki po raz drugi.

Erica potrzebowała pięciu minut, żeby dojść do siebie.

Wtedy opowiedziała, co zrobiła.

Siedemdziesiąt osiem

Gdy Hunter wybiegł z domu, Webb mógł w końcu skupić swoją uwagę na ciele Gwen leżącym na stole. Wiedział, że to ona, jednak jej twarz została do tego stopnia zmiażdżona, że straciła swoje rysy.

– To nie może być prawda – powiedział ponownie.

– Detektywie – odezwała się tym razem rozkazującym tonem doktor Slater.

Mężczyzna zamrugał, zanim spojrzał jej w oczy.

– Nie może pan zanieczyszczać miejsca zbrodni, rozumie mnie pan? – Wzięła głęboki wdech, po czym jej głos nieco złagodniał. – Strasznie panu współczuję. Naprawdę. Nikt nie powinien dowiedzieć się w ten sposób o śmierci ukochanej osoby, przyjaciela czy kogokolwiek innego, ale pan jest detektywem. Powinien pan mieć dość rozsądku, żeby nie wchodzić ot tak na miejsce zbrodni, bez przygotowania i kombinezonu ochronnego. Nie może pan tu być. Naraża pan nie tylko te oględziny, ale w ogóle całe to śledztwo.

– Webb, może wyjdziemy stąd i pozwolimy technikom pracować w spokoju? – wtrącił się Garcia i podszedł bliżej. Następnie wskazał drzwi. – Mają tutaj jeszcze mnóstwo roboty. Może w międzyczasie opowiesz mi więcej o Gwen Barnes? Potrzebujemy każdej informacji. Także o tej wiadomości i bransoletce, o których wspomniałeś.

Zawodowy profesjonalizm w końcu wziął górę.

– Oczywiście, przepraszam. Zadziałałem zbyt impulsywnie.

– Zachował się pan po ludzku – odparł drugi policjant przyjacielskim i wyrozumiałym tonem. – Wszyscy jesteśmy tylko ludźmi.

Mężczyzna po raz ostatni spojrzał na ciało ofiary, a potem wyszedł na zewnątrz. Za drzwiami Carlos rozpiął kombinezon i wyjął z niego ręce, pozwalając mu luźno wisieć na wysokości talii. Gdy dotarli do końca domu, Webb wyciągnął notes, zapisał coś, a następnie wręczył drugiemu detektywowi wyrwaną kartkę.

– Co to jest?

– Nazwisko i numer odznaki mojego partnera. To z nim pojechałem się spotkać, gdy odwiozłem tutaj Gwen. – Ponownie sięgnął do kieszeni, tym razem po paczkę papierosów. Wsadził jednego do ust, a następnie poczęstował Garcię, który odmówił. Zapalił i zaciągnął się głęboko. – Nie musisz wciskać mi kitu, detektywie...?

– Garcia. Ale możesz mi mówić Carlos.

– Zatem nie musisz wciskać mi kitu, detektywie Garcia. Wiem, jak to działa. Jestem ostatnią osobą, która widziała ją żywą. Byłem z nią na randce w noc morderstwa i to ja odwiozłem ją do domu. Mówiąc krótko: obecnie jestem jedyną osobą na liście podejrzanych. – Ponownie głęboko zaciągnął się papierosem.

Carlos przyjrzał się swojemu rozmówcy. Pasował do podstawowego opisu zamaskowanego mordercy: wysoki, szerokie ramiona. Jednak, prawdę mówiąc, połowa mężczyzn w Los Angeles spełniała te kryteria.

– Nasze śledztwo jest o wiele głębsze niż to morderstwo.

Webb spojrzał na niego i powoli przetrawiał usłyszane słowa. W końcu uniósł wysoko brwi.

– On zabił już wcześniej. – Nie było do końca wiadomo, czy to pytanie, czy stwierdzenie.

Drugi detektyw nie skomentował tych słów.

– Może w takim razie opowiesz mi o tej bransoletce i wiadomości?

Siedemdziesiąt dziewięć

Pan J porwał telefon z blatu ułamek sekundy po pierwszym sygnale.

– Ni cholery się nie śpieszyłeś, Brian. – Nie próbował nawet ukryć irytacji.

– Przepraszam. – Dla odmiany w głosie drugiego mężczyzny dało się słyszeć zmęczenie. – Wybrałeś sobie śliskiego sukinsyna. Znalezienie jakichkolwiek informacji na jego temat nie było łatwe, ale mi się poszczęściło. *Dwukrotnie.*

– Co znalazłeś?

– Dobrze przypuszczałeś, że Michael Williams to nie jego prawdziwe dane. Jednak nie wybrał ich przypadkowo.

– Zamieniam się w słuch.

– Na terenie USA żyje ponad pół miliona Michaelów Williamsów. Około pięciuset pięćdziesięciu w Los Angeles. To wystarczająco popularne nazwisko, żeby „pozwolić mu uciec", ale...

– Zaczekaj – przerwał mu John. – Co, do cholery, chcesz powiedzieć przez „pozwolić mu uciec"?

– Sorry, to takie nasze wewnętrzne określenie. To znaczy, że mając wyłącznie imię i nazwisko, przy grupie około pięciuset pięćdziesięciu mężczyzn znalezienie właściwego zajęłoby dowolnej agencji: FBI, policji, biuru szeryfa itd. całe dnie albo i tygodnie, jeśli w ogóle by się powiodło. W tym czasie spokojnie zdążyłby zniknąć... uciec.

– W porządku. Czyli mówiłeś, że to wystarczająco popularne nazwisko, żeby pozwolić mu uciec, ale...?

– Ale niewystarczająco popularne, żeby wzbudzić podejrzenia przy składaniu wniosku o lewe papiery. – Brian uznał, że wyjaśni to dokładniej. – Niektóre połączenia imion i nazwisk są specjalnie „oznaczone" przez władze, bo są zbyt pospolite: John lub James

Smith, Robert Jones, zasadniczo wszystkie, które dają ponad milion wyników. Z oczywistych powodów przestępcy najchętniej po nie sięgają, gdy próbują stworzyć sobie nową tożsamość.

– Dobra, a wracając do naszego Michaela Williamsa? – popędził go rozmówca.

– Jak już mówiłem, poszczęściło mi się dwa razy. Po pierwsze, gdybyś mi nie wysłał jego zdjęcia, to nie prowadzilibyśmy tej rozmowy. Nie teraz, a być może nawet nigdy. Dzięki niemu jednak udało mi się zrobić analizę porównawczą z naszymi bazami danych i właśnie tutaj znowu miałem fart.

– Jest notowany.

– Przesiedział cztery lata za gwałt. Dość brutalna sprawa.

Pan J zamknął oczy, próbując zachować spokój, jednak już czuł, jak krew zaczyna mu wrzeć w żyłach. W domu Williamsa, w walizce wyciągniętej spod łóżka znalazł kolekcję damskiej bielizny. Majtek, mówiąc dokładniej. Rozmiary wahały się między trzydzieści osiem a czterdzieści cztery. On nie był tylko seksualnym drapieżcą – był również zbieraczem trofeów. Właśnie to zrozumiał. Cassandra została rozebrana do naga, ale jej ubrania nie odnaleziono.

– Więc kim on, do kurwy nędzy, naprawdę jest?

– Rzeczywiście nazywa się Cory Russo. Zaraz prześlę ci jego kartotekę. To kanalia, bez dwóch zdań. Ale całkiem sprytna kanalia.

– Dlaczego?

– Kiedy siedział, zdobył trzy dyplomy: z hydrauliki, mechaniki i zabezpieczeń internetowych.

– Ta, ale to go nie uratuje. Masz jego adres?

– Tu właśnie jest problem. Nie używał prawdziwego nazwiska od trzech lat, czyli od wyjścia z paki. Nigdzie nie jest zameldowany ani zarejestrowany. Na fałszywe dane mam jedynie ten adres, który sam mi podałeś, oraz adres jego firmy.

Pan J wiedział, że ten facet nie wróci już nigdy do żadnego z tych miejsc. Wierzył, że policja jest na jego tropie, a gliniarze na pewno obserwowaliby je teraz dokładnie.

– Kimkolwiek jest ten gość, ukrywa się – powiedział John. – A ja chcę, żebyś go znalazł, Brian. Chcę, żebyś go znalazł teraz.

Osiemdziesiąt

– Udało jej się zrobić zdjęcie mordercy? – Ton głosu Garcii wyrażał równie silne zdumienie co jego mina. – Ale jak?

– Nie, nie zdjęcie, tylko zrzut z ekranu na sam koniec połączenia – wyjaśnił Hunter i podał przyjacielowi komórkę. Na jej wyświetlaczu była widoczna zamaskowana postać.

Erica dalej siedziała w samochodzie detektywa, zaledwie kilka metrów od nich. Oczy miała czerwone i napuchnięte, skóra wokół nich stała się szorstka od łez.

– Ona pracuje jako grafik w firmie, która zajmuje się tworzeniem aplikacji na urządzenia mobilne. Robienie takich zrzutów z telefonu to coś, co wykonuje dziesiątki razy dziennie. To część jej pracy.

– Więc jej mózg jest na to zaprogramowany – skomentował Carlos.

– Właśnie. Zrobiła to odruchowo. Nie zdawała sobie nawet z tego sprawy, dopóki nie skończyła rozmawiać z dyspozytorem policyjnym.

Detektyw spojrzał na kobietę w samochodzie, po czym znowu skupił uwagę na groteskowej masce na wyświetlaczu.

Od poprzednich świadków usłyszał już dość, żeby wiedzieć, czego się spodziewać: deformacji, czerwonych oczu, pociętych ust, usmarowanych krwią zębów, guzowatej, poparzonej skóry, odciętego nosa... Policyjny rysownik wykonał bardzo rzeczywisty portret, mimo to patrzenie na prawdziwą maskę wywoływało mdłości.

– Tylko to udało jej się uchwycić? – zapytał Huntera.

– Nie. – Spojrzenie mężczyzny stwardniało. – Złapała jeszcze coś, mniej więcej w połowie rozmowy z mordercą. Przesuń do tyłu.

Gdy mężczyzna wykonał polecenie, poczuł, jakby jego serce stanęło.

Na tym ujęciu Gwen Barnes jeszcze żyła, ale białka jej oczu nabiegły już krwią, większa część kości jej twarzy już popękała, nienaturalnie wykrzywiając rysy. Śmierć już wyciągnęła po nią swoje straszne łapska. Pozostał tylko jeden obrót dźwigni.

Carlos przyglądał się temu obrazowi przez długi czas.

– Miałeś rację – powiedział w końcu, pocierając knykciem skórę pomiędzy brwiami. Głos miał poważny. – To urządzenie przypominające imadło wygląda na ręczną robotę. Nie kupił go w żadnym sklepie z narzędziami. Sam je wykonał.

– Tak samo jak maskę – zgodził się drugi detektyw, patrząc na kolejny samochód telewizyjny zatrzymujący się na ulicy.

– A co z nią? – Garcia kiwnął głową w kierunku kobiety w samochodzie, po czym oddał koledze telefon.

– Nie możemy dodzwonić się do jej chłopaka, żeby ją odebrał, więc ja ją odwiozę do domu.

– A co potem?

– A potem zabiorę te obrazy do Dennisa Baxtera z cyberprzestępstw. Jeśli trzeba będzie, to obejrzymy je piksel po pikselu.

– Po co? – Słychać było, że partner jest szczerze zaintrygowany. – Przecież nic w nich nie ma do znalezienia.

Robert spojrzał na telefon, a potem na Ericę Barnes.

– Tego jeszcze nie wiemy. – W jego tonie brakowało pewności siebie.

– Owszem, wiemy – skontrował drugi detektyw. – Ten morderca jest zbyt sprytny, nie zaprzeczysz. Zabija swoje ofiary w ich własnych domach, więc z tła nie wyciągniesz niczego, żeby ustalić miejsce zbrodni, bo doskonale je znamy.

Hunter milczał.

Przyjaciel wskazał na telefon w jego dłoni.

– Ten salon... stół... – Machnął ręką w kierunku domu Gwen. – Oba znajdują się tam. Mamy wiedzę, gdzie doszło do tej makabry. Przestępca stworzył własnoręcznie tę maskę. Dodatkowo sam wykonał to mordercze urządzenie, zatem nic na tych obrazach nie da nam wskazówki, gdzie mógł się zaopatrywać. Do tego wszystkiego trzeba dodać, że wykorzystuje telefon swojej ofiary, żeby wykonać połączenie, więc nie mamy czego namierzać ani czego wysłuchać.

– Tak, wiem – przyznał Robert. Słychać było, że jest prawie pokonany. – Ale co innego mam zrobić?

– Idź do domu. Odpocznij. Przez ostatnie cztery dni prawie nie spałeś. Jutro rano do tego wrócimy. Potrzebujesz przerwy, choćby tylko na kilka godzin. Twój mózg tego potrzebuje. A my z kolei musimy mieć ciebie w pełni sprawnego. Zamęczanie samego siebie i szukanie wiatru w polu nic nam tutaj nie pomoże.

Mężczyzna wyglądał, jakby rozważał swoje możliwości.

– A co *ty* w tym czasie będziesz robił?

Carlos kiwnął głową w kierunku domu ofiary.

– Zostanę z ekipą, aż skończą. A potem pojadę do siebie i też odpocznę.

Hunter zauważył, że Erica znowu zaczyna wpadać w panikę.

– Idź już. Zawieź ją do domu, potem jedź do siebie i się prześpij. Ja tutaj ogarnę.

Robert patrzył, jak jego partner zapina kombinezon ochronny i wraca do pracy.

Osiemdziesiąt jeden

Była już 23.23, gdy telefon Pana J zadzwonił ponownie.

– Brian, powiedz, że masz coś dla mnie.

– Nie jestem całkiem pewny. – Zmęczenie w jego głosie stało się bardzo wyraźne. – Może to coś ważnego, a może zupełnie nic.

– Zaraz się dowiemy, opowiadaj.

Usłyszał w słuchawce głośne stukanie w klawiaturę.

– Zacząłem się zastanawiać po twoich wcześniejszych słowach. Cory Russo czy Michael Williams, ten koleś zapewne się ukrywa, prawda? A w USA nie da się ukrywać bez kasy.

– Oznaczyłeś w systemie jego karty kredytowe.

– Wszystko, co dotyczy obu tych nazwisk: karty, przelewy, wypłaty z konta i tak dalej. Zatem jeśli nie ukrył gdzieś gotówki, to nie da rady kupić gumy do żucia bez rozświetlenia mojego komputera jak choinki na święta.

– Coś się trafiło?

Brian westchnął ciężko.

– Tak, ale nie na jego kartach.

John się skrzywił.

– Co to, do cholery, ma znaczyć?

– Nie oznaczyłem tylko *jego* kont...

– Czyli rozszerzyłeś poszukiwania na jego rodzinę i znajomych – dokończył za niego.

– Taki miałem plan – przyznał informatyk. – Niestety z tego, co wiemy, ma tylko dwóch dalekich krewnych żyjących w Oregonie i żadnych przyjaciół. Ale wpadłem na coś innego.

– Na co?

– Trzy lata temu, kiedy Russo wyszedł na wolność, nie skorzystał z więziennego autobusu. Ktoś go odebrał.

Nad ustami Pana J zawisł cień uśmiechu.

– A ty wiesz, kto to był.

– Zgadza się. – W głosie drugiego mężczyzny pojawiła się nutka triumfu.

– No to dawaj.

– Toby Bishop. Mieszka w Monrovii w San Gabriel Valley, ale dopiero teraz zacznie się robić ciekawie. Jakieś dwadzieścia minut temu wyciągnął z konta dwa i pół tysiąca dolarów. Sprawdziłem jego wyciągi na dwa lata wstecz, nigdy nie podjął podobnej kwoty. Zatem albo zamierza kupić samochód o tej porze, albo...

– Masz jego adres?

– Powinien właśnie przyjść e-mailem.

John usłyszał sygnał ze swojego laptopa. Rozłączył się.

Osiemdziesiąt dwa

Hunter szczerze zamierzał przestrzegać zaleceń przyjaciela. Jak tylko odwiózł Ericę Barnes, planował pojechać do domu i się przespać, jednak dwa obrazy uchwycone przez nią na komórce nie dawały mu spokoju. Postanowił zatem zrobić mały objazd i udał się do swojego biura.

Przesłał sobie od niej te pliki, a potem usunął je z jej telefonu. Media definitywnie zwietrzyły już zapach krwi, gdyby więc dowiedziały się o istnieniu tych obrazów, zrobiłyby absolutnie wszystko, żeby położyć na nich łapy.

Gdy jego komputer w końcu się uruchomił, szybko znalazł e-mail i otworzył pierwszy załącznik przedstawiający maskę mordercy.

Co prawda wyglądała przerażająco i aż mdliło na jej widok, musiał przyznać, że to jednocześnie praktycznie dzieło sztuki utworzone z silikonu.

Cięcie biegnące od prawego kącika ust, przez policzek, aż do ucha wyglądało na zrobione w prawdziwym ciele zaledwie chwilę wcześniej. Robert niemalże spodziewał się ujrzeć wypływającą z niego krew. Ostre, umazane krwią zęby wyglądały na w połowie ludzkie, w połowie zwierzęce, ale w dalszym ciągu na bardzo rzeczywiste. Odsłonięta dolna kość żuchwy oraz nos zostały wykonane z niewiarygodną starannością, a oczy za czerwonymi szkłami kontaktowymi rzeczywiście pasowały do demo...

Jego serce zaczęło bić szaleńczo, całe ciało zalała taka fala adrenaliny, że aż zaczął się trząść. Wszystko dlatego, że właśnie to zobaczył.

Osiemdziesiąt trzy

Adres, który otrzymał od Briana Caldrona, znajdował się na obrzeżach Monrovii u stóp gór San Gabriel. Stroma ulica, wzdłuż której kalifornijskie dęby ocieniały chodniki, była całkowicie pusta, co odpowiadało Panu J. Zatrzymał się pod drzewem tuż przy początku ulicy i przez pięć minut wszystko obserwował. O tak późnej porze w prawie każdym domu zalegały ciemności, z wyjątkiem dwóch. Jeden z nich stanowił jego cel.

Naciągnął na głowę kaptur swojej czarnej kurtki, strzelił palcami, po czym ruszył w kierunku numeru 915. Posuwał się normalnym tempem: ani za szybko, ani za wolno. Jego czarne buty ze specjalną, nieskrzypiącą podeszwą nie wydawały żadnego dźwięku. Dłonie w rękawiczkach włożył do kieszeni, gdzie trzymał tę samą broń co wcześniej: sig sauera P226 legion i mały nóż myśliwski.

Gdy już podszedł pod dom, obejrzał się i sprawdził, czy ulica dalej jest równie wymarła. Usatysfakcjonowany skierował się w stronę drewnianych drzwi, prowadzących na tyły posesji. Zamek w nich był stary, a drewno niezbyt solidne. Jeden silny kop i wyleciałyby z zawiasami, ale Pan J chciał uniknąć hałasu. Zamiast tego poświęcił pięć sekund, aby przejść górą.

Podwórko za domem okazało się zwyczajnym prostokątem pokrytym trawą: żadnego basenu, ogródka, żadnych kwiatów, żadnego schowka na narzędzia, po prostu nic. Pan J po cichu przemknął do tylnej werandy, ominął okno kuchenne i przylgnął plecami do ściany, na lewo od drzwi. Nie świeciły się żadne światła, ani na zewnątrz, ani wewnątrz, zatem spowijała go całkowita ciemność. Na podłodze, tuż koło dwóch schodków, stała popielniczka, z której niemal wysypywały się pety i niedopałki jointów. Mężczyzna już miał nacisnąć klamkę, kiedy rozbłysło światło w kuchni. Natychmiast przylgnął z powrotem do ściany i czekał.

Usłyszał, jak drzwiczki lodówki zostały otwarte, a po chwili zamknięte.

Usłyszał odkręcaną nakrętkę.

Nagle otworzyły się drzwi od domu.

John czekał.

Światła się nie zapaliły.

To nie Cory Russo, ale również był wysoki i wystarczająco umięśniony, żeby móc okazać się trudnym przeciwnikiem w walce. Tylko że Pan J nie miał ochoty na bójkę. W dalszym ciągu otoczony przez cienie, wyciągnął z kieszeni pistolet z tłumikiem.

Nieznajomy podszedł do popielniczki i usiadł na krawędzi ganku. Śmierdział marihuaną. John jeszcze nigdy nie widział tak owłosionych rąk. Z kieszeni wyciągnął zwiniętego jointa, grubego jak palec wskazujący. Zapalił go i zaczął zaciągać się tak długo, jakby nigdy miał nie skończyć. Gdy wypuszczał dym, Pan J zrobił swój ruch.

Mężczyzna nawet go nie zauważył.

Nic nie usłyszał.

Właśnie miał upić łyk piwa, kiedy poczuł na karku lufę pistoletu.

– Zadam ci kilka pytań – wyszeptał mu do ucha John, spokojnie niczym ksiądz, jednak równie stanowczo, jak sierżant w czasie musztry. – Będziesz tylko kiwał albo kręcił głową. Zrobisz jakikolwiek inny ruch, a odstrzelę ci łeb, zrozumiałeś?

Mężczyzna kiwnął raz głową, dalej trzymając w dłoni jointa.

– Czy Russo jest w domu?

Nieznajomy się zawahał.

John odbezpieczył pistolet.

– Czy Russo jest w domu?

Jedno kiwnięcie.

– Jest sam?

Jedno kiwnięcie.

– Jest na nogach?

Jedno kiwnięcie.

– Jest w salonie?

Kręcenie głową.
– W sypialni.
Kręcenie głową.
– W łazience?
Jedno kiwnięcie.

Pan J się uśmiechnął. Nic prostszego od zakradnięcia się do kogoś, kto siedzi w toalecie.

– Dziękuję i dobranoc.

Zanim mężczyzna zdążył choćby zmarszczyć brwi, oberwał kolbą pistoletu w tył głowy. John robił to już tyle razy, że doskonale wiedział, gdzie trafić i jakiej siły użyć.

Z pełnym bólu „uhhh" ofiara padła naprzód, nieprzytomna.

John zgasił jointa, strzelił palcami i cichutko niczym szczur wśliznął się do środka.

Osiemdziesiąt cztery

Hunter zmrużył oczy, przyglądając się obrazowi na monitorze swojego komputera, po czym zamrugał raz, potem drugi i trzeci.

– Co to, do cholery, jest? – Wydawał się zmieszany, ale wyobraźnia nie płatała mu figla. Coś tam było. Coś w oczach mordercy, co wywołało lodowate dreszcze wzdłuż jego kręgosłupa. Wielu ludzi wierzy, że oczy są oknami duszy. Robert nie miał pewności, czy podzielał to przekonanie. Nie miał też pewności, czy ten morderca w ogóle ma duszę. Wierzył natomiast – a tak naprawdę wiedział z całkowitą pewnością – że ludzkie oczy mogą zdradzić bardzo wiele o charakterze człowieka. Mogły ujawnić jego tożsamość.

Pochylił się nad biurkiem i przysunął twarz na zaledwie kilka centymetrów od monitora.

– Czy to smuga? – rzucił pytanie do pustego pomieszczenia.

Cokolwiek to było, miało za mały rozmiar, żeby mógł potwierdzić swoje przypuszczenia.

Jego ręka wystrzeliła w kierunku myszki niczym rakieta. Kliknął dwa razy i powiększył obraz dziesięciokrotnie, aż na całym wyświetlaczu widział wyłącznie czerwone ślepia.

Zamrugał ponownie i poczuł, że żołądek podjeżdża mu do gardła.

To nie smuga.

– Niech mnie szlag!

Piksele stały się bardzo widoczne, czego można się było spodziewać przy takim powiększaniu, ale i tak nie musiał nawet zmieniać nasycenia kolorów. Nie musiał również dzwonić do Dennisa Baxtera ani wysyłać pliku do techników z IT, ponieważ widział to wyraźnie. W wewnętrznym kąciku lewego oka mordercy, pomiędzy kanałem łzowym a tęczówką, znajdował się mały, ale bardzo charakterystyczny skrzep w kształcie niemal idealnego, odwróconego serca.

Aby uzyskać pewność, że mu się to nie przywidziało, wybrał paletę filtrów w programie, którego używał. Nie mógł nazwać się ekspertem w tej dziedzinie, ale potrafił wygładzić rozmazany obraz. W niecałą minutę osiągnął efekt wykluczający pomyłkę.

Całkowicie pochłonięty, Hunter wpatrywał się w ten charakterystyczny punkt, który w naturalnej skali miałby nie więcej niż trzy milimetry.

Nie dlatego jednak jego serce waliło w piersi jak oszalałe, nie z tej przyczyny czuł w gardle dławiącą gulę. Te odczucia spowodował fakt, iż nie pierwszy raz spoglądał na taki kształt.

Już wcześniej widział te oczy.

Osiemdziesiąt pięć

Prawdopodobieństwo wystąpienia skrzepów o identycznym kształcie na twardówce u dwóch ludzi wynosiło jeden do sześćdziesięciu milionów. Hunter to sprawdził.

Odsunął krzesło od biurka, wstał, cofnął się o kilka kroków i spojrzał na monitor.

Czuł, jak nogi mu się trzęsą.

– Gdzie? Gdzie już to widziałem? No gdzie? – Próbował zmusić swój mózg do przypomnienia sobie tego, ale niestety nigdy nie był w stanie kontrolować takich procesów. Zawsze wyróżniał się wysoką spostrzegawczością, nawet jako dziecko. Jego oczy dostrzegały najmniejsze detale ludzi, przedmiotów, miejsc, obrazów, słowem wszystkiego. Jego umysł z obawy przed przeciążeniem automatycznie spychał wszystko, co uznał za zbędne informacje, do podświadomości. Wyciągnięcie ich stamtąd wcale nie należało do zabawnych zajęć. Całą sprawę utrudniało jeszcze to, że w ostatnich dniach, a nawet godzinach, widział niesamowicie dużo ludzi.

Gdy Dennis Baxter wysłał mu dane dwóch fałszywych tożsamości na portalach społecznościowych, spędził resztę dnia na przeglądaniu profili mnóstwa osób. Zaczął od samych ofiar. Przejrzał wszystkie ich zdjęcia i posty zamieszczone w ciągu ostatnich dwóch lat. Następnie zrobił to samo w stosunku do osób, do których dzwonił morderca. Więcej zdjęć. Więcej postów. Później przeszedł do krzyżowego sprawdzania znajomych każdej z zamordowanych kobiet.

Sam do końca nie wiedział, czego szuka, ale miał całkowitą pewność, że przestępca przeglądał strony portali społecznościowych, żeby znaleźć informacje o swoich ofiarach. Zatem przy odrobinie szczęścia coś mogło mu się rzucić w oczy. Rezultatem tych działań okazało się przeciążenie obrazami, ale na jednym ze zdjęć widział taki skrzep w kształcie odwróconego serca. Na jednym z nich widział mordercę. Był o tym przekonany.

Zdawał sobie sprawę, że rozwiązanie tej łamigłówki nie jest łatwe. Będzie musiał przejrzeć wszystkie te profile jeszcze raz. Wziął głęboki wdech i rozciągnął się, żeby pokonać sztywność w mięśniach, a następnie usiadł przed komputerem.

Gdy opadł na krzesło i zaczął pisać na klawiaturze, prawym łokciem zawadził o stertę dokumentów na krawędzi blatu i strącił je na podłogę. Kartki i zdjęcia posypały się wokół jego stóp we wszystkich kierunkach. Schylił się po nie, jednak gdy podniósł jakiś stary raport, poczuł, jak cały pokój zaczyna się wokół niego kręcić.

– A niech mnie cholera – wyszeptał niemal jak w transie. Wtedy właśnie zrozumiał, że się mylił. Bardzo się mylił.

Nie zobaczył tego skrzepu w kształcie odwróconego serca na fotografii.

Zobaczył go na żywo.

Osiemdziesiąt sześć

Trzymając w dłoni sig sauera z tłumikiem, Pan J przemierzył pustą kuchnię i stanął przy drzwiach prowadzących do salonu, w którym panowały ciemności. Nasłuchiwał przez chwilę, ale jedyne dźwięki wydawała z siebie stara lodówka upchnięta w jednym z rogów kuchni. Zerknął do środka pomieszczenia, planując kolejny ruch.

Salon był mały i niezagracony, co znacznie ułatwiało sprawę, ponieważ musiał się dostać do korytarza po przeciwnej stronie. Pięć szybkich i cichych kroków go tam zaprowadziło. W dalszym ciągu nie widział śladu Russo.

Spojrzał na korytarz przed sobą. Odchodziło od niego czworo drzwi. Dwoje po prawej stronie, jedne po lewej i ostatnie na samym końcu. Zarówno pierwsze z prawej, jak i te na końcu zostały otwarte, w pomieszczeniach nie paliły się światła. Pozostałe były zamknięte, ale jedynie po lewej stronie widział światło pod szparą w drzwiach.

Pan J przylgnął plecami do ściany i ostrożnie przeszedł cztery kroki. Wstrzymał oddech i przyłożył ucho do drewnianej powierzchni. Ktoś na pewno siedział w środku.

Odsunął się od ściany i stanął na wprost drzwi. Z przyzwyczajenia spojrzał w lewo, potem w prawo, a następnie wziął głęboki wdech i zatrzymał przez chwilę powietrze w płucach. Jedną nogę oparł sztywno na ziemi, drugą zaś wyprowadził tak potężne kopnięcie, że cała futryna popękała.

Cory Russo siedział na muszli klozetowej i przeglądał jakieś erotyczne pisemko, nagłe wtargnięcie tak go przestraszyło, że podrywając się, rąbnął głową w ścianę, o mało samemu się nie nokautując. Pisemko spadło na podłogę. Russo opadł na muszlę i patrzył na przybysza z przerażeniem wymalowanym na twarzy.

– Cześć, wielkoludzie – przywitał się John, celując pistoletem prosto w jego czoło. – Może znowu spróbujesz tego kopniaka, którym ostatnio mnie uraczyłeś?

Pan J przebrał się tak samo jak poprzednim razem. Cory spojrzał na niego, wciąż nieco oszołomiony uderzeniem w głowę.

– Kurwa, chłopie. – Popatrzył na swoje gołe uda. – To jest poniżające.

– Tak mówisz? – W tym momencie John poczuł smród w pomieszczeniu. Skrzywił się. – Jasna cholera, coś ty wysrał? Zgniłe zwierzęce ścierwo?

– Co? – Mężczyzna nie uważał, że to dobry moment na żarty.

– Mówiłem, że cię znajdę, prawda?

Mięśniak na sedesie zmarszczył brwi.

– Już nie jesteś taki twardy bez swojej pierdolonej maski?

Spojrzenie Russo stwardniało. Nadal nie rozpoznał swojego rozmówcy w tym przebraniu, ale już wiedział, o co chodzi.

Osiemdziesiąt siedem

Podświadomość może wydobyć na światło dzienne jakieś wspomnienie pod wpływem dowolnego czynnika: obrazu, dźwięku, zapachu, miejsca, imienia... nic nie stanowiło tutaj ograniczenia. Właśnie coś takiego wydarzyło się w głowie Huntera. Gdy pochylił się, aby pozbierać dokumenty, jego spojrzenie natrafiło na raport laboratoryjny. Coś na samej górze kartki otworzyło nagle ścieżkę do wspomnień, które starał się wcześniej wydobyć. Jego oczy zaobserwowały pewien detal, który umysł uznał za nieistotny i wysłał prosto do podświadomości. Wiedział już jednak, że nie dostrzegł go na zdjęciu.

Wspomnienie, które próbował wydobyć, nie wydostało się na powierzchnię powoli, jak to sobie wyobrażał. Zamiast tego wystrzeliło gwałtownie i rozbiło się o jego umysł niczym rozpędzony pociąg. W jednej chwili nie miał nic, a w następnej... wszystko widział wyraźnie, oczy, skrzep, całą twarz.

– Niemożliwe – wyszeptał do siebie, próbując walczyć z tym wspomnieniem, ponieważ ono mu mówiło, że stał tak blisko mordercy, że spoglądał mu prosto w oczy, oddychał z nim tym samym powietrzem.

Zlekceważył papiery na podłodze, zamiast tego sięgnął po niebieską teczkę leżącą koło monitora. Znalezienie właściwej rzeczy nie zajęło mu wiele czasu.

Ponownie spojrzał na ekran i zaczął studiować oczy mordercy. W jego głowie pamięć toczyła walkę z rozsądkiem, chociaż jedną rzecz detektyw wiedział na pewno: jeśli chodzi o brutalne morderstwa, rozsądek rzadko wchodził w grę. Mimo wszystko wspomnienia to za mało. Potrzebował więcej informacji, i to natychmiast.

Zminimalizował program graficzny i włączył inną aplikację. Gdy się wczytała, wpisał nazwisko znalezione w niebieskiej teczce i kliknął „Enter". Kilka chwil później miał przed oczami dane tej osoby, razem ze zdjęciem.

Od razu powiększył fotografię i przyjrzał się oczom.

Żadnego skrzepu.

Powiększył jeszcze bardziej.

Nadal go nie widział. Hunter miał jednak świadomość, że taki skrzep może się pojawić w dowolnym czasie z różnych powodów. Wystarczyło, żeby ta osoba przeżyła jakiś uraz, który uszkodził delikatne naczynia krwionośne pod tkanką okrywającą białko.

Zdjęcie zrobiono siedem lat wcześniej. Skrzep mógł powstać kiedykolwiek na przestrzeni tylu lat.

Mimo wszystko z każdej strony zaczęły go nachodzić wątpliwości. Może tak desperacko pragnął jakiegoś tropu, że umysł podsunął mu czystą fantazję zamaskowaną jako wspomnienie?

To bardzo prawdopodobne, ale dlaczego akurat ta osoba? I dlaczego to wydawało się tak rzeczywiste?

Hunter zminimalizował zdjęcie i powrócił do kartoteki. Zaczął przeglądać wszystkie informacje: imię, nazwisko, adres, miejsce urodzenia, stan cywilny i tak dalej. Dopiero na trzeciej stronie zobaczył coś, na czym się zatrzymał. Coś o wypadku.

– Chwileczkę... Co?

Powrócił do początku i zaczął czytać jeszcze raz, ale wolniej. Dane okazały się, delikatnie mówiąc, niedokładne, lecz zapewniły kilka istotnych szczegółów, dzięki którym mógł przeprowadzić bardziej skrupulatne poszukiwania. Co też uczynił.

Dokument, który znalazł, nie był zbyt długi, jednak zawierał informacje i zdjęcia, które nim wstrząsnęły z dwóch powodów. Po pierwsze: niosły ze sobą destrukcyjną, zmieniającą życie dawkę smutku. Po drugie: jeśli miał rację co do mordercy, to właśnie dowiedział się, co pchnęło go na tę drogę.

Kiedy czytał całość po raz drugi, nagle sobie przypomniał o kilku zdjęciach, które widział tego popołudnia na jednym z portali społecznościowych.

Poczuł dławiącą gulę w gardle.

– To chyba żart – wyszeptał do siebie, już wątpiąc w szaloną teorię, która zaczęła kiełkować w jego głowie.

Szybko włączył przeglądarkę i zalogował się na właściwej stronie. Tym razem doskonale wiedział, czyje profile przeglądać. Nie musiał już szukać na oślep.

Znalezienie pierwszego obrazu zajęło mu jakieś pięć minut. Gdy to zrobił, poczuł, jakby ściany pomieszczenia zaczęły się do niego niebezpiecznie zbliżać.

– To niemożliwe.

Oszołomiony przeszedł do profilu innej osoby i otworzył galerię zdjęć. Chwilę szukał, aż w końcu dotarł do właściwego.

– O mój Boże!

Fotografie należały do dwóch różnych osób, które w dodatku się nie znały, lecz jedna rzecz je łączyła.

– To jest chore.

Serce waliło mu jak młotem, ale jeszcze nie skończył. Mieli trzy ofiary. Troje różnych ludzi. Trzy różne profile do sprawdzenia.

– Obyś się mylił – powiedział do siebie, wpisując ostatnie nazwisko. – Obyś się mylił.

Jak tylko treść się załadowała, Hunter przeskoczył do galerii. Jego oczy przeczesywały pliki niczym lwy tropiące zwierzynę. Czterdzieści, sześćdziesiąt, sto zdjęć – nic. Nie było go tutaj. Sto dziesięć, sto dwadzieścia – dalej nic. Czyli to tylko szalona teor...

– Niemożliwe. – Ściany jeszcze się przybliżyły. Palec ześliznął mu się z kółka myszki, gdy jego wzrok przykleił się do jednej fotografii.

– Nie, nie, nie.

Powiększył ją.

Zgadza się, na niej również znalazł tę wspólną rzecz co na poprzednich dwóch.

Odszedł od biurka i zaczął krążyć po pokoju. Poczuł, jak sztywnieją mu mięśnie. Czuł ból głowy, który zaraz obejmie całą czaszkę.

Zegar ścienny wskazywał 1.54 w nocy.

Czuł się zmęczony. Wyczerpany. Niczego bardziej w tym momencie nie pragnął, niż wrócić do domu i być w stanie zasnąć. Niestety kluczowe tutaj okazało się właśnie „być w stanie".

Stanął przed tablicą i długo patrzył na wszystkie fotografie. Ofiary, ich bliscy, do których dzwonił morderca, brutalność miejsc zbrodni. Brakowało jeszcze sporo elementów układanki, ale wiedział, że nie znajdzie ich ani siedząc za biurkiem, ani przemierzając długość pokoju.

Zastanawiał się, co zrobić dalej.

Improwizuj, powiedział cichy głos w jego głowie. *Improwizuj*.

Osiemdziesiąt osiem

Hunter nie miał żadnych trudności w znalezieniu tego dwupoziomowego domu o ścianach z cegły, z dobrze zadbanym trawnikiem i idealnie utrzymanymi krzewami. W budynku panowały ciemności, z wyjątkiem werandy, gdzie słaba żarówka oświetlała przestrzeń bladożółtym blaskiem.

Przy dzwonku przyklejono karteczkę „zepsuty". Detektyw trzykrotnie mocno zapukał w drzwi i czekał. Bez odpowiedzi. Ponowił próbę, tym razem z większą siłą. Dalej bez odpowiedzi. Cofnął się kilka kroków i spojrzał w górę. Nie widział świateł. Nie widział ruchu. Nie słyszał dźwięku.

Co ty tu robisz, Robercie? Powinieneś iść do domu. Rozsądna część jego umysłu próbowała wdać się w konwersację. Zignorował ją i przeszedł nad żywopłotem ogradzającym ogródek z przodu domu, po czym sprawdził okno: zamknięte. Zaciągnięte zasłony uniemożliwiły zobaczenie czegokolwiek w środku. Nie miał więcej szczęścia przy kolejnym oknie.

To jest znak. Idź już sobie stąd. Znowu odezwał się rozsądek.

Okrążył budynek i znalazł przeszklone drzwi. Niewiele przez nie dojrzał, ponieważ szyba była matowa, ale wyglądało na to, że wiodły do kuchni.

Robert przystanął i zaczął rozważać różne możliwości. W końcu ściągnął kurtkę i owinął ją wokół prawej pięści. Rozejrzał się dookoła. Wszędzie cisza i spokój. Wziął głęboki wdech, stanął pewnie w rozkroku i wyprowadził silny cios prosto w szybę. Potłukła się z przytłumionym trzaskiem. Instynktownie rozejrzał się ponownie. Dalej cisza.

– Super – mruknął do siebie. – Włamanie z wtargnięciem. Ponadto nielegalne przeszukanie. Pani kapitan będzie zachwycona.

Wyjął z kieszeni gumową rękawiczkę, założył ją, a następnie wsunął dłoń przez dziurę w szkle i otworzył drzwi. Wyciągnął z kabury małą latarkę i wkroczył do środka.

Szybko zlustrował kuchnię, a następnie udał się do przestronnego salonu, w którym znajdowała się mieszanka antyków i nowoczesnych mebli. Po schodach na jego południowym końcu można się było dostać na piętro. Detektyw stwierdził, że na górę pójdzie później.

Skoro już jesteś w środku, to może powiesz, czego, do jasnej cholery, w ogóle tutaj szukasz? Masz jakiś plan? – zapytał sam siebie. Podszedł do drzwi po drugiej stronie pomieszczenia. Otwarły się na pokój ze skórzanymi fotelami, białymi puszystymi dywanami i wysoką biblioteczką. Całą wschodnią ścianę zajmowało wielkie okno wychodzące na podwórko za domem. Hunter sprawdził kilka tytułów na półce i poczuł, jak w jego brzuchu pojawia się czarna dziura. Znalazł książki o medycynie, elektronice, mechanice, informatyce, prawie, psychologii, dochodzeniu i policyjnych procedurach.

– Wygląda na to, że jest ciekawy świata. – Miał już zamiar zawrócić i sprawdzić pokoje na piętrze, ale nagle zauważył drewniane drzwi po drugiej stronie regału.

Nacisnął klamkę: były otwarte. Gdy je uchylił, serce zabiło mu szybciej. Poczuł nieprzyjemne mrowienie na karku, zupełnie jakby coś chciało go ostrzec. Teraz był już gotowy wysłuchać rozsądnej części umysłu, ale ona powiedziała już wszystko, co chciała, i zamilkła.

Sięgnął po pistolet.

Zawiasy nie wydały najmniejszego jęku, a za progiem ciągnęły się betonowe schody prowadzące do czegoś w rodzaju piwnicy. Nad stopniami wisiała pojedyncza żarówka. Powietrze było wilgotne i nieświeże, czuło się w nim woń pleśni. Na końcu schodów widniały kolejne drzwi.

Detektyw zaczął powoli schodzić, stopień po stopniu, bardzo uważając na każdy krok, aby się nie pośliznąć. Jeszcze mocniej złapał uchwyt swojego półautomatu, a gdy zszedł już na sam dół, zaczął wodzić oczami od jednych drzwi do drugich. Stał tak przez jakiś czas, nasłuchując wszelkich odgłosów. Uchwycił jedynie jakieś niskie brzęczenie dobiegające z zamkniętego pomieszczenia. Otarł czoło wierzchem dłoni i sprawdził klamkę: również otwarte. Uchylił drzwi jedynie na tyle, aby mógł zerknąć do środka. Nie potrzebował już latarki. Jego oczom ukazało się duże piwniczne pomieszczenie. Przy ścianach po lewej i prawej stronie stało kilka regałów, których każdy centymetr zajmowały kartony w różnych rozmiarach.

Oddychał tak spokojnie, jak tylko mógł, nie ruszył ani jednym mięśniem, tylko obserwował przez dwie pełne minuty. Nic. Nie zauważył żadnego ruchu. Wziął głęboki wdech, poprawił palec na spuście i wszedł do środka.

Na suficie znajdowały się dwie świetlówki, równolegle do siebie. Brzęczenie zdawało się dobiegać zza jednego z regałów po drugiej stronie pomieszczenia.

Poruszał się maleńkimi kroczkami. Po każdym z nich omiatał dokładnie wzrokiem otoczenie, zupełnie jakby był członkiem jednostki Delta. Przy tylu regałach i kartonach równie dobrze mógł wkraczać właśnie na pole minowe.

Dziwne mrowienie w karku się wzmogło.

Po dziesiątym kroku coś po lewej stronie przykuło jego uwagę, zatrzymał się więc. Spojrzał w tamtą stronę i zauważył dużą tablicę przykręconą do ściany.

Gdy zrozumiał, na co właśnie patrzy, krew zastygła mu w żyłach.

– O kurwa...

Osiemdziesiąt dziewięć

Cory Russo nadal patrzył mężczyźnie hardo w oczy.

Pan J odwzajemniał to spojrzenie ze spokojem, cały czas celując mu pistoletem prosto w czoło. Nie przeszkadzał mu kpiący uśmiech na ustach ofiary ani wyzwanie widoczne w jej wzroku. Widział to już tyle razy, że nawet go to bawiło: doskonale wiedział, że lada moment cała ta poza twardziela zniknie. Jej miejsce zajmą paraliżujący strach i całe mnóstwo błagania i płaczu.

John sięgnął do kieszeni i wyciągnął z niej małą fotografię.

– Pamiętasz ją?

Russo patrzył na zdjęcie najwyżej trzy sekundy.

– Nie. W życiu nie widziałem tej suki.

Pan J dokładnie obserwował oczy rozmówcy. Zobaczył w nich kłamstwo. Wiedział, że mężczyzna rozpoznał Cassandrę.

– Doprawdy?

Russo odpowiedział mu spojrzeniem.

Nie spytał po raz drugi. Po prostu nacisnął spust. Kula kalibru 9 milimetrów chybiła lewego ucha Cory'ego o milimetry. Uderzyła w białe kafelki i wysłała w powietrze mnóstwo pyłu i odłamków. Celowo go nie trafił.

Ręka siedzącego na muszli mięśniaka poleciała w stronę zagrożonego ucha niczym rakieta.

Hardość zaczęła już znikać. Cała postawa twardziela zachwiała się w posadach. Płacz niedługo też nadejdzie.

– Co jest, kurwa? – wrzasnął Russo. – Odjebało ci?

Kolejne naciśnięcie spustu. Tym razem pocisk uderzył z prawej strony. W powietrze wzbiło się jeszcze więcej pyłu i odłamków.

Do góry pofrunęła prawa ręka.

– Kurwaaaa! Co ty robisz? Przestań, koleś. Przestań.

Pan J się nie odezwał. Po prostu postukał palcem w podobiznę kobiety.

– Dobra, dobra. Ale złapałeś nie tego gościa. Ona nie była jedną z moich.

Ta odpowiedź wydała się nieco dziwna.

– Jedną z twoich? Lepiej zacznij gadać z sensem. – Kiwnął w jego kierunku pistoletem.

– Tak, koleś, nie była jedną z moich – powtórzył. – Toby miał ją wziąć.

– Nie. To dalej nie ma sensu.

Russo zobaczył w oczach napastnika determinację, wiedział więc, że zaraz znowu padnie strzał.

– Czekaj! Czekaj! – wrzasnął, unosząc ręce w geście kapitulacji. – Już mówię, jak to było. – Jego głos stał się znacznie mniej spokojny. – Ja szukałem lasek dla niego, a on szukał dla mnie. Potem wymienialiśmy się informacjami. Mieszkamy po przeciwnych stronach miasta, myślałem, że nikt nie zdoła powiązać nas z tymi kobietami. W jego noce ja chodziłem w jakieś zatłoczone miejsce i upewniałem się, że ludzie mnie zapamiętają, wiesz, o co chodzi? W moje noce on robił to samo. – Przerwał i kiwnął głową w kierunku zdjęcia. – Ale Toby jej nie wziął. Wyszukałem mu ją. Dałem mu fotkę i wszystko, ale jej nie przeleciał. Jeszcze nie. Ona miała... jeszcze poczekać.

Pana J zamurowało. Zrozumiał właśnie, że znalazł nie tego gościa. Russo to szumowina, ale nie ta szumowina, która zabiła Cassandrę. On i jego naćpany kumpel Toby to dwaj zasrani gwałciciele, którzy wykombinowali sprytny plan, żeby nie dać się złapać. Jako hydraulik Cory mógł bez problemu odwiedzić kilka domów tygodniowo. Ten drugi pewnie miał podobną fuchę i robił to samo. Wybierali sobie wtedy nawzajem ofiary, zapewne na podstawie jakichś chorych kryteriów. Wymieniali się informacjami i ustalali dzień. Kiedy jeden gwałcił akurat jakąś biedną kobietę, drugi siedział w barze albo parku... czy gdziekolwiek indziej, gdzie jest pełno ludzi, i upewniał się, że go zapamiętają. Kiedy zatem ofiara zgłosi gwałt – John znał przykre statystyki, z których wynikało, iż mniej niż połowa kobiet szła na policję w USA – i śledczy zastukają do drzwi Toby'ego, on wskaże pełno świadków, którzy potwierdzą jego alibi na tę noc. Taki schemat działał naprzemiennie.

Serce Johna zalała kolejna fala nienawiści.

– Jakie były ramy czasowe? – Pomimo całej wściekłości idealnie panował nad głosem.

– Co?

– Ramy czasowe. Ile mijało od wyboru ofiary do gwałtu?

Mężczyzna milczał.

Duży błąd. Zabrzmiał trzeci strzał. Tym razem pocisk trafił prosto w prawą dłoń mięśniaka. Krew i tkanki rozbryzgały się na ścianie, pękło kilka kości i dwa palce zostały odcięte. Poturlały się po zimnej podłodze.

Russo rzucił się do tyłu i uderzył o kafelki. Jego twarz wykrzywiał ból, z okaleczonej kończyny płynęła krew.

– Kurwa, kurwa, kurwa. – Lewą dłonią złapał kikut prawej. – Pojebało cię? Jesteś pierdolonym gliniarzem, nie możesz tak robić.

– Ramy czasowe.

– Czekaliśmy sześć do ośmiu miesięcy, chłopie. Sześć do ośmiu miesięcy. – Ślina pociekła mu z ust. – Kurwa, pozwę cię, chuju. Całą pieprzoną policję pozwę za to gówno. Możesz już się, kurwa, pożegnać z odznaką, kumasz?

– Jesteś tak durny, na jakiego wyglądasz, wiesz? Pozwól, że o coś zapytam. Rozpoznajesz tę rurkę na końcu pistoletu?

Wyraz bólu na twarzy mężczyzny nieco zelżał pod wpływem zmieszania.

– Rozpoznajesz czy nie?

– Ta, to jest, kurwa, tłumik, no i co?

Teraz Pan J uśmiechnął się kpiąco.

– A ilu gliniarzy widziałeś paradujących z giwerą z tłumikiem?

Oczy Russo się rozszerzyły.

Kula trafiła idealnie między nie.

Gdy John wyszedł na dwór przez kuchnię, zatrzymał się koło wciąż nieprzytomnego Toby'ego.

Spokojnie złapał jego głowę w obie dłonie i jednym, płynnym, acz silnym ruchem skręcił mu kark.

Dziewięćdziesiąt

Hunter stał przed dużą tablicą podzieloną na dwanaście kolumn. Każda z nich zaczynała się od zdjęcia osoby, której dotyczyła. Było tam osiem kobiet i czterech mężczyzn. Niżej znajdowały się kartki z wydrukowanymi informacjami o nich: nazwisko, adres, numer telefonu, wiek itd. Na końcu każdej z kartek widniało: „Pytanie, jakie zadać". Czerwone x przekreślało trzy spośród dwunastu twarzy. Hunter bardzo dobrze znał te podobizny, ale o dziwo, nie należały one do ofiar poszukiwanego mordercy.

Gdy studiował informacje na tablicy, zrobiło mu się niedobrze, czuł, jak żołądek mu się wywraca. Wszystko dlatego, że miał rację.

Każde zdjęcie ściągnięto ze stron mediów społecznościowych. To dokładnie te same fotografie, które oglądał u siebie w biurze.

– Jak mogłem to przeoczyć?

Klik.

Zaledwie parę metrów za nim rozległ się dźwięk naboju ładowanego do komory półautomatycznego pistoletu.

– Na twoim miejscu, detektywie, odłożyłbym broń.

Gdy Hunter rozpoznał ten męski głos, cały zesztywniał, a palec odruchowo zacisnął mu się na spuście.

– Naprawdę wydaje ci się, że jesteś wystarczająco szybki? – padło pytanie, zupełnie jakby mężczyzna czytał mu w myślach.

Robert wiedział, że jest świetnym strzelcem, na dodatek bardzo szybkim, ale nie wierzył, że uda mu się obrócić i wypalić, zanim morderca wpakuje w niego kulkę.

– Odłóż broń, detektywie – powtórzył. – Albo rozwalę ci łeb. Trzymam magnum 357, zakładam, że znasz ten pistolet i wiesz, że *naprawdę rozwali* ci łeb. Jak już zeskrobią resztki ze ściany, to dadzą radę cię zidentyfikować wyłącznie po odciskach albo DNA.

– Akurat na tym znasz się doskonale, co, Nick? W końcu odciski to twoja specjalność.

Nicholas Holden, ekspert od odcisków palców w zespole doktor Slater się uśmiechnął.

– No cóż, skoro pojawiłeś się w mojej piwnicy nieproszony, to dla mnie oczywiste, że domyśliłeś się, kim jestem. Zastanawia mnie, jak tego dokonałeś. Jestem absolutnie pewien, że nie zostawiłem żadnych śladów, ale niebawem do tego dojdziemy. A teraz rzuć broń albo ta rozmowa skończy się bardzo źle. Przynajmniej dla ciebie.

Robert zamknął oczy i przeklął się w myślach. Wchodzenie tutaj samemu było wielkim błędem. Powinien zawierzyć dziwnemu przeczuciu sprzed kilku chwil i wezwać wsparcie. Zbyt wiele regałów znajdowało się w tym pomieszczeniu. Zbyt wiele miejsc, gdzie ktoś mógł się schować. Niemożliwością było sprawdzić taki obiekt w pojedynkę. Powinien wezwać jednostkę SWAT.

Niestety na to było już nieco za późno.

– Ręce szeroko. Pistolet ma zwisać z palca wskazującego *lewej* dłoni.

Zbyt wiele regałów znajdowało się w tym pomieszczeniu. Zbyt wiele miejsc, gdzie ktoś mógł się schować – to akurat działało w obie strony. Skoro Holden ukrył się za jednym z nich, to i on da radę. A przynajmniej tak myślał.

Bez ruszania głową spojrzał w lewo, a potem w prawo. Najbliższy mebel stał po lewej, ale to i tak jakieś dwa metry. Zanim tam dotrze, kula albo rozwali mu czaszkę, albo wybije w plecach dziurę wielkości grejpfruta.

– Dalej się zastanawiasz, czy jesteś dość szybki, detektywie? Może spróbujesz, przekonamy się. Ja stawiam jednak na siebie. Przyjmiesz zakład?

Brak odpowiedzi.

– Ręce szeroko. Pistolet ma zwisać z palca wskazującego lewej dłoni. Natychmiast.

Hunter wiedział, że nie ma innego wyjścia. Westchnął i zrobił, co mu kazano.

– Teraz rzuć go w lewo. Nie upuść, tylko rzuć. I lepiej się postaraj.

Detektyw ani drgnął.

– *Już.*

Wkurzanie faceta trzymającego magnum 357 zawsze jest błędem. Wkurzanie seryjnego mordercy trzymającego magnum 357 to już czysty debilizm.

Machnął ręką i posłał swojego h&k mark23 w poprzek pomieszczenia. Gdy broń uderzyła o podłogę kawałek dalej, wpadła do kartonu stojącego przy regale. Podążył za nią wzrokiem.

– Nie zmieniaj pozycji. Jeśli twoje ręce opadną, ty też opadniesz, tylko że bez głowy. Jasne?

– Jak słońce.

Na dłuższą chwilę zapadła cisza. Robert zastanawiał się, czy i tak zaraz nie dostanie kulki. Co niby morderca miał do stracenia? Zabił już trzy osoby, a zgodnie ze zdjęciami na tablicy planował wykończyć jeszcze dziewięć innych. Dodanie jednego nazwiska do tej listy nie robiło różnicy.

– Przyznaj, detektywie... – przerwał w końcu ciszę Holden.

Hunter wyczuł, że mężczyzna przesunął się nieco w lewą stronę.

– Zaimponowała ci moja praca, czyż nie? – Kiwnął głową w kierunku tablicy, chociaż jego rozmówca nie mógł tego zobaczyć.

– Nie jestem pewien, czy „zaimponowała" to dobre określenie, Nick. – Jego serce biło z ogromną prędkością, ale i tak udało mu się zachować spokojny ton. – Chyba bliższe prawdy byłoby... zniesmaczyła.

Znowu zapadła cisza, Robert zaś zastanawiał się, czy swoimi słowami nie przypieczętował właśnie własnego losu.

– To dlatego, że jej nie rozumiesz.

Tym razem mężczyzna bardziej zastanowił się nad odpowiedzią.

– A co w niej jest do zrozumienia, Nick?

Z rozmysłem używał imienia mordercy: próbował wysłać mu podprogowy przekaz. Miał on na celu zaszczepienie w jego podświadomości, że jest jego przyjacielem, a nie wrogiem. Cały czas wpatrywał się również w informacje wiszące przed nim. Wszystko zaczynało się łączyć w całość.

– Ty... *karałeś* niewinnych ludzi, zabijając ich bliskich. Kogoś, kogo kochali.

Trzy znajome, przekreślone czerwonym x twarze nie należały do ofiar. Tylko do osób, do których morderca dzwonił: Tanyi Kaitlin, Johna Jenkinsona, Eriki Barnes. To właśnie oni byli *prawdziwymi celami* szaleńca.

– Niewinnych? – Ton mężczyzny był niemal sarkastyczny. – Widziałeś zdjęcia na początku każdej z kolumn?

– Tak.

– Nie widzisz, co oni robili? – Głos pozostał spokojny, ale Hunter wyczuwał w nim początki tłumionego gniewu.

– Owszem, widzę.

Wypadek, o którym detektyw czytał w swoim biurze, stanowił punkt łączący Holdena z jego celami... jego ofiarami. Stanowił powód okrutnych tortur. Powód wszystkich morderstw.

Do tego zdarzenia doszło trzy i pół roku wcześniej w Lancaster, w północnej części Los Angeles. Około drugiej w nocy na Sierra Highway – jednopasmówce łączącej Los Angeles z Mojave – niebieski ford fusion jadący na południe zjechał ze swojego pasa i zderzył się czołowo z białym saturnem S. Para dwudziestoparolatków podróżująca fordem zmarła na miejscu. W drugim aucie znajdowała się czteroosobowa rodzina: Nicholas Holden, jego żona (od dziesięciu lat) Dora, dziewięcioletnia Julie i jej siedmioipółletnia siostrzyczka Megan. Jedynie Nicholas przeżył.

Hunter bez trudu zdobył raport z tego tragicznego wypadku. Śledczy ustalili, że kierująca fordem kobieta przestała patrzeć na drogę. Z relacji świadków wynika, że powodem jej nieuwagi było to, że używała swojego telefonu, aby robić selfie razem ze swoim chłopakiem podczas jazdy.

To właśnie motyw wspólny dla wszystkich zdjęć na tablicy: selfie z przyjaciółmi lub rodziną, kiedy „cel" prowadził samochód.

Fotografia Tanyi Kaitlin, którą detektyw widział również w swoim biurze, przedstawiała ją i Karen, obie szeroko uśmiechnięte, pierwsza z nich trzymała telefon w wyciągniętej ręce. Obraz za oknem był zamazany, zatem bez wątpienia auto jechało w tym czasie.

Podobne zdjęcie wykonał Pan J. Cassandra uśmiechała się z fotela pasażera, a ich syn z tylnej kanapy doprawiał obojgu „królicze uszy" palcami.

Gwen Barnes razem z siostrą robiły głupie miny do aparatu, podczas gdy ta druga pstrykała zdjęcie, prowadząc.

– Wiesz, że jeden na cztery wypadki w USA jest powodowany przez używanie komórki za kierownicą? – Ton Holdena stał się agresywniejszy. – Jeden na cztery, detektywie.

Hunter znał te statystyki, ale zachował milczenie. Jego ręce zaczęły się już męczyć.

– Tamtej nocy straciłem całą rodzinę. Moją trzydziestoszescioletnią żonę i dwie córeczki. Starsza miała dziewięć lat. Młodsza siedem. One zginęły, ponieważ jakaś idiotka postanowiła pstryknąć zdjęcie, prowadząc samochód, żeby je potem wrzucić na pieprzonego Facebooka. Czy to sprawiedliwe?

Kolejny kawałek układanki wskoczył na swoje miejsce. Media społecznościowe: właśnie dlatego morderca je przeglądał.

– Moje życie również się wtedy skończyło – ciągnął Holden. Gniew już się ulotnił z jego głosu. – W jednej chwili miałem wszystko, dla czego warto żyć. Piękną żonę i cudowne córeczki. W następnej... nie miałem już nic. Moje życie utraciło sens. Serce nie miało już po co bić.

Kolejna pauza.

– Po tym wypadku leżałem przez sześć miesięcy w szpitalu. Potem kolejny rok po prostu... istniałem. Tak naprawdę to tylko wegetowałem. Wszystko robiłem automatycznie, jak robot. Nic nie miało sensu. Całe życie stało się pustką.

Hunter wyczuł, że morderca znowu się przesunął. Tym razem nieco w prawo.

– Mimo wszystkich sesji terapeutycznych, które przeszedłem, wydawało się, że nic nie jest w stanie zatrzymać nawiedzających mnie niemal bez przerwy destrukcyjnych myśli. Nie przeciwko innym, tylko przeciwko mnie samemu. Bez mojej rodziny zdawało mi się, że już nie należę do tego świata. Czyż życie nie jest jednak przewrotne, detektywie? Kiedy już wreszcie miałem się poddać tym myślom, kiedy już uznałem, że nie warto dłużej wegetować, doświadczyłem czegoś, co mnie odmieniło. Siedziałem w kawiarni i zastanawiałem się, jak najlepiej ze sobą skończyć, aż nagle zobaczyłem, jak samochód potrącił matkę z dzieckiem na przejściu dla pieszych. Doszło do tego, ponieważ kierowca nie zwracał uwagi na drogę. Zgadniesz dlaczego, detektywie?

Robert nie musiał odpowiadać.

– Zgadza się, bawił się swoim pierdolonym telefonem.

Holden powiedział to z taką wściekłością, że Robert zaczął spodziewać się własnej śmierci.

– Matka przeżyła. Dziecko nie. Kierowca nawet się nie zatrzymał. – Nastąpiła długa przerwa. – To, co wtedy zobaczyłem, co wtedy poczułem, ożywiło we mnie coś nowego. – Jego głos znowu stał się pozbawiony emocji. – Dotarło do mnie, że rzeczywiście muszę przestać wegetować. Ale nie po to, żeby ze sobą skończyć, tylko żeby znowu zacząć żyć. I wtedy znalazłem coś, dla czego naprawdę warto było żyć.

– Więc zacząłeś planować – włączył się Hunter.

– Więc zacząłem planować – potwierdził morderca. – Powrót do pracy był łatwy. Terapeutka namawiała mnie do tego od miesięcy. Zawsze powtarzała, że najważniejsze dla mnie to czymś się zająć, angażować mózg. Siedzenie w domu całymi dniami nieuchronnie prowadziło do zastanawiania się, a w moim stanie nic dobrego z tego nie wynikało. Grzebałbym we wspomnieniach z wypadku albo obracał w głowie destrukcyjne myśli. Nie wiedziała, że to właśnie robiłem od samego pogrzebu. Kiedy zatem w końcu się z nią zgodziłem i postanowiłem wrócić do pracy, przyklasnęła temu pomysłowi z szerokim uśmiechem na ustach. Dopiero wtedy zaczęła się prawdziwa robota.

– Szukanie ofiar – skomentował detektyw, cały czas wpatrując się w tablicę przed sobą.

– Zgadza się. Zacząłem przeglądać serwisy społecznościowe i poszukiwać kogoś, kto kiedykolwiek zamieścił selfie z jadącego auta. – Mężczyzna się zaśmiał. – Zdziwiłbyś się, gdybyś wiedział, co ludzie wrzucają na swoje profile, jakie zdjęcia tam zamieszczają. Można dowiedzieć się wszelkich prywatnych rzeczy o nich, ich przyjaciołach, rodzinach, co tylko chcesz. Poznasz ich gust i preferencje, co lubią, czego nie lubią, gdzie będą danego dnia o danej godzinie, co wiedzą, czego nie wiedzą, co *powinni* wiedzieć. – Kolejny żywiołowy śmiech. – Te strony to taki darmowy sklep z informacjami o ludziach. W dodatku sami dobrowolnie je tam zamieszczają.

– Więc twoim prawdziwym celem były osoby, które robiły zdjęcia. Te, do których dzwoniłeś, a nie te, które zabiłeś.

– Oczywiście. Zamordowanie ich jest za proste. Nie taki to ćwiczenie miało cel.

Ćwiczenie, pomyślał Hunter. *Czyli tak Holden widział swoje zbrodnie?*

– Wiesz, naprawdę chciałem umrzeć w tym samochodzie, ale zamiast tego zostałem uwięziony. Wiedziałeś o tym?

Robert nie wiedział. Takiej informacji nie znalazł w raporcie.

– Nie mogłem wydostać się ze swojego siedzenia. – Zamilkł na długo, a gdy znów się odezwał, w jego głosie brzmiał bezbrzeżny smutek. – Moja żona i starsza córka nie zginęły od razu. Męczyły się blisko pięć minut. Musiałem patrzeć, jak umierają na moich oczach, i nic nie mogłem na to poradzić. Siedziałem tuż obok nich, ale nie mogłem nic zrobić, ani się ruszyć, ani do nich dosięgnąć.

Jeszcze jeden element układanki wskoczył na swoje miejsce. To stąd te wideopołączenia. Morderca chciał, żeby ofiary oglądały cierpienie swoich najbliższych. Miały obserwować ich śmierć, tak jak on musiał obserwować śmierć swojej rodziny. Aby poczuły się bezsilne, tak samo jak on wtedy.

– Każdej nocy słyszę moją córeczkę. „Proszę, pomóż mi, tatusiu... Pomóż mamie”. – Głos mu się załamał. – Widzę ich twarze, kiedy tylko zamykam oczy. Wiesz, jakie niszczące uczucie rodzi się z takiej bezradności?

Cisza.

– WIESZ?

Detektyw pokiwał głową.

– Poczucie winy.

Kolejna sprawa się wyjaśniła: cel tej gry w pytania. Holden nie chciał tylko tego, żeby jego ofiary oglądały śmierć i cierpienie najbliższych, tak jak on sam. Dawał im jeszcze fałszywe poczucie siły, wiarę, że mogą uratować ukochane osoby, aby potem doświadczyły bezsilności. To właśnie stąd brał się prawdziwie niszczący duszę ból: z poczucia winy. Wiedziały, że mogły ocalić życie bliskich, gdyby tylko znały odpowiedź na proste pytanie. Odpowiedź, którą powinny były znać. To miało się stać częścią ich życia już na zawsze, żeby czuły dokładnie to samo co on.

Robert nie wiedział, jak długo jeszcze zdoła utrzymać ręce w górze. Ból w ramionach zaczynał go już oślepiać. Potrzebował planu. Coś trzeba było wymyślić. I to szybko.

– Chciałbyś wiedzieć, jak zginęli, detektywie? Członkowie mojej rodziny?

Niech dalej mówi, pomyślał Robert. *Niech cały czas mówi.*

– Jak?

– Moja starsza córka, Julie, miała zapięte pasy, ale siła uderzenia była tak wielka, że i tak roztrzaskała sobie głowę o fotel przed sobą. – Zamilkł na chwilę. – Wiesz, co to jest złamanie wieloodłamkowe?

Hunter zamknął oczy, gdy zrozumiał ostatnią kwestię: metody zabijania, jakie stosował morderca.

– Tak... wiem.

– Jej malutka czaszka została wypełniona odłamkami. Trzynaście sztuk wbiło się w mózg. – Holden zakasłał, jakby coś go drapało w gardle.

Drugi mężczyzna wytężył uwagę.

– Megan, młodsza z sióstr, siedziała za mną. Jej twarz i reszta czaszki zostały zmiażdżone moim fotelem, zupełnie jak imadłem. Zderzenie wywołało taką siłę, że moje siedzenie wyrwało się z prowadnicy i poleciało do tyłu. Ona nie miała żadnych szans.

Mięśnie ramion detektywa zalewały fale cierpienia. Zmęczenie stało się tak ogromne, że nie da rady już długo trzymać rąk w górze. Rozsądek podpowiadał mu jednak, że Nick powinien doświadczać podobnych problemów.

Rozmawiali już jakieś osiem minut. Magnum 357 ważyło ponad kilogram. Po tylu minutach nawet tak niewielkie obciążenie mogło znacząco zwiększyć wysiłek, jaki mężczyzna wkładał w celowanie pistoletem w swoją ofiarę.

– Moja żona, Dora, wycierpiała najwięcej. – Holden kolejny raz zamilkł, zupełnie jakby musiał zebrać się w sobie, żeby kontynuować opowieść. – Przednia szyba eksplodowała do środka auta, a ponieważ mój fotel wyleciał do tyłu, ona przyjęła na siebie deszcz odłamków. Twarz miała całkowicie pociętą szkłem. Pięć minut się wykrwawiała. A ja mogłem jedynie patrzeć na nią... i krzyczeć... i płakać... ale nie byłem w stanie jej dosięgnąć. Ani moich dziewczynek.

Ostatnie słowa wypowiedział z ogromnym bólem, który aż go dławił. Hunter go nie widział, ale miał pewność, iż łzy napłynęły mu do oczu.

Rozmyty obraz, zmęczone ręce. Teraz albo nigdy.

Dziewięćdziesiąt jeden

Hunter nie mógł się odwrócić do napastnika, pozostało mu zatem postawić wszystko na jedną kartę... i musiał to zrobić na ślepo.

Przez ostatnich kilka minut uważnie słuchał głosu Holdena, szukając w nim jakichkolwiek drgań. Liczył na to, że wychwyci w nim odpowiednią szansę do działania, nawet jeśli będzie trwała zaledwie ułamki sekund.

Załzawione oczy, zmęczone ręce.

Kolejny raz spojrzał w lewo, nie ruszając na milimetr głową. Dwa metry do najbliższego regału – o wiele za daleko, żeby mu się udało... a może nie?

Z odległości, w jakiej stał, w pełni skupiony i z wycelowaną bronią Nick nie mógł spudłować. Detektyw miał tego pełną świadomość. Jednak rozmyty obraz i zmęczone ręce wcale nie wpisywały się w *pełne skupienie i wycelowaną broń*.

Morderca tego nie zauważył, ale Robert już zdążył zmienić ustawienie stóp. Obie skierował odrobinę w lewą stronę, zaś prawą piętę uniósł nieco, aby być całkowicie gotowym na nagły ruch. W mgnieniu oka prawa noga wystrzeliła i ciało detektywa poleciało w bok, jednak zamiast biec, rzucił się na podłogę i odtoczył tak szybko, jak tylko potrafił.

BUM.

BUM.

W zamkniętej przestrzeni piwnicy wystrzały z magnum 357 zabrzmiały z siłą armaty, ogłuszający huk odbijał się od ścian we wszystkich kierunkach. Tylko że Hunter odczytał swoje szanse po mistrzowsku. Wspomnienia z tragicznego wypadku przytłoczyły Nicka. Łzy istotnie napłynęły mu do oczu, zamazując obraz. Żeby zrównoważyć ciężar broni i zmniejszyć napięcie mięśni, rozluźnił nieco rękę i palec na spuście. W rezultacie pierwszy strzał został źle wymierzony. Zanim mężczyzna odzyskał koncentrację i ponownie wypalił, detektyw już niemal zniknął za regałem.

Druga kula chybiła celu zaledwie o milimetry, uderzając w podłogę i wzbijając w powietrze kawałki cementu i pył.

Gdy Robert dotarł do tymczasowego schronienia, natychmiast wstał. Kiedy spojrzał przed siebie, ogarnęła go rozpacz. Wyglądało na to, że jedynie odsunął nieuniknione. Nie mógł wcześniej odwrócić głowy, zatem drogę ucieczki zaplanował wyłącznie na podstawie tego, co widział kątem oka. Teraz w końcu miał pełny obraz. To był ślepy zaułek.

Hunter wpadł do prowizorycznego korytarza. Z jednej strony znajdowała się ceglana ściana, z drugiej rząd solidnych regałów, bez żadnych przerw między nimi. Mógł biec do samego końca i skręcić w lewo, ale odległość była zbyt wielka. Nie zdążyłby tam dotrzeć: Holden prędzej tutaj dojdzie i ponownie wystrzeli, a tym razem już raczej nie spudłuje.

Myśl, do cholery, myśl!

Nie pozostało mu nic innego, jak znowu postawić wszystko na jedną kartę.

Morderca zrobił dokładnie to, na co liczył detektyw: pobiegł przed siebie tą samą drogą co jego niedoszła ofiara, trzymając broń wyciągniętą, w pełnej gotowości. Z kolei Robert zrobił coś zupełnie innego, niż chciałby Nick. Nie pobiegł do końca korytarza. Tylko w zupełnie przeciwną stronę.

Wyczucie chwili nie mogło okazać się lepsze: gdy Holden wynurzył się zza zakrętu, spodziewając się zobaczyć plecy uciekającego mężczyzny, ten wpadł na niego z pełną siłą. Z tą tylko różnicą, że jeden z nich się tego nie spodziewał.

Hunter pomknął przed siebie głową naprzód, trafiając nią przeciwnika prosto w pierś. Drugi mężczyzna odruchowo nacisnął spust, ale siła zderzenia była tak wielka, że go odrzuciło, ręka zmieniła położenie i pistolet wypalił nieszkodliwie prosto w sufit. Lecąc w tył, wypuścił broń, która odbiła się od podłogi i zniknęła pod jednym z mebli. Holden padł niezręcznie na plecy, uderzył ciężko o betonową podłogę. Ledwo łapał powietrze, czując potężny ból w klatce piersiowej. W tym momencie spojrzenia obu mężczyzn się spotkały i wydawało się, że czas zwolnił. Detektyw zauważył brzydką, grubą bliznę na brodzie przeciwnika. Nie widział jej wcześniej. Jakim cudem mógł jej nie zobaczyć? Zaczynała się przy lewym kąciku ust, przechodziła w poprzek żuchwy i przez policzek, kończyła zaś pod prawym uchem.

Wtedy zrozumiał, dlaczego w swoim biurze tak wyraźnie przypomniał mu się obraz oczu technika: nigdy dotąd nie widział jego całej twarzy. Spotkali się tylko kilka razy, zawsze na miejscu zbrodni. Maseczka na nos zasłaniała dolną połowę jego twarzy, kaptur kombinezonu przykrywał czoło, wyłącznie oczy pozostawały widoczne.

Zanim Holden zrozumiał, co właściwie się stało, było już za późno... przynajmniej dla niego.

Jeden wielki sus i Robert stał już nad nim. Wystarczył jeden potężny cios w skroń.

I światła zgasły.

Dziewięćdziesiąt dwa

Hunter i Garcia siedzieli przy swoich biurkach i wypełniali dokumenty, kiedy kapitan Blake weszła do środka.

– Dobra – zaczęła na wpół zaskoczona, na wpół zdezorientowana. – Jak do tego doszło? Niech mi ktoś wyjaśni.

Obaj mężczyźni przerwali pracę i spojrzeli na szefową.

– Wczoraj, gdy wyszłam z biura, mieliśmy tylko dwie ofiary. Żadnych śladów, żadnych podejrzanych, żadnych rzeczy łączących te kobiety: słowem nic. Nasze biuro prasowe przygotowywało się do wydania krótkiego, ale fachowo wypełnionego bzdetami oświadczenia.

Garcia próbował ukryć uśmiech.

– Nawet nie zaczynaj. – Wskazała na niego palcem.

– Ja nic nie powiedziałem – odparł, podnosząc dłonie w geście kapitulacji.

– To było wczoraj. Dzisiaj przychodzę do pracy i dowiaduję się, że w ciągu nocy znaleźliśmy nową ofiarę, a co jeszcze ciekawsze, sprawa została już zamknięta. Załatwiona i przyklepana. Nasz „telefoniczny morderca" siedzi na dole w cholernej celi. Dobrze rozumiem, że okazał się nim w dodatku jeden z naszych techników pracujących przy tej sprawie? – Jej brwi powędrowały wysoko, dłonie zaś odwróciła środkiem na zewnątrz, w geście wyrażającym brak zrozumienia. – Jakim cudem przeszliśmy od „nie mamy nic" do „zamknęliśmy sprawę" w zaledwie kilka godzin? Co, do jasnej cholery, wydarzyło się tej nocy?

Carlos wskazał swojego partnera.

– Robert się wydarzył, pani kapitan. Co jeszcze? Ja kończyłem czynności na miejscu zbrodni. – Spojrzenie, jakie rzucił koledze, mogłoby od razu uciszyć wściekły tłum. – Nawet z grzeczności do mnie nie zadzwonił, żeby mi powiedzieć, co się dzieje. A podobno jestem jego *partnerem*.

– Tak naprawdę to nie wiedziałem, co właściwie się dzieje. – Zerknął najpierw na przyjaciela, potem na szefową. Następnie opowiedział jej, jak potoczyły się wypadki ubiegłej nocy. Pokazał jej screen, którego zrobiła Erica Barnes, oraz skrzep w kształcie odwróconego serca w lewym oku mordercy. Opisał swoją pewność co do tego, że widział już taki skrzep, tylko nie wiedział w czyich oczach, i że udało mu się to przypomnieć dopiero, jak zrzucił z biurka stertę papierów. Gdy zbierał je z ziemi, zauważył kartkę z odciskami palców.

Odciski... odciski... odciski.

Dopiero wtedy jego mózg zadziałał jak należy: Nicholas Holden był ekspertem od odcisków palców.

Następnie opowiedział o znalezieniu informacji o wypadku oraz ustaleniach z raportu.

– Czyli skrzep powstał w wyniku tej kraksy samochodowej – podsumowała Barbara. – Dlatego nie zobaczyłeś go na zdjęciu w aktach.

– Zgadza się. Nie było na nim blizny na twarzy ani przebarwienia w oku. Zostało zrobione kilka lat przed tą tragedią.

– To jak długo pracował jako technik kryminalistyczny?

– Siedem lat. W połowie kariery zdarzył się wypadek, potem przez jakieś pięć miesięcy leżał w szpitalu i przez kolejny rok chodził na terapię, zanim poprosił o pozwolenie na powrót do pracy.

– Siedem lat? I żaden z was nigdy go nie spotkał? – Spojrzenie przełożonej przeskakiwało z jednego detektywa na drugiego.

– Raptem kilka razy – odpowiedział Garcia. – Zawsze jednak miał na sobie maskę ochronną i kombinezon.

– Czemu tylko kilka razy?

– Wcześniej pracował w laboratorium – wyjaśnił jego kolega. – Podobno był w tym bardzo dobry. Był również bardzo sprytny, rozegrał wszystko jak należy. Przez rok i siedem miesięcy zbierał informacje o swoich ofiarach. Pracował wtedy dalej w laboratorium. Gdy wreszcie uznał, że jest gotowy, napisał podanie o przeniesienie do ekipy terenowej. Pięć miesięcy temu.

– Wygodnie.

Wówczas Robert wyjaśnił, że po przeczytaniu wniosków z raportu z wypadku, w którym Holden stracił całą rodzinę – czyli że sprawca przestał zwracać uwagę na jezdnię, ponieważ robił sobie selfie – coś przeskoczyło w jego mózgu. Przypomniał sobie, że widział takie selfie w samochodzie na profilach Tanyi Kaitlin i Johna Jenkinsona. Zapamiętał to, ponieważ widział te fotografie tego samego dnia.

Pokazał je przełożonej.

– Chyba sobie żartujesz – oznajmiła, kiedy zaczęła rozumieć całą sytuację.

– To jeszcze nie wszystko. W nocy przybyła kolejna ofiara. – Na monitorze wyświetlił następne zdjęcie: Erica i Gwen Barnes w trakcie jazdy samochodem.

Przez chwilę pani kapitan brakowało słów. Ona również nie należała do „fanklubu zbiegów okoliczności".

– Skoro zatem wiedziałeś, że Holden to morderca, dlaczego nie wezwałeś grupy SWAT, żeby zrobiła nalot na jego dom? Dlaczego nie zadzwoniłeś do Carlosa? Dlaczego, do jasnej cholery, polazłeś tam sam?

Garcia ponownie posłał mu groźne spojrzenie.

– Właśnie, dlaczego nie zadzwoniłeś do swojego *partnera*?

– Ponieważ cała moja teoria opierała się na wspomnieniu. Nieważne, jak bardzo pewny się wydawałem, nie miałem żadnego dowodu, że to właśnie on jest mordercą. Potrzebowałem potwierdzenia, że rzeczywiście ma skrzep o takim kształcie, ponieważ to jedyna *prawdziwa* rzecz, po której mogliśmy go zidentyfikować.

– Ha – parsknął przyjaciel. – To opowiedz teraz o swoim planie, żeby to potwierdzenie zdobyć.

Przełożona spojrzała na Huntera pytająco.

– Tak naprawdę to nie miałem planu. Nie wiedziałem, co zrobić, poza tym, że muszę sprawdzić te nowe, dziwne informacje w ciągu godziny. Potencjalnie mogły zawierać tożsamość mordercy, nie chciałem czekać z tym do rana.

– Więc wziął kartkę z odciskami palców z jakiejś sprawy – włączył się Carlos. – Jakiejkolwiek sprawy, na chybił trafił, i pojechał z tym do Holdena.

Barbara zaczęła rozumieć rozbawienie detektywa.

– O, proszę cię, nie mów, że wymyśliłeś tylko tyle, żeby zapukać do jego drzwi i zapytać o fachową opinię eksperta o drugiej w nocy...

Mężczyzna uśmiechnął się jeszcze szerzej.

– Trafiła pani idealnie. To właśnie cała jego strategia. Trzeba przyznać, że niezawodna, prawda?

Kobieta zachichotała.

– Dobra, przyznaję, pomysł był do dupy – powiedział Hunter. – Ale jakoś się w końcu ułożyło.

Następnie zrelacjonował wszystkie wydarzenia w domu Holdena.

– Dwanaście osób? – zapytała pani kapitan. Rozbawienie w jej głosie ustąpiło miejsca zdumieniu.

– Najstraszniejsze jest to, że to dopiero początek. On nie zamierzał przestać po tej dwunastce.

Zdumienie przeistoczyło się w osłupienie.

– Co?

– Umysł Nicholasa jest... zniszczony – zaczął detektyw. – Gniew, ból, poczucie winy, niekończące się cierpienie... tego wszystkiego było już dla niego za dużo. Niszczyło go od środka. Jego mózg mógł sobie z tym poradzić, tylko znajdując jakąś drogę ucieczki. Coś, co pozwoli odseparować się od tych strasznych uczuć. Jak sam powiedział: coś, co nada jego życiu nowy sens.

– Więc zaczął obwiniać każdego kierowcę na świecie o śmierć swojej rodziny? – Jej głos zabarwił gniew.

– Nie każdego kierowcę. Tylko tych, co do których znalazł dowód, że zrobili sobie selfie, prowadząc samochód. W jego umyśle każdy z nich był tak samo winny jak kierowca tego niebieskiego forda. W końcu ostatecznie to właśnie przyczyna, dla której jego najbliżsi zginęli.

– To idiotyczne. – Kobieta pokręciła głową.

– To się dzieje codziennie, na całym świecie. Rasizm, seksizm, homofobia... to wszystko stereotypy. To właśnie zrobił Holden: sprowadził tę kwestię do bardzo osobistego stereotypu.

Barbara nie pomyślała o tym w ten sposób.

– Czy on mówi? Przesłuchaliście go?

– Próbowaliśmy – potwierdził Carlos. – Wziął jednak od razu prawnika i nawet nie otworzył do nas gęby.

– Tak też myślałam.

– Jakąś godzinę temu wróciliśmy z jego domu. Nasza ekipa dalej tam jest, szukają dowodów, ale wiemy już na pewno, że ta dwunastka na tablicy to wierzchołek góry lodowej. To tylko grupka, którą znalazł na początku swoich poszukiwań, zaplanował już dla nich wszystko, razem z listą pytań. Informatycy dopiero zabrali się do sprawdzania dwóch laptopów, które znaleźliśmy w piwnicy, więc Bóg jeden wie, na co natrafią, ale już odkryliśmy na kartkach zapiski dotyczące pięciu kolejnych osób. Pięciu nowych ofiar.

– Dziesięciu – poprawił go partner.

– Co? – Przełożona zdawała się bardzo niepewna.

– Każdą ofiarę na jego liście należy liczyć podwójnie – wyjaśnił. – Jedną osobę morduje, drugą niszczy psychicznie. Tę, którą uważa za prawdziwy cel. Tę, do której dzwoni.

– W porządku. – Barbara przerwała ciszę, która spowijała pomieszczenie od kilkudziesięciu sekund. – Powiedzmy, że rozumiem, dlaczego jego chory umysł obwiniał tych ludzi o śmierć rodziny. Rozumiem te połączenia wideo, grę w pytania, poczucie winy, bezradność i wszystko, ale po co te listy? Dlaczego bawił się w stalkera?

Hunter wskazał na tablicę.

– Proszę spojrzeć na to, co zebraliśmy w czasie śledztwa. Niech się pani zastanowi, co mogliśmy z tym dalej zrobić.

Wtedy zrozumiała.

– Pójść złą drogą.

– On jest zaburzony, ale nie głupi – skomentował Garcia. – Pracuje jako technik kryminalistyczny. Ma dokładną i pewną wiedzę na temat tego, jak pracujemy. Rozumie procedury śledcze dużo lepiej niż jakikolwiek inny przestępca. Dostarczył nam coś bardzo rzeczywistego: wiadomość prześladowcy znalezioną w torebce, i zmusił nas do szukania zjaw.

– Być może trwałoby to wiecznie – wtrącił się Robert. – Gdyby Erica Barnes nie dała nam jego wizerunku, to kto wie, jak długo byśmy go szukali. Jeśli w ogóle byśmy znaleźli. On nie popełnił żadnego błędu. Po prostu mieliśmy szczęście.

– Najgorsze jest to, że obrona na pewno będzie udowadniała problemy psychiczne w czasie procesu. Powiedzą, że cały ten ból i poczucie winy wypaczyły jego sposób odbierania rzeczywistości, przez co działał z ograniczoną świadomością. Powiedzą nasze ulubione słowo: „niepoczytalny", zatem zamiast do więzienia powinien trafić na leczenie.

Kapitan Blake ruszyła w stronę drzwi.

– To już jest zadanie dla sądu i ławy przysięgłych, Carlos. Wiesz o tym. My już za to nie odpowiadamy. Mieliśmy go złapać i nie pozwolić więcej nikogo skrzywdzić, co też zrobiliśmy. Także gratuluję dobrej roboty. – Otworzyła drzwi i się zatrzymała. – Jak papierkowa robota już się skończy, obaj macie wziąć urlop, zrozumiano? Przynajmniej kilka dni. To rozkaz. Jak zobaczę twarz któregokolwiek z was w tym budynku w ciągu najbliższych dni, to zaczniecie wystawiać mandaty w Compton.

– Takiemu rozkazowi nie zamierzam się sprzeciwiać – powiedział Garcia, kiedy szefowa już wyszła.

– Ja też nie – zgodził się drugi detektyw.

– Skoro mamy trochę wolnego, to może wpadłbyś do nas dzisiaj na kolację? Anna by się ucieszyła z twoich odwiedzin. – Uśmiechnął się zawadiacko. – Możesz nawet zabrać swoją dziewczynę.

Mężczyźni spojrzeli sobie w oczy.

– No wiesz, tę od szminki na ustach.

Hunter również się uśmiechnął.

– Może tak właśnie zrobię.

Dziewięćdziesiąt trzy

Miesiąc później.
Szpital psychiatryczny w Kalifornii.

Korytarz był długi i biały, jasno oświetlony przez rząd świetlówek na środku sufitu. Zapach wiszący w powietrzu można określić jako... złożony. Najpierw uderzała silna woń środków odkażających, zupełnie jakby sprzątała tam osoba o niezwykle głębokiej fobii przed zarazkami. Jednak co kilka kroków pojawiały się zupełnie inne nuty. Czasem wymiotów. Czasem krwi. A czasem czegoś trudnego do zaklasyfikowania. Wydawało się, że odór wydostaje się z piszczącej podłogi, odbija od szaleńczo białych ścian i w końcu wpada idącemu mężczyźnie prosto do nosa. Z całą pewnością smród był odrzucający, ale jemu zbytnio nie przeszkadzał.

Szedł powoli, miarowo. Nie spędził tutaj zbyt wiele czasu, ale zdążył znienawidzić to miejsce. Na szczęście niedługo już je opuści.

Skręcił w bok i przeszedł przez ciężkie podwójne drzwi. Zapach wymiocin ponownie się pojawił. Zupełnie jakby zaczaił się za progiem i czekał, żeby przywalić mu prosto w twarz. Zignorował go i poszedł dalej, znowu skręcił i zatrzymał się w końcu przed metalowymi drzwiami z małym okienkiem na wysokości oczu. Nie zajrzał przez nie. Nie musiał. Po prostu otworzył zamek i wszedł do środka.

Nicholas Holden leżał na łóżku i przeglądał gazetę. Spojrzał na nowo przybyłego.

Mężczyzna położył na ziemi kwadratowe pudełko. Obaj się sobie przyglądali przez chwilę.

– Kim, do cholery, jesteś? – zapytał Nick.

– Jestem osobą, do której dzwoniłeś – odpowiedział przybysz i zamknął za sobą drzwi.

– Zły pokój, gościu, ja do nikogo nie dzwoniłem.

Pan J wyciągnął z kieszeni zdjęcie Cassandry i pokazał je Holdenowi.

– Jesteś pewien?

Dziewięćdziesiąt cztery

Następny dzień, godzina 8.24 rano.

Mała, niezbyt znana kawiarnia znajdowała się na Chatsworth Street, upchnięta pomiędzy komisem samochodowym a chińską restauracją. Przestrzeń pozostawiała nieco do życzenia, ale kawa smakowała przyzwoicie, obsługa była na wysokim poziomie, a o jagodowych naleśnikach można było pisać peany pochwalne. Pan J właśnie skończył ostatni z trzech placuszków polanych syropem klonowym, kiedy wyczuł, że ktoś się do niego zbliża od tyłu, a następnie zatrzymuje jakieś dwa kroki za nim. Obrócił głowę w stronę przybysza i odkrył, że jest nim Hunter.

– Pan detektyw? – zapytał, spoglądając na niego z lekkim zdziwieniem.

– Dzień dobry, przepraszam, że przeszkadzam w śniadaniu.

– Nic nie szkodzi, i tak już skończyłem – odparł, odsuwając od siebie talerz. – Proszę usiąść – zaproponował, wskazując na puste krzesło naprzeciwko.

– Dziękuję. – Mężczyzna przyjął zaproszenie.

Przez kilka chwil patrzyli sobie w milczeniu w oczy.

– Napije się pan kawy? Tutejsza jest wyśmienita.

– Nie, bardzo dziękuję.

John próbował wyczytać coś z twarzy swojego rozmówcy, ale ta pozostała nieprzenikniona.

– Czy coś się stało? – zapytał w końcu.

Robert milczał jeszcze przez moment, zanim skinął głową.

– Tak, jestem tutaj służbowo.

– W porządku. – Aktorskie umiejętności Pana J ponownie

stanęły na najwyższym poziomie. Niepokój w jego głosie został idealnie wyważony. – Jaka jest ta... służbowa sprawa?

– Przyszedłem poinformować pana o rozwoju śledztwa w sprawie morderstwa pańskiej żony.

Mężczyzna zmarszczył brwi.

– Rozwoju? W jakim sensie? – Wykazał nieco więcej niepokoju.

– Jak pan wie, Nicholasa Holdena umieszczono w szpitalu psychiatrycznym do czasu rozpoczęcia procesu.

– Tak. – John położył łokcie na stole i złączył palce. – Proszę, niech mi pan tylko nie mówi, że ta kupa gówna uciekła.

– Nie, nie uciekł.

Jenkinson odetchnął.

– Ale nie dojdzie do procesu.

– Co? Co to niby, kurwa, znaczy, że nie dojdzie do procesu? – Gniew, intonacja, szeroko otwarte oczy: wszystko zagrane bez zarzutu.

Hunter przyglądał się dokładnie swojemu rozmówcy.

– Nie dojdzie do procesu, ponieważ został zamordowany ubiegłej nocy.

– Zamordowany?

– Zgadza się.

Pan J udawał przez chwilę, że się nad tym zastanawia.

– Skąd taka pewność? Skąd pan wie, że ten gnój nie wybrał po prostu łatwiejszego rozwiązania i ze sobą nie skończył? Pieprzony tchórz.

– To nie było samobójstwo – zapewnił detektyw.

– Dlaczego?

– Ponieważ ktoś zdarł mu skórę z twarzy i wyciął serce z piersi, a następnie zostawił je na podłodze – wyjaśnił. – Szczury na nim ucztowały, gdy znaleziono go dzisiaj z samego rana.

– Szczury?

Policjant pokiwał głową.

– Nikt nie wie, skąd się wzięły ani jak dostały się do celi. Szpital nigdy nie miał z nimi problemów. Są spekulacje, że to morderca przyniósł je ze sobą.

– Przyniósł ze sobą szczury?

Policjant ponownie pokiwał głową.

Mężczyzna oparł się na krześle, miał zszokowaną minę, oczami błądził bez celu.

Robert obserwował go przez kilka długich chwil, a następnie wstał.

– Pomyślałem, że chciałby pan o tym wiedzieć. W dodatku lepiej, żeby dowiedział się pan o tym ode mnie niż z gazet albo porannych wiadomości.

Odwrócił się, żeby odejść.

– Detektywie.

Hunter znowu na niego spojrzał.

– Co teraz? Czy *pan* będzie szukał jego mordercy?

– Nie. – Pokręcił głową. – Holden był już oficjalnie gościem jednej z instytucji systemu karnego Kalifornii. Do przestępstwa doszło na jej terenie, w takich sytuacjach korzystają z usług swoich własnych śledczych.

– Jeszcze jedna rzecz, zanim pan pójdzie – zatrzymał go drugi raz. – Jak w ogóle go pan znalazł? Nigdy nie powiedział mi pan, jak odkrył jego tożsamość.

Robert nawiązał z nim kontakt wzrokowy ostatni raz. Przez kilka sekund żaden z nich nie mrugnął.

– Jego oczy – odpowiedział w końcu. – W oczach mordercy zawsze można znaleźć coś, co go zdradzi. – Mrugnął do niego subtelnie. – Trzymaj się... *Panie J.* – Odwrócił się i wyszedł z kawiarni.